Hotel Evergreen Falls

KIMBERLEY FREEMAN

HOTEL
EVERGREEN FALLS

De Fontein

Eerste druk augustus 2016

Oorspronkelijke titel *Evergreen Falls*
Originally published in 2014 in Australia and New Zealand by Hachette Australia
Copyright © 2014 by Kimberley Freeman
The moral right of Kimberley Freeman to be identified as the author of this work
has been asserted in accordance with the Copyright, Designs and Patents Act 1988
Copyright © 2016 voor deze uitgave Uitgeverij De Fontein, Utrecht
Vertaling Mechteld Jansen
Omslagontwerp © Janine Jansen
Omslagillustratie © Ilina Simeonova / Trevillion Images
Opmaak binnenwerk Pre Press Media Groep, Zeist
ISBN 978 90 261 3974 1
ISBN e-book 978 90 261 3975 8
NUR 302

www.uitgeverijdefontein.nl

Ter nagedachtenis aan Stella Vera
Ster der Waarheid

Proloog

Ze zeggen steeds maar 'het lijk', en Flora denkt dat ze gaat gillen zonder ooit te kunnen stoppen. Op een fluistertoon die niet zacht genoeg is, zoals mannen dat doen, zeggen ze het steeds weer. '*Het lijk* kan hier niet zomaar in een kamer liggen.' 'Als we *het lijk* in het zwembad leggen, zal het misschien op verdrinking lijken.' 'Maar als ze *het lijk* dan onderzoeken zullen ze geen water in de longen aantreffen.' Enzovoort. En Flora zit de hele tijd gevangen in de barse kerker van haar eigen gedachten, niet meer in staat om er iets van te begrijpen vanaf het moment dat ze het bleke, stoffelijke overschot vond. Ze huivert in de kille bries die door de open deur waait en de hoge eucalyptussen in de donkere vallei belaagt.

'Als die oude hier lucht van krijgt,' zegt Tony, zijn opmerking onderstrepend met een korte trek van zijn sigaret, 'draait hij de geldkraan dicht en krijgt Flora niets.'

Ze wil zeggen dat ze niet om geld geeft, dat de dood nog nooit zo groot en aanwezig en definitief heeft geleken als op dit moment, nu ze naast het stoffelijk overschot staat van een echt mens, iemand die gisteren nog ademde en huilde. Haar lippen bewegen, maar er komt geen geluid.

'Wat wil je doen, Florrie?' vraagt Sweetie.

'Het heeft geen zin om met haar te praten,' zegt Tony en hij schudt zijn hoofd in het zwakke licht van de stormlamp. 'Ze heeft een paar teugen whisky nodig om bij haar positieven te komen. Luister, het enige wat we zeker weten is dat dit niet bekend mag worden. Het moet een ongeluk lijken. Een val tijdens een wandeling door het bos.'

'In die sneeuw? Dat gelooft toch niemand?'

'Bedenk eens wat voor reputatie deze overledene had,' zegt hij, en – o lieve god – hij drukt zachtjes met de punt van zijn lakleren schoen tegen het lichaam, zodat het iets omhoogkomt en daarna terugzakt op de vloer. 'Niet bepaald een modelburger.' Tony lijkt zich te realiseren dat Flora meeluistert en houdt zich in. 'Het spijt me, Florrie. Ik ben alleen praktisch. Je moet ons vertrouwen.'

Flora knikt, in shock, maar ze kan de situatie niet bevatten.

'Hoe ver moeten we het lijk dan wegbrengen?' vraagt Sweetie.

'Tot zo dicht mogelijk bij de watervallen.'

Sweetie knikt en neemt de slappe benen in zijn grote handen. Flora wil helpen, maar Tony duwt haar weg, zacht maar beslist.

'Wacht jij maar hier. We hebben nu toch niets aan jou en het is moorddadig koud. Ik zit niet te wachten op twee lijken.' Hij schiet zijn peuk door de deur naar buiten en die valt met een boog in de sneeuw, een kortstondige vonk die snel dooft.

Flora kijkt hen na. Ze sjouwen het donker en de kou in, worden kleine figuurtjes aan de rand van de tuin en verdwijnen dan onder aan de stenen treden die naar de vallei leiden. Het is gaan regenen. Dikke druppels vallen vanuit de kolkende nachthemel zachtjes op de sneeuw. Ze staat bij de deur, met vingers die gevoelloos worden, te kijken of ze al terugkomen.

De regen zal hun diepe voetsporen in de sneeuw wegspoelen, samen met het eventuele spoor van slappe, dode armen die tussen hen in slepen. Maar de regen zal ook over het lichaam stromen, een doorweekte lijkwade, een natte begrafenis. Flora slaat haar handen voor haar gezicht en huilt, om haar shock en teleurstelling en verlies, en om de verschrikkingen die zonder twijfel nog zullen komen. *Arme Violet*, zegt ze in gedachten steeds opnieuw. *Arme, arme Violet.*

1

2014

Als ik enige ervaring met mannen had gehad, als ik geen eenendertig-jarige maagd was geweest die net haar eerste baan had, zou ik mis-schien hebben geweten hoe ik met Tomas Lindegaard moest praten zonder over te komen als een raaskallende idioot.

'Hetzelfde als altijd?' vroeg ik toen hij naar de bar liep. 'Weet je, je kunt ook gaan zitten en wachten tot je aan tafel bediend wordt. Als je dat wilt. Of niet, natuurlijk. Ik bedoel, ik wil niet bazig zijn.'

Tomas glimlachte en er verschenen rimpeltjes aan de hoeken van zijn helderblauwe ogen. 'Misschien verras ik je vandaag wel door iets heel anders te bestellen,' zei hij.

Ik lachte, besefte toen dat het te hard was en stopte abrupt.

'Zwarte koffie,' zei hij.

'Maar dat is wat je altijd... o.'

Hij glimlachte weer en ik lachte terug, heel even licht in mijn hoofd, zoals altijd wanneer hij in de buurt was. Toen zag ik mevrouw Tait aan komen lopen en ging haar snel helpen. Hoe onafhankelijk ze ook wilde zijn, ze had hulp nodig om in een stoel te komen met haar wandelstok en haar stijve gewrichten.

'Dank je, lieverd,' zei ze terwijl ze zich in haar stoel nestelde. 'Een latte met een extra shot en een sigaretje, alsjeblieft.'

Het was dezelfde grap die ze altijd maakte. Mevrouw Tait was dertig jaar geleden gestopt met roken, maar ze hield vol dat ze het nog elke dag miste, vooral als ze koffie dronk.

'Komt eraan,' zei ik en ik liep terug naar de bar, waar Penny net de koffiemachine had aangeslingerd. Het geluid van de stoom overstemde de kletterende herrie van het café en het doffe gebonk van de muziek. Tomas had zijn gebruikelijke tafeltje genomen, precies midden in het café.

Penny keek me aan en bewoog haar hoofd subtiel in Tomas' richting, met een veelbetekenende glimlach.

Ik haalde mijn schouders op. Ik had geen idee of Tomas net zo veel interesse in mij had als ik in hem, ondanks ons dagelijkse contact. Hij hoorde bij een team architecten dat bezig was met de renovatie van het historische Hotel Evergreen Falls, speciaal ingevlogen vanuit Denemarken om kamers te ontwerpen en mijn hart te breken. Penny was de eigenaresse van het café: een glinsterend hoekje glas en chroom aan het einde van de net gerenoveerde oostvleugel van de Evergreen Spa. Ik wist zeker dat Tomas eerder interesse zou hebben in haar, met haar sportschoollichaam en haar Spaanse genen van moederszijde. Een magere blondine met lichte wenkbrauwen kon daar nooit tegenop.

Penny schoof me twee schoteltjes toe, de ene met mevrouw Taits latte, de andere met Tomas' zwarte koffie. 'Mevrouw T. eerst,' raadde ze me zachtjes aan, 'en dan blijven hangen, oké? Je weet toch hoe dat moet?'

Ik knikte, leverde mevrouw Taits latte af en bracht toen Tomas zijn koffie.

'Dank je, Lauren,' zei hij, terwijl hij twee zakjes suiker tussen duim en wijsvinger losschudde voor hij de inhoud in zijn koffie gooide. 'Rustige ochtend?'

Dit was mijn kans om te blijven hangen. 'Ja, al heb ik het liever druk. Dan kom je in je ritme.'

Een babbeltje maken. Daar stond ik dan een babbeltje te maken. Niet zo moeilijk als ik had gedacht.

'Waarom ga je niet even zitten?' vroeg Tomas met een heerlijke glimlach.

Een prikkeling van opwinding. Ik keek even naar Penny, die gebaarde dat ik dat moest doen. Ik hoorde mijn mobieltje rinkelen in mijn tas onder de bar, maar ik negeerde het. We kletsten maar wat, over luchtige en iets minder luchtige zaken – hij was gescheiden, geen kinderen – maakten oogcontact, lachten. Flirtten. We waren aan het flirten. De gedachte kwam warm en snel in me op. Ik hoorde mijn telefoon weer.

Toen stond Penny naast me. 'Sorry, Lauren.' Ze stak me mijn telefoon toe, die net weer was gaan rinkelen. 'Het is je moeder en ze blijft maar bellen. Misschien is er iets ergs.'

De drie letters MAM flitsten op het schermpje op. 'Het spijt me,' zei ik tegen Tomas. 'Ik moet even opnemen.'

'Natuurlijk,' zei hij, terwijl hij zijn koffie opdronk. 'Ik moet er trouwens toch vandoor.'

Ik nam mijn mobiel van Penny aan en haastte me naar het hoekje achter de tijdschriften. 'Mam?'

'Waar zat je? Ik heb je drie keer gebeld!'

'Ik ben op mijn werk. Ik kan niet zomaar alles uit mijn handen laten vallen zodra...' Toen zei ik tegen mezelf dat ik niet zo streng moest doen. 'Het is lastig als ik op mijn werk ben, dat is alles. Ik was net met een klant bezig.' Ik wierp een blik over mijn schouder. Tomas was weg. Maar hij had iets op tafel laten liggen. Ik liep erheen.

'Ik werd bezorgd toen je niet opnam. Waarom ben je daar al zo vroeg?'

'Vroege dienst. Voor mensen op weg naar hun werk.' Het was een sleutel met een plastic label eraan. In het raampje aan een kant stond TOMAS LINDEGAARD geschreven. Ik draaide hem om en op de andere kant stond: OUDE WESTVLEUGEL. Ik ging naar de deur en duwde die open. Geparkeerde bouwvoertuigen onder de hoge dennenbomen langs de straat. Een man op zo'n grasmaaier waar je op moet zitten maakte in de verte het voetpad schoon. Nog geen langzaam rijdende toeristenauto's die zich verdrongen voor de parkeerplaatsen bij het wandelpad naar de watervallen. Geen spoor van Tomas.

'Het spijt me. Je weet hoe bezorgd ik kan zijn,' zei mijn moeder.

'Ja, ik weet hoe bezorgd je kunt zijn.' Ik stak de sleutel in mijn zwarte schortje en liet de deur achter me dichtvallen. Penny stond mevrouw Taits tafeltje af te ruimen en met haar te kletsen, maar verder was het café leeg. 'Is het dringend?' vroeg ik mijn moeder.

'Niet echt. Alleen... Adams boeken...' Haar stem haperde.

'Die neem ik wel,' zei ik doortastend. 'Stuur ze maar naar mij.'

'Dus je blijft daar?'

'Ja, natuurlijk.' Ik haalde diep adem en bereidde me voor op wat er nu zou komen.

'Het is ver van huis.'

'Het *is* nu thuis.'

'Ik ben alleen bezorgd...'

Bezorgd. Weer dat woord.

'Ik zit hier prima.' Beter dan prima. Beter dan ooit. Ik was weg uit mijn geboorteplaats aan de kust van Tasmanië en woonde nu in de Blue Mountains achter Sydney, helemaal alleen. Ik leerde dingen te doen die andere mensen als tieners ontdekken: huur betalen, mijn eigen was doen, boodschappengeld budgetteren. Veel later dan had gemoeten.

'Het voelt zo verkeerd dat je zo ver weg bent. Het huis is zo leeg en... weet je zeker dat alles goed gaat? Ik wil niet dat er iets... misgaat.'

Twee tot drie keer per dag belde mijn moeder me, en twee tot drie keer per dag riep ze het spook op van iets wat 'misgaat'. Het frustreerde me zo erg dat het pijn deed aan mijn tanden, maar ook aan mijn hart. We waren geen gewone familie. Ik was geen gewone dochter. Niets aan onze omstandigheden was gewoon.

'Neem het nou maar van me aan,' zei ik, voor de honderdste keer. 'Je hoeft je geen zorgen over mij te maken.'

Ze zuchtte. 'Dat kan ik van niemand aannemen.'

'Ik raak mijn baan kwijt als ik nog langer blijf bellen,' loog ik. 'Het is ontzettend druk vanochtend. Stuur die boeken maar. Ik kan wel iets gebruiken om me 's avonds bezig te houden.' De avonden waren lang en leeg. De tv-verbinding was onbetrouwbaar, Penny was tot dusverre mijn enige vriendin en ik kon er moeilijk op rekenen dat ze me elke avond vermaakte. Ik had me aangewend om vroeg naar bed te gaan met een kop thee, een plak vruchtencake en een oud roddeltijdschrift van achter uit het rek.

'Goed, dat doe ik, maar...'

'Dag, mam.'

Penny keek me aan toen ik mijn telefoon weer in mijn tas stopte en aan het werk ging.

'Alles in orde?' vroeg ze.

'Altijd,' zei ik.

Pas later, veel later, dacht ik weer aan Tomas' sleutel. Toen ik thuiskwam had ik mijn schort op het bed gegooid en was ik meteen in bad gegaan. Mijn seniorenflat in Evergreen Falls, vlak achter het huis van mevrouw Tait en op vijf minuten lopen van het café, had een badkamer waarin ik amper mijn armen uit kon strekken, maar het bad was diep en het raam ernaast keek uit op een ommuurde privétuin. Ik liet me een tijdlang weken in het sop. Pas toen ik later de was aanzette hoorde ik iets tegen de binnenkant van de machine rammelen. Ik haalde met een vaag schuldgevoel de sleutel uit de zak van mijn schortje.

Tijdens het eten – alweer een eenpersoonsmagnetronmaaltijd uit de diepvries: boeuf stroganoff deze keer – liet ik de sleutel op het aanrecht liggen en keek ernaar in het keukenlicht. *Tomas Lindegaard.* Wat een prachtige achternaam. Achter de ramen viel de nacht. De bouwplaats zou inmiddels verlaten zijn. Zelfs Penny zou het bordje met OPEN voor het caféraam inmiddels hebben omgekeerd. Ik wist waar Tomas logeerde terwijl hij aan dit project werkte: ik had zijn huurauto vier straten verderop voor een cottage met een lange, met eiken omzoomde oprit zien staan. Mijn hartslag versnelde een beetje bij de gedachte om bij hem op de deur te kloppen.

Ik trok mijn badjas uit, deed een schoon T-shirt en een spijkerbroek aan, trok mijn schoenen aan en verliet de flat.

De avond was warm en zacht, en de geur van dennen en eucalyptus hing in de lucht. Ik was hier aan het begin van de zomer komen wonen en drie maanden later, in maart, had ik nog geen dag last gehad van de hitte. Er stond wat wind en de hemel had een lichte ambergele kleur met roze wolken erdoor. Ik liep de heuvel op naar de hoofdweg terwijl de afgevallen takken en dennennaalden onder mijn voeten kraakten.

Geen auto voor Tomas' huis. De teleurstelling greep me bij de keel. Waar had ik dan op gehoopt? Door alles wat er in het verleden was gebeurd, had ik geen enkele kans om een normaal soort relatie aan te gaan. Hoewel ik daar met mijn hele hart naar verlangde.

Ik zuchtte, draaide me om en liep naar huis.

Maar ik wilde niet naar huis. Misschien was hij nog op het werk, zei ik tegen mezelf. Ik ging op weg naar het Evergreen Spa Hotel.

Het hotel was van een vervallen schoonheid. De zonsondergang kleurde de met mosvlekken begroeide stenen muren. De tuinen strekten zich een kilometer ver uit tot op de rand van een rotsplateau en keek neer op heuvels en dalen zover als het oog reikte. Twee hoge, eeuwenoude dennenbomen flankeerden de hoofdingang en waren beide omringd door een verhoogd bloemperk vol onkruid en gele bloemen. Het hotel was gebouwd in de jaren tachtig van de negentiende eeuw, beleefde zijn bloeitijd in de eerste helft van de twintigste eeuw en raakte na de Tweede Wereldoorlog in verval, toen het gebruikt werd als een uitvalsbasis voor het leger. Een halfslachtige restauratiepoging in de jaren zestig had een oostvleugel opgeleverd die voldoende was opgeknapt om er bruiloften en partijen te houden, maar ook die was uiteindelijk dichtgespijkerd. Afgelopen jaar waren de ontwikkelaars gekomen. Tomas was gekomen. Penny had het café gepacht. Ik was mijn ouders in Tasmanië ontvlucht en had haar gesmeekt om een baantje, en nu bediende ik de plaatselijke inwoners en toeristen, maar vooral de werklieden. De oostvleugel van de Evergreen Spa zou volgens planning later dat jaar opengaan.

Maar de westvleugel, het oorspronkelijke stenen gebouw van twee verdiepingen met rijkbewerkte boogramen in Italiaanse stijl en sierlijsten met consoles: tja, daar was al tientallen jaren bijna niemand meer geweest.

En ik had de sleutel.

Tot dat moment in mijn leven had ik spontane acties zo veel mogelijk vermeden, om mijn moeders zenuwen maar te ontzien. Ik was nooit in bomen geklommen, had nooit met jongens in auto's rondgereden en was nooit naar het strand vertrokken als vrienden me meevroegen (als ik al vrienden had, wat niet vaak zo was omdat het gewoon niet zo leuk was om met mij op te trekken). Toen ik opgroeide bekeek ik altijd alles door mijn moeders bril. Ze zou het verschrikkelijk vinden dat ik nu de sleutel in het slot stak en die omdraaide tot hij pakte. Ze zou het verschrikkelijk vinden dat ik de verlaten bouwplaats nog eens rondkeek onder de serene avondzang van de zacht ritselende bomen en het verkeer op de snelweg verderop. Ze zou het verschrikkelijk vinden dat ik naar binnen stapte en de deur achter me sloot, waardoor ik in het duister stond. En juist omdat ze dat allemaal verschrikkelijk zou vinden, deed ik het.

De ramen waren in een ver, grijs verleden allemaal dichtgespijkerd en natuurlijk was er geen elektriciteit, dus haalde ik mijn telefoon uit mijn kontzak en zette de zaklantaarn aan. Die gaf maar een smalle, korte lichtbundel, maar het was genoeg om nergens over te struikelen. Ik scheen om me heen en besefte dat ik in een soort foyer stond, met opgezwollen parket, hoge plafonds met afbladderende sierlijsten, loszittend behang waarvan de hoeken treurig langs de gevlekte wanden afhingen, plus een stoffige, kapotte kroonluchter die het licht van mijn zaklamp ving en in duizend kristallen vonkjes tegen de muren weerkaatste. Ik kwam even op adem en inhaleerde daarbij een long vol stof die me een halve minuut lang liet hoesten zonder dat ik kon stoppen.

Ik stond daar een hele tijd, midden in de foyer, en probeerde me voor te stellen hoe het er hier moest hebben uitgezien in de hoogtijdagen van het hotel; hoe het eruit zou zien over een paar jaar, als Tomas en zijn team alles hadden gerenoveerd. Ik voelde me vreemd bevoorrecht, om dit zo te zien. Ruig, onaangeroerd, de dikke lagen neerslag van de tijd nog om me heen.

Ik scheen met mijn lampje in het rond. Aan de ene kant strekte zich een hal voor me uit en aan de andere kant een trap. Ik durfde er niet op te vertrouwen dat de trap me zou houden, dus liep ik de hal door, langs een paar lege kamers, en kwam toen in een grote bijkeuken. Er lagen ongelijke tegels op de vloer en een enorm, gietijzeren fornuis domineerde een muur. De grote vierkante gootstenen zaten vol slib. Een van de planken voor de ramen ontbrak en door de smerige ruit kon ik de onderste treden van een buitentrap zien, met een bordje VERBODEN TOEGANG, GEVAARLIJK erop. Ik voelde een steek schuldgevoel. Ik wist dat ik weg zou moeten gaan.

Ik liep de hal door en ging door de foyer weer terug naar de voordeur, maar daar ontdekte ik dat die niet openging. Er zat geen sleutelgat aan deze kant en er was geen klink, alleen een uitstekend stukje metaal. Ik nam mijn telefoon tussen mijn tanden zodat het licht op mijn schuldige voeten viel en draaide met al mijn kracht aan het stuk metaal. Mijn handen deden pijn en waren rood toen ze ervanaf gleden, en ze roken naar oud metaal.

Mijn hart begon te bonken toen ik besefte dat ik opgesloten zat en dat niemand wist dat ik hier was. Ik zou Penny of mevrouw Tait kunnen bellen. Of mijn moeder – het idee maakte me hardop aan het lachen en verjoeg mijn aanvankelijke schrik. Ik zette de zaklamp van mijn telefoon uit om de batterij te sparen terwijl ik nadacht.

Maar natuurlijk. Dit was zo'n reusachtig gebouw, er moesten toch meer uitgangen zijn. Ik liep de hal weer door en zocht in de lege kamers naar een uitgang. De deur naar de bijkeuken zat dichtgetimmerd. Aan het einde van de hal bevonden zich twee deuren: een met vrije toegang en een onder de lange kromming van een trap. Ik probeerde de eerste deur, maar de klink gaf niet mee. Ik stak de sleutel in het slot, en die gaf een millimeter mee en kon toen niet verder. Dus probeerde ik de tweede deur, en dat was mijn grote fout.

De sleutel ging erin en kon met een ruk omgedraaid worden, en ik duwde de deur open en voelde weerstand. Dus duwde ik nog harder en – *bonk!*

Mijn hart begon luid te kloppen. Na de eerste bonk kwam er een tweede, en een derde, en daarna volgde bons na bons toen de dingen die ik met de deur had weggeduwd op de vloer vielen. Ik deed voorzichtig mijn zaklamp aan en keek in wat een opslagruimte leek te zijn, met een plafond dat maar net boven manshoogte kwam. Aan de rotzooi te zien had ik per ongeluk een zware aardewerken urn tegen de poot van een oude tafel geslagen. De tafelpoot had het begeven en alle dingen die op de tafel stonden – koffers, dozen met curiosa, boeken, lampen en andere dingen die ik niet kon benoemen – waren in een chaos op de vloer gegleden. De urn had het overleefd, maar een compleet theeservies niet.

Ik stond voor een dilemma: moest ik de rest van de batterij van mijn telefoon gebruiken om de plaats delict te verlichten zodat ik kon opruimen en de bewijzen laten verdwijnen, of moest ik Penny bellen, haar vertellen wat ik had gedaan en de vernedering verdragen?

Ik besloot tot een derde optie: snel opruimen, dan Tomas zoeken, alles opbiechten en aanbieden om het servies te vergoeden. En misschien de tafel ook. Hij zou me een idioot vinden, en dat was dan dat. In zekere zin was het een opluchting; ik hoefde niet meer te smachten naar iets wat ik niet kon krijgen.

Ik zette mijn telefoon op de vloer tegen de muur om me bij te lichten. De tafel was niet meer te redden, de poten waren gebroken. Ik verzamelde de scherven van het servies en legde ze vlak achter de deur. Ik zette dozen rechtop, stapelde koffers op, raapte schoenlepels op en vergaarde oude armaturen en losse deurknoppen en zette alles zo netjes mogelijk weg.

Toen tilde ik een omgevallen doos op en keek ineens naar een oude grammofoonspeler. Verroeste clips aan drie kanten en een gebroken handvat wezen erop dat hij ooit draagbaar was geweest. Toen ik hem voorzichtig opraapte, zag ik dat de zijkant opengescheurd was bij de val en toen ik hem naast mijn mobiel op de vloer zette, viel het licht op iets wits, half verborgen in de open scheur. Ik keek erin en haalde er een stapeltje enveloppen uit, aan elkaar gebonden met een verschoten fluwelen lint.

Ik maakte het lint los en bladerde erdoorheen. Alle enveloppen waren ongeadresseerd, maar er zat duidelijk iets in. Ik maakte de flap van de eerste open en haalde er een krakend, geel vel papier uit. Met de hand beschreven in inkt, tot sepia verkleurd door de tijd.

Mijn liefste, wat een kwelling dat ik vanavond niet bij je kan komen...

Liefdesbrieven. Oude liefdesbrieven. Plotseling zwol mijn hart op. Ik had een sleutel gestolen, ingebroken in een verlaten gebouw en oude liefdesbrieven gevonden. Ik voelde me heerlijk, zweverig, levend. *Zie je wel, mam?* Dit was precies het soort opwinding dat ik in mijn leven was misgelopen door te voorzichtig te zijn. *Zie je wel, pap?* Ik strikte het lint weer vast. *Zie je wel, Adam?* Een abrupt schuldgevoel bekoelde mijn plezier. Hoe kon ik zoiets denken? Niets van wat er gebeurd was, was Adams schuld. Hij had nooit zo'n schaduw willen werpen: niemand op aarde zou zo'n schaduw hebben willen werpen.

Ik legde de bundel brieven bij mijn telefoon en deed mijn best om de opslagkamer weer op orde te krijgen. Ik zette zelfs de kapotte tafel tegen de muur. Toen stak ik de brieven in mijn jack, ging de kamer uit en deed de deur achter me dicht. Met hulp van mijn zaklamp wist ik de bijkeuken terug te vinden, waar het ene raam niet dichtgespijkerd zat. Ik leunde tegen het aanrecht en probeerde het schuifraam open te duwen. Het gaf een beetje mee. Ik klom op het aanrecht en ging in de gootsteen staan, centimeters diep in het slijk, en rukte met al mijn kracht. Kreunend ging het schuifraam omhoog en het raam open, en ik rook de frisse avondlucht. Ik klom naar buiten en sloot het raam achter me, liep om het gebouw heen en over de parkeerplaats terug naar de straat. Het was donker geworden terwijl ik binnen was en toen ik onder een straatlantaarn de modder van mijn schoenen af stond te stampen zag ik dat mijn kleren onder een laag stof zaten. Terwijl ik mezelf vruchteloos afklopte, toeterde er van achteren een auto naar me, en toen ik me omdraaide zag ik koplampen op me af komen. Ik stapte van de weg af op het vochtige gras en de auto kwam naast me tot stilstand. Het was Tomas.

'Wil je een lift?' vroeg hij met zijn lichte accent.

Ik schaamde me zo dat ik amper iets kon uitbrengen. 'Ik... hoor eens, ik moet je iets vertellen.'

Hij trok met een lichte glimlach zijn wenkbrauwen op. 'Stap in, dan. We gaan naar mijn huis. Ik woon hier vlakbij.'

Zijn huis. Ik zuchtte. 'Oké.' Toen zat ik in zijn auto, met de liefdesbrieven in mijn zak, en tijdens de korte rit naar zijn cottage zeiden we niets meer.

Er floepte een beveiligingslamp aan toen we de poort naderden. Ik verwachtte dat hij me zou vragen wat ik bij de Evergreen Spa deed, maar in plaats daarvan zei hij iets over de mooie avond, en hoe goed het hem beviel in de Blue Mountains, hoe anders het was dan in Kopenhagen; ik zal vast iets hebben teruggezegd, maar mijn hoofd tolde van mijn pogingen om te bedenken hoe ik moest opbiechten wat ik had gedaan.

Hij gooide zijn sleutels op een kastje en ging me voor naar de keuken. Ik deed mijn schoenen uit voor het geval er nog modder op zat en probeerde nog wat stof van me af te slaan.

'Kan ik iets voor je maken? Thee? Warme chocolademelk? Ik peins er niet over om koffie voor jou te zetten; dat doe jij meestal voor mij.'

'Nee, ik hoef niets.'

'Ik ga chocolademelk maken. Ik maak het naar mijn moeders recept. Het is erg lekker.'

Ik dwong mezelf te glimlachen. 'Oké dan, als je erop staat.'

'Ga jij maar zitten en vertel me wat je op je hart hebt.'

Ik ging aan de keukentafel zitten toekijken hoe hij een gietijzeren pannetje uitzocht en op het fornuis zette. Toen hij zich omdraaide om de melk uit de koelkast te pakken en ik zijn gezicht niet kon zien, zei ik: 'Je hebt de sleutel van de westvleugel vandaag in het café laten liggen.'

'Ah, dus daar was die gebleven. Ik heb mijn kantoor twee keer overhoopgehaald.'

'Het spijt me heel erg. Ik heb hem in mijn schort gestopt en toen belde mijn moeder en... ze is nogal... veeleisend.'

'Geen probleem.'

'Kom je... vaak in de westvleugel?'

Hij goot de melk in de pan en kwam naast me zitten terwijl die warm werd. 'Niet vaak. We hoeven daar de komende zes tot twaalf maanden nog niet aan de slag.'

'Ik ben naar binnen gegaan.' Mijn hartslag raasde in mijn oren terwijl ik dat zei. Ik herinnerde me een keer dat ik Adam uit een diepe slaap had gewekt en mijn moeder tegen me was uitgevaren, en zo voelde ik me nu weer. Diep in de problemen.

Hij glimlachte. 'Stoute meid.'

'Het wordt erger. Ik kon er niet meer uit. Dus deed ik een andere deur open en dat bleek een opslagruimte te zijn en ik... heb wat dingen omgegooid.'

'Wat voor dingen?'

'Een heleboel dingen. Ik heb een oud theeservies gebroken. God, ik hoop niet dat het antiek was.'

Hij glimlachte nog steeds, wat me een beetje geruststelde.

'Het spijt me zo. Ik ben meestal niet zo, geloof me. Ik heb juist altijd zo'n braaf leven geleid. Je kunt je niet voorstellen hoe braaf ik altijd ben geweest. Ik weet niet wat me bezielde.'

'Nieuwsgierigheid misschien?' zei hij terwijl hij opstond en naar het fornuis ging om in de melk te roeren. 'Het geeft niet. Er is geen schade.'

'Maar ik heb dingen kapotgemaakt.'

'De westvleugel is al lang geleden leeggehaald. Het was waarschijnlijk oude rommel zonder waarde. Zeker niets onvervangbaars. Zet het uit je gedachten.'

Opluchting stroomde door me heen. 'Wat aardig van je.'

'Dacht je dat ik je uit zou foeteren?'

'Misschien.'

'Ik ben gewoon blij dat je niet gewond bent geraakt. Ik weet niet of onze verzekering dat zou dekken.'

'Ik heb de trap links laten liggen.'

Hij ging aan de slag met cacao, honing en twee enorme koppen. 'Hoe ben je er weer uit gekomen?'

'Een van de ramen in de bijkeuken was niet dichtgetimmerd.'

'Vindingrijke meid.' Hij bracht de koppen naar de tafel en ging weer zitten.

Ik nipte van mijn chocolademelk. Die was zacht en zoet. 'O, wauw,' zei ik. 'Dit is heerlijk.'

'Dat zal ik tegen mijn moeder zeggen als ik haar de volgende keer spreek.'

Ik glimlachte naar hem en dacht toen weer aan de brieven. 'Kijk,' zei ik en ik haalde ze uit mijn jack en schoof ze over de tafel naar hem toe. 'Die vond ik in een oude draagbare grammofoonspeler.'

'Wat zijn dat?' Hij knoopte voorzichtig het lint los en maakte een van de brieven open. 'Liefdesbrieven?'

'Ik denk het. Ik heb er maar één bekeken.'

Hij schraapte zijn keel. '*Mijn teerbeminde. Vandaag lag ik in de zon achter de tennisbaan en in gedachten was ik weer bij jou, zoals afgelopen nacht, met mijn mond vol van de zoete dauw van jouw...*' Tomas lachte. 'Dit kan ik niet voorlezen. Veel te pikant.'

Ik bloosde toen hij de brief weer opvouwde en het stapeltje aan mij teruggaf. 'Hou jij die maar. Maar mijn sleutel moet ik wel terug-hebben.'

'Weet je zeker dat ik ze mag houden?'

'Ik sta erop. Lees ze maar en geef me een samenvatting van de beste. Kijk of je kunt achterhalen wie ze heeft geschreven, en aan wie. Als ze verstopt zaten, moest hun relatie misschien verborgen blijven. Je kon weleens op een geheim zijn gestuit.'

Bij die gedachte begon ik een beetje te gloeien van opwinding. Of misschien kwam de opwinding doordat ik bij Tomas aan de keuken-tafel zat en zijn moeders chocolademelk dronk. Geluk.

We kletsten. Hij vertelde over zijn moeder en ik vertelde – iets – over de mijne. Ik wilde hem nog niet mijn hele levensverhaal vertel-len. Niet omdat het te lang zou duren – ik had het op een spelden-knop kunnen schrijven – maar omdat ik wilde dat hij eerst de echte ik zou leren kennen.

Wie die echte ik ook was. Ik wist het nog steeds niet.

Hij bood me nog een kop chocola aan. Ik wilde dolgraag blijven, maar mijn moeder kon elk moment bellen en ik wilde haar niet spreken waar Tomas bij was of het telefoontje negeren zodat ze weer in paniek zou raken.

'Ik kan maar beter gaan,' zei ik. 'Maar bedankt.'

'Heb je een lift nodig?'

'Nee, ik woon vlakbij. Ik heb een flat achter het huis van mevrouw Tait. Je weet wel, de bejaarde dame die altijd in het café zit?'

'Ja, ik ken haar wel. Ik ben een keer thee bij haar gaan drinken toen ik hier net woonde.'

We stonden nu op de veranda. De motten vlogen zich stuk tegen de lamp.

'Goedenacht dan,' zei ik.

'Vrijdag,' flapte hij er plotseling uit. 'Ga je dan mee uit eten?'

Het kostte mijn gedachten even om mijn hart in te halen, dat al met een luide operastem ja aan het galmen was. 'Vrijdagavond? Ja. Ja, dat zou ik erg leuk vinden.'

'Goed.' Hij keek opgelucht en glimlachte breed. Tegen mij. Ik kon het haast niet geloven. 'Dan haal ik je om zes uur op?'

'Ja. Dat is... nou ja, ik zie je morgenochtend in het café, toch?'

'Ik ben een paar dagen in Sydney. Dus...'

'Dus...' grijnsde ik stompzinnig. 'Dan zie ik je vrijdagavond.'

Toen ging ik in het donker naar huis, licht in mijn hoofd van opwinding. Toen mijn telefoon ging en ik wist dat het mijn moeder was, kreunde ik niet eens.

2

Er zaten elf liefdesbrieven in het bundeltje, die stuk voor stuk bol stonden van zo'n verzengende passie dat ik mezelf koelte moest toewuiven toen ik ze uit had. Buiten hadden zich donkere wolken samengepakt en het gelijkmatige roffelen van de regen op het zinken dak overstemde de muziek die ik had opgezet. Ik bestudeerde de brieven een voor een, zoekend naar namen, data – alles wat me maar kon helpen ze te plaatsen. Het enige wat ik wist toen ik klaar was, was dat ze geschreven waren door een man die de initialen SHB had; dat de man een zus had die geen naam kreeg (ze heette overal 'Sissy' – Zussie); dat ze in of vlak na 1926 geschreven waren (dat wist ik dankzij een snelle zoekactie op internet naar de eerste 'Miss Sydney'; zij bleek in die tijd ook in het hotel gelogeerd te hebben) en dat hun liefdesrelatie duidelijk verboden was. O, en dat SHB zo ongeveer geobsedeerd was door de 'rozige tepels' van zijn minnares, die minstens één keer per brief werden genoemd.

Ik bond de brieven met het lintje bij elkaar en legde ze op mijn nachtkastje, knipte mijn lamp uit en nestelde me onder de dekens. In bed liggen op een regenachtige avond was een van mijn favoriete pleziertjes, wat veel zegt over de pleziertjes die ik had.

Ik lag lange tijd wakker, denkend aan Tomas. Ik sloot mijn ogen en probeerde me voor te stellen dat hij een paar van de dingen met me deed die SHB met zijn geliefde had gedaan. Ik was niet volkomen verstoken van seksuele ervaring; ik had een paar onhandige beginnende relaties gehad die het derde afspraakje niet haalden en had één wilde nacht beleefd met een veel oudere man die me dingen over mijn lichaam had geleerd waarvan ik niet wist dat ik ze kon voelen. Maar geen langetermijnvriendje, nooit echt met iemand naar bed gegaan, geen verliefdheid tot over mijn oren. Hoe kon dat ook? Ik woonde bij mijn ouders, en als dat de mannen al niet afschrikte om mij mee uit te vragen, weerhield het mij er in elk geval van om ja te zeggen. Elke keer dat ik kans op een relatie leek te hebben zei ik tegen mezelf: Nog een jaar, het kan toch niet veel langer zo doorgaan. Daarna verafschuwde ik mezelf omdat ik zo dacht.

En toen ik eindelijk vrij was, wist ik nauwelijks wat ik met mezelf aan moest en werd ik geplaagd door verdriet en schuldgevoel.

Maar ik vond Tomas leuk. Als hij in de buurt was voelde ik me gloeien, alsof ik werd aangelokt door iets moois dat vlak om de hoek stond. Ik vermoedde dat hij geluk mogelijk kon maken.

Ik ging slapen terwijl ik me afvroeg of SHB en zijn minnares gelukkig waren geweest, in 1926.

Toen ik de volgende dag uit mijn werk thuiskwam vond ik een briefje op mijn deur. *Dozen voor jou bij mij afgeleverd. Kom maar halen als het uitkomt. LT.*

Het duurde even voor ik het snapte. Mevrouw Tait. Ik had geen idee wat haar voornaam was, maar nu wist ik dat die begon met een L. Ze had zichzelf voorgesteld als mevrouw Tait en zo noemde iedereen haar ook.

Ik verwisselde mijn uniform voor andere kleren, liep om het huis heen naar de voordeur van mevrouw Tait en belde aan.

'O, hallo, lieverd,' zei ze, morrelend aan de deur. 'Kom toch binnen. Er zijn pakketjes voor je bezorgd.'

'Dat zijn boeken, denk ik,' zei ik toen ik de dozen netjes opgestapeld achter de deur zag staan. 'Mijn moeder heeft ze opgestuurd. Ze is eh... de kamer van mijn broer aan het opruimen.' Ik stond in een vlekkeloos onderhouden gerestaureerde cottage uit de jaren dertig, lichtblauw en crèmekleurig geschilderd, waar de zon door de ramen naar binnen scheen. 'Wauw, wat hebt u een mooi huis.'

'Het is niet echt mijn huis. Ik heb het van mijn moeder geërfd. Ik heb het door mazzel gekregen, niet door hard werken. Heb je zin in thee? Ik heb net water opgezet.'

'Ja, dat lijkt me heerlijk.'

'Geen bezwaar tegen een theezakje? Ik vrees dat ik niet zo aan ceremonie doe.'

'Helemaal goed. Met melk en één schepje suiker graag.'

'Ga zitten, ik ben zo terug.'

Ik ging in een pluchen leunstoel zitten en zakte er diep in weg.

Een paar minuten later kwam ze terug met twee mokken. Ze zette er een op het tafeltje naast me en ging zelf op de bank zitten. Haar staalgrijze haar was achterovergetrokken in een strakke knot en ze droeg een effen marineblauwe hemdjurk, die haar bleke huid bijna doorschijnend en haar ogen heel helderblauw maakte.

'Die kleur staat u prachtig,' zei ik.

'Ik heb altijd van marineblauw gehouden,' zei ze. 'Niet iedereen kan het dragen.'

Ik glimlachte. 'U kunt het goed hebben.'

'Je zou iets aan die wenkbrauwen moeten doen.'

'Vindt u?'

'Dat ze zo licht zijn betekent nog niet dat je ze niet kunt temmen. Ga naar Vana in de winkelstraat. Zij zal ze wel voor je weten te vinden.' Ze trok haar eigen wenkbrauwen op. Ik moest toegeven dat ze prachtig gevormd waren.

'Mijn moeder had helemaal geen wenkbrauwen,' ging ze verder na een slokje thee. 'Ze heeft ze helemaal weggeëpileerd in 1928, zodat ze ze weer terug kon tekenen. Dat was toen de mode. Ze moest ze de rest van haar leven tekenen, en toen haar hand minder vast werd...' Ze lachte. 'God hebbe haar ziel.'

'Hoelang is ze al overleden?' vroeg ik.

'Vijftien jaar.'

'Woonde ze hier?'

'O, nee. Ze heeft hier nooit gewoond. Het was een van haar investeringen. Mijn moeder had aardig wat geld en ze werkte er hard voor.' Ze schudde haar hoofd. 'Ik werkte nooit hard genoeg naar haar smaak. Ik heb haar teleurgesteld, denk ik.'

Op dat moment leek ze even geen vrouw van in de tachtig maar een verdrietig kind, en ik voelde iets trekken in mijn borst voor haar.

'Dat is vast niet zo. Ze moet van u gehouden hebben.'

'O, ze hield ook van me. Maar ik denk dat ze wilde dat ik arts of advocaat of iets bijzonders werd, maar daar had ik de hersenen niet voor, zie je. Nou ja. Dat is allemaal verleden tijd.' Ze glimlachte, vrolijk. 'Je zei dat deze boeken van je broer waren? Komt hij hier bij je wonen?'

Ik aarzelde over wat ik nu moest zeggen. Waarom voelde het altijd alsof het een geheim was, iets waar we niet over konden praten? Misschien waren we door de manier waarop mijn moeder de wereld buiten de deur had gehouden min of meer verborgen levens gaan leiden. 'Hij is dood,' zei ik eindelijk. 'Hij is zo'n vier maanden geleden overleden.'

'Dat spijt me. Hoe oud was hij?'

'Vijfendertig.'

Ze klakte met haar tong. 'Wat zonde, zo jong nog. Was het een ongeluk?'

'Nee, hij was al heel lang ziek. Het was niet... onverwacht.'

Ik nam een slokje thee en hoopte het onderwerp af te sluiten. 'Vertel nog eens iets over uw moeder,' zei ik met een geforceerde glimlach. 'Ze klinkt formidabel.'

'Ja, dat is een goed woord,' zei ze terwijl ze over haar schouder naar een setje ingelijste foto's op een buffet keek. Lachende mensen met ouderwetse kleren aan. 'Toen ik kwam, besloot ze dat ik een beter leven moest krijgen dan zijzelf had gehad. Mijn vader was vaak ziek, dus hij bleef thuis bij mij en mijn moeder nam een baan in een parfumerie in Sydney en werkte zich daar omhoog. En toen de zaak in zwaar weer terechtkwam, haalde ze een bank over om haar voldoende te lenen om hem te kopen. Ik zag haar bijna nooit: ze was van 's morgens vroeg tot 's avonds laat aan het werk. Ze was een echte carrièrevrouw in een tijd dat vrouwen geen carrières hadden. Ze creeerde haar eigen geluk.'

'Wauw. Wat een geweldig leven had ze.'

'Ja. Dat zou je denken. Dat is de officiële versie.' Haar stem was weemoedig.

'Officiële versie?'

'Er waren een heleboel dingen die ze me niet vertelde. Er zijn nog steeds veel dingen die ik niet weet.'

'Wat dan?'

Ze wuifde mijn vraag weg. 'Mijn vader voedde me op en we hadden een heel sterke band. Zij was vaak op reis en we redden het wel zonder haar. Ik herinner me nog hoe ze rook als ze thuiskwam, alsof de parfums waarmee ze gewerkt had een beetje in haar poriën waren gekropen. Dan boog ze zich over me heen en drukte haar koele lippen op mijn slapende wang en dan werd ik net wakker genoeg om haar te ruiken en haar te horen zeggen dat ze van me hield... Och jee. Daar komen de tranen. Dat gebeurt me tegenwoordig. Ik merk dat ik terugdenk aan dingen van zo lang geleden. Heel lang geleden.'

'Het geeft niet. Huil gerust.'

'Zulke gelukkige herinneringen, helemaal helder en scherpomlijnd. Ze zullen allemaal verdwijnen als ik sterf.' Ze viel stil. 'Ik heb veel te veel verteld en jij zult het wel saai vinden.'

'Ik vind het helemaal niet saai. U zou het allemaal op moeten schrijven.'

'En wie zou dat nou lezen, lieverd?'

'Uw kinderen?' zei ik, in de hoop dat ze kinderen had en niet alleen op de wereld was.

Ze snoof laatdunkend. 'Het zou ze niet interesseren. Zij hebben hun eigen leven. Een zit in Londen, een in New York, een in Vancouver. Allemaal leveren ze de grootste prestaties. Maar met zijn drieen niet één kleinkind voor mij.' Ze fronste en keek naar de bodem van haar theekopje. 'Eén kop is nooit genoeg.'

'U moet een pot hebben, en wat grotere mokken.'

'Ja, dat geloof ik ook.'

Ik stond op en wilde onze mokken gaan opruimen.

'Nee, nee,' zei ze, 'doe geen moeite. Dat geeft me straks iets te doen. Heb je hulp nodig met die dozen?'

'Ik red het wel.'

'Gelukkig,' zei ze. 'Ik zei het uit beleefdheid.' Toen lachte ze om mijn blik en ontvouwden zich duizenden lijntjes in haar gezicht.

'Kom me nog eens opzoeken,' zei ze.

'Dat zal ik zeker doen, mevrouw Tait,' antwoordde ik.

'Zeg maar Lizzie,' zei ze met sprankelende ogen.

'Dat zal ik zeker doen, Lizzie,' herhaalde ik, en ik kreeg het gevoel dat mij een speciale eer was betoond. Zelfs Penny en Tomas wisten haar voornaam niet.

Ik was er het meisje niet naar om me zeven keer om te kleden voor een afspraakje, en bovendien had ik al besloten – ongeveer een paar seconden nadat Tomas me mee uit vroeg – wat ik zou dragen. Mijn enige mooie jurk. Hij was knielang, zwart, mouwloos en de stof werd bij de taille bijeengehouden met een glinsterende ster. Ik bracht mijn dagen gewoonlijk door in een spijkerbroek met een T-shirt, en dit was de enige kleding waarin ik een vrouw leek, in plaats van een sekseloze slungel van een tiener. Ik had geen idee wat ik met make-up aan moest, maar Vana van de schoonheidssalon had inderdaad mijn wenkbrauwen 'gevonden' en ook mijn wimpers gekleurd. Ik bestudeerde mijn gezicht en borstelde mijn haar voor de spiegel, en besloot dat dit het dichtst bij 'mooi' was waar ik ooit zou kunnen komen.

Maar ik was veel te vroeg klaar en zat twintig lange minuten op de bank te wachten tot Tomas kwam. Mijn flat lag een eind bij de straat vandaan, dus deed ik mijn best om de motor van zijn auto of het knerpen van zijn voetstappen op het grind naast het huis te horen. Gespannen wachtend, als een kat. Zenuwachtig zat ik scenario's in mijn hoofd af te draaien, die stuk voor stuk uitdraaiden op een ramp of een afgang. Uiteindelijk was mijn teken dat hij in de buurt was het tinkelgeluidje van een binnenkomend bericht. *Sta buiten met mevr. T. te praten.*

Ik greep mijn handtas, streek mijn jurk glad en liep de flat uit.

Mevrouw Tait – Lizzie – was haar voortuin aan het besproeien, diep in gesprek met Tomas. Hij droeg een donkergrijze blazer op een blauw overhemd en een spijkerbroek. Hij had dat prachtige Scandinavische kleurenpalet: gouden haar, lichte huid, blauwe ogen. Maar het was niet alleen zijn uiterlijk dat me tot hem aantrok. Hij had iets vriendelijks over zich, iets zachts rond zijn mond.

'Hallo,' riep ik toen ik naderde.

Lizzie draaide zich om en lachte me breed toe. 'Ik hoor dat Tomas je mee uit neemt.'

Ik voelde mijn wangen warm worden. 'Nou, ja...'

'Goede keus voor allebei. Wat een prachtige kinderen zouden jullie krijgen. Lang en blond en met vriendelijke ogen.' Toen moest ze lachen om onze ongemakkelijke gêne en ik voelde onwillekeurig genegenheid voor haar en haar ondeugende gevoel voor humor.

'Zullen we?' vroeg Tomas, naar zijn auto wijzend.

'Dag, Lizzie,' zei ik terwijl ik haar gepoederde wang kuste.

'Prachtige wenkbrauwen,' fluisterde ze voor ze me losliet.

Terwijl Tomas en ik de lange zomeravondschemering in reden waren we even stil, en toen zei hij: 'Hoe komt het dat je haar Lizzie mag noemen?'

'Ik was gisteren een tijdje bij haar, om naar de verhalen over haar moeder te luisteren.'

'Ze vindt je zeker aardig.'

'Ik hoop het; ik vind haar aardig. Ze heeft wel iets, vind je niet?'

'Ja, alsof haar leeftijd haar helemaal niet week heeft gemaakt.'

'Ik denk dat ze best eenzaam is. Ze vertelde dat haar kinderen allemaal in het buitenland wonen. Ze is trots op hen, maar ze mist ze ook.' Ik keek naar het voorbijtrekkende landschap. 'Ik denk dat ik misschien wat vaker met haar op zal trekken. Ik heb toch niet zoveel te doen.'

Nog meer stilte. Ik schoof heen en weer op mijn autostoel, draaide mijn handen voor me om en bestudeerde ze.

'Je ziet er mooi uit,' zei hij.

Ik keek even zijn kant uit. Zijn ogen waren strak op de weg gericht, maar hij glimlachte.

'Dank je,' antwoordde ik. Toen: 'Jij ook.' Mijn hart klopte in mijn keel. Ik was hier zó onervaren in. 'Waar gaan we heen?'

'Ik heb gereserveerd in L'Espalier.'

'Wauw. Wat chic. Een Frans restaurant, toch?'

'Ja. Ik hoop dat dat goed is.'

'Natuurlijk.' Het was niet goed. Ik had een gevoelige maag. Ik kon niet tegen vette spijzen. Mijn Frans was hopeloos, dus ik had geen idee wat ik bestelde. Mijn zenuwen werden nog een tikkeltje erger.

Een paar minuten later reden we een parkeerterrein op en liepen de heuvel op naar het restaurant. Ik had moeite met mijn sleehakken en probeerde niet te stampen. *Concentratie. Doorademen.* De hoofdstraat van Evergreen Falls was stil en donker, afgezien van de lachsalvo's en het licht dat hier en daar uit de eettentjes links en rechts kwamen. Ik keek verlangend naar de Vintage Star, een pretentieloos eetcafé voor een antiekwinkel waar ik wist dat ik de kaart kon lezen en een goede ongegarneerde steak kon bestellen. Maar we liepen door en vonden al snel onze tafel in L'Espalier.

'Wijn?' vroeg de ober terwijl hij het servet op mijn schoot legde.

'Ik rijd, dus ik drink niet,' zei Tomas.

'Ja,' flapte ik er bijna wanhopig uit. 'Wijn graag.'

De ober zwaaide met de wijnkaart en ik keek er vluchtig doorheen. Ik probeerde mijn schrik over de prijzen te verbergen. Betaalde Tomas?

'Een glas van deze,' zei ik, wijzend naar de goedkoopste witte.

'Die verkopen we niet per glas.'

'We nemen een fles,' zei Tomas vlot. 'Misschien drink ik een half glas met je mee.' Hij lachte me over de tafel heen toe, zijn huid glad in het kaarslicht. Ik lachte terug, maar misschien was het eerder een grimas. Ik hoorde mijn telefoon in mijn tasje en wist dat het mijn moeder was, en ik besefte dat ik vergeten was te zeggen dat ik niet thuis zou zijn om mijn gebruikelijke telefoongesprek te voeren. Of nou ja, niet zozeer vergeten als wel vermeden, omdat ze vragen zou stellen en ik of zou moeten liegen, of haar moest vertellen dat ik uitging met een man, wat haar weer een preek over de gevaren van mannen zou ontlokken.

'Je bent mijlenver weg,' zei Tomas tegen me.

'En niet op een goede manier, vrees ik,' zei ik. Daar ging de telefoon weer.

'Moet je niet opnemen?'

'Ik... Het is mijn moeder.'

'Weet je dat zeker?'

'Ze belt me altijd nu.'

'Elke vrijdag?'

Elke dag. Dat ging ik hem niet vertellen. Ik ging hem ook niet vertellen dat ze daarnaast per dag nog minstens twee keer – op willekeurige momenten – belde.

'Misschien kun je dan maar beter opnemen,' zei hij. 'Ik vind het niet erg.'

Ik deed mijn tasje open, haalde mijn telefoon eruit en zette hem uit. Vanavond was ik een volwassene. 'Ze overleeft het wel,' zei ik, veel luchthartiger dan ik me voelde.

De ober kwam terug met een mandje brood en onze wijn, die ik een beetje te snel naar binnen klokte. Tomas leek het niet te zien. Hij stelde me vragen over mijn moeder en mijn vader; ik gaf hem eerlijk antwoord, maar niet tot in detail. Mijn vader was een wetenschappelijk illustrator die zijn eigen zaak vanuit huis dreef, mijn moeder was een gepensioneerde maatschappelijk werkster die vele jaren had gewijd aan de verzorging van mijn zieke broer, die kortgeleden was gestorven.

'Wat erg voor jullie,' zei hij.

'Ja, het is...' Ik schonk mijn glas bij. Mijn hoofd tolde een beetje terwijl ik me op de kaart probeerde te concentreren. 'Ik kan geen Frans lezen.'

'De gerechten zijn eronder in het Engels vertaald, zie je?'

En nog kwam de ober niet. Het restaurant was vol, lawaaierig, aan de warme kant. We plukten aan het brood, glimlachten elkaar verlegen toe, tot de ober eindelijk onze bestelling kwam opnemen. Tomas bestelde in volmaakt Frans, waardoor ik me nog onbeduidender ging voelen.

'Hoeveel talen spreek je?' vroeg ik.

'Alleen Engels en Frans.'

'En Deens.'

'Natuurlijk. Ik kom uit Denemarken.' Hij haalde zijn schouders op. 'Ik wil meer horen over je broer. Je zult hem wel missen.'

Nog een slok wijn. 'Dat wel, maar... weet je...'

'Vertel.'

Ik haalde diep adem. 'Toen ik zojuist mijn familie aan je beschreef...

nou ja, het klonk waarschijnlijk volkomen normaal, zij het een beetje droevig. Maar we zijn niet helemaal normaal. Of dat waren we niet. Vanwege Adam.'

Hij glimlachte vriendelijk. 'Dat moet je even uitleggen.'

Moedig geworden door de wijn probeerde ik de nuances van de situatie uit te leggen. Mijn broer was zestien jaar lang ziek geweest. Van de eerste tekenen op zijn negentiende, de longtransplantatie op zijn eenentwintigste, de eindeloze paniekerige ritten naar de Eerste Hulp met verkoudheden waar gewone mensen binnen een dag van herstellen maar die een doodsvonnis voor hem konden betekenen, de verschillende diagnoses van andere gruwelen die de medicijnen in zijn lichaam veroorzaakten met de bijbehorende operaties, tot het lange, martelende wachten tot zijn getransplanteerde longen het ten slotte opgaven. Sommige mensen krijgen dik tien jaar, zeiden ze. Adam kreeg er nog veertien. De hele tijd wachtten we, verbonden door zijn afschuwelijke lot, bang om de wereld in te trekken en een ziektekiem mee terug die nemen die hem zou doden. Mijn moeders gedachten alleen nog maar gespitst op een onvermijdelijke dood die op haar kroost loerde. Haar voorzichtigheid gold niet alleen Adam; als haar overlevende kind was ik haar enige troost en ze kon het niet verdragen om me kwijt te raken. Ze hield me binnen. Ze smeekte me om een thuisstudie te volgen, en ik nam nooit de moeite om de studie af te maken omdat het allemaal zo ver van me af stond. Ze vroeg me niet buitenshuis te gaan werken, maar zette me in plaats daarvan aan het werk om Adam te helpen, en hij vroeg ook veel verzorging, en veel van onze tijd. Ze hield mij even nauwlettend onder haar wakend oog als haar terminaal zieke zoon. Wij vieren, in dat huis, verbonden door ziekte, zestien jaar lang luisterend naar het oorverdovende getik van het verstrijken van de tijd.

Tomas kon geweldig goed luisteren. Hij wist wanneer hij vragen moest stellen, wanneer hij achterover moest leunen en wachten terwijl ik zweeg. Zijn alerte ogen dwaalden zo nu en dan af naar de ober en vielen soms op mijn hand als die weer naar de wijnfles ging. Maar hij hield me niet tegen, en echt, toen ik eenmaal begonnen was, kwam het er allemaal uit.

'Wauw, ik ben echt dronken,' zei ik toen ik klaar was en Tomas me medelevend aanstaarde. Abrupte spijt. Waarom had ik hem alles verteld? Ik was een idioot. 'Ik had je dat niet allemaal moeten vertellen,' zei ik.

'Ik ben blij dat je dat gedaan hebt.'

'Waar is de ober? Ik heb ontzettende honger en mijn maag voelt een beetje...'

'Ik denk dat ze ons vergeten zijn.'

Ik keek het restaurant rond. Het draaide een beetje.

'Je drinkt niet zo vaak, denk ik?' vroeg hij.

'Bijna nooit.'

Hij stond op en liet zijn servet op de tafel vallen. 'Kom mee. Ik neem je mee naar mijn huis en dan smeer ik een boterham voor je. We moeten iets in je maag zien te krijgen en ik denk niet dat iets zwaars nu goed zal vallen.'

De ober rende vol excuses achter ons aan, maar Tomas wuifde hem weg en gaf hem een briefje van vijftig dollar voor de wijn.

Op de helling op weg naar de auto liet het vermogen van mijn lichaam om op sleehakken te balanceren me volledig in de steek. Tomas ving me op, sloeg zijn arm om mijn middel en leidde me naar de auto. Ik was me er vaag van bewust dat de avond heel erg slecht verliep, dat ik na vier glazen wijn in minder dan een uur een dronken lor was en dat ik hem had opgebiecht dat ik mijn volwassen leven had geleid als een personage uit *Bloemen op zolder*. Maar zijn enige zorg leek mij in de auto te krijgen en dan naar huis te gaan.

'Het spijt me,' zei ik.

'Wat?'

'Dat ik je voor schut zet.'

'Je hebt me niet voor schut gezet.'

'Dat ik mezelf voor schut zet.'

Hij zette de auto aan de kant van de weg, draaide zich naar me toe en legde een warme hand tegen mijn gezicht. 'Lauren, niemand hoeft ergens spijt van te hebben. Ik neem je mee naar mijn huis, oké? Om iets te eten. Verder niets.'

'Oké.' *Verder niets?* Wat betekende dat?

De auto reed verder. De laatste gloed van de zonsondergang aan de horizon. Alles om me heen leek te draaien en wazig te worden. Ik drukte mijn handen tegen mijn voorhoofd.

'We zijn er bijna,' zei hij.

'Het spijt me.'

'Stop ermee om dat steeds te zeggen.'

Toen stonden we voor zijn huis en hielp hij me de auto uit. Hij bracht me naar binnen. Daarna werd alles een beetje wollig, maar ik schijn warme thee en een tosti te hebben gekregen en toen kwam Tomas naast me zitten. 'Wat zie je in me?' vroeg ik. 'Jij bent zo geweldig en ik ben zo... ik.'

'Drink je thee nou maar,' zei hij vriendelijk.

'Maar...'

'Ik vind je leuk omdat je iets heel echts over je hebt, Lauren. Je hart spreekt uit je ogen. Ik weet het niet. Ik ben er niet zo goed in om zulke dingen onder woorden te brengen.'

Ik at mijn tosti en dronk mijn thee terwijl hij toekeek. Wat was hij knap. Ik boog me naar voren en probeerde hem te kussen, maar hij ging achteruit en pakte me zachtjes bij mijn schouders. 'Nee,' zei hij. 'Niet zo.'

Hij ging mijn bord en beker opruimen en ik bleef even alleen zitten, luisterend naar zijn geluiden in de keuken.

Het volgende wat ik wist was dat ik wakker werd in het grauwe ochtendlicht, met mijn jurk en hakken nog aan, onder een dunne deken op Tomas' bank.

De schaamte. De verschrikkelijke schaamte die me bekroop. Flarden van de vorige avond kwamen bij me terug. Te veel drinken, te veel praten, te veel omvallen, proberen Tomas te kussen en afgewezen worden. Ik keek op mijn horloge: het was iets voor vijven. Als ik nu naar buiten sloop...

Maar mijn blaas was te vol voor een snelle ontsnapping. Ik kwam langzaam overeind, met bonzend hoofd, en keek de kamer rond. Bank, salontafel, televisie. Geen kleed, boekenkast, geen schilderijen. Tomas huurde dit huis, wat misschien het gebrek aan huiselijke details verklaarde. Het huis was stil. Buiten hoorde ik vogelgezang.

Ik zag iets wat waarschijnlijk een gang was, hoopte daar een wc aan te treffen, trok mijn belachelijke schoenen uit en sloop er zachtjes naartoe.

Toen ik niet veel later al halverwege de voordeur was en mezelf al feliciteerde dat ik zover was gekomen zonder Tomas wakker te maken, hoorde ik zijn stem.

'Ga je er stiekem vandoor?'

Ik draaide me om. Hij stond achter de bank, in een blauwe pyjama, en wreef de slaap uit zijn ogen.

'Het spijt me...'

'Ik had je gisteravond verboden om dat te zeggen, weet je nog?'

Ik schudde mijn hoofd. 'Ik weet eigenlijk niet veel meer.'

'Blijf nog even,' zei hij met een glimlach. 'Laat me ten minste toast en koffie voor je maken.'

Het idee van koffie klonk aantrekkelijk. 'Heb je geen hekel aan me?'

Hij schudde zijn hoofd, lachend. 'Dat is wel het laatste wat ik voor je voel.'

Ik sloot de deur tegen de koele vroegeochtendlucht. 'Dank je,' zei ik. 'En bedankt voor de deken. En dat je... zo'n heer bent gebleven.'

'Ga je mee?' zei hij en ik liep achter hem aan naar de keuken, waar hij het licht aandeed en gebaarde dat ik aan de tafel moest gaan zitten.

'Zo, dus ik mag aannemen dat je meestal niet zo'n grote drinker bent?' zei hij terwijl hij zijn koffiezetapparaat aanzette.

'O, nee. Niet zo'n grote dater ook, vrees ik. Ik was nogal zenuwachtig.'

'Ik kan onmogelijk geloven dat ik iemand zenuwachtig kan maken.' Zijn helderblauwe ogen twinkelden.

'Je moest eens weten.'

'Ik dacht dat ik al aardig wat wist, na wat je gisteravond allemaal verteld hebt.'

'Ik heb je niet verteld dat ik nog nooit een vriendje heb gehad.' Het woord 'vriendje' voelde verkeerd aan in mijn mond, als een woord dat ik vijftien jaar geleden had moeten uitspreken, niet nu.

'Nog nooit?'

Ik schudde mijn hoofd. Hij ging met de koffie in de weer en ik zat me daar te schamen, tot hij een kop voor me neerzette en naast me aan tafel kwam zitten.

'Echt niet?' zei hij, de draad van het gesprek weer oppakkend. 'Niet één relatie?'

'Ik kon het niet. Om... al die redenen waar ik gisteravond over vertelde.'

'Maar wilde je dan geen relatie? Wilde je geen leven?'

'Natuurlijk wel. Ik smachtte ernaar. Maar... het leek alsof ik Adams leven op het spel zette als ik zou doen wat ik zelf wilde. En later voelde ik me door zijn naderende dood al een egoïst zodra ik iets wilde.'

'Had je dan geen dromen? Ambities?'

'Niet echt. Behalve om op een dag getrouwd te zijn en kinderen te hebben. Toen Adam stierf en ik besefte dat ik weer wat vrijheid had, ontdekte ik dat ik niet eens wist wat ik eigenlijk wilde.'

'Dus kwam je hiernaartoe om jezelf te zoeken?'

Ik schudde droevig mijn hoofd. 'Ik kwam hier omdat Adam dat altijd wilde. Ik had zelf geen dromen, en dus nam ik gewoon de zijne.'

Tomas nipte van zijn koffie, met die luisterende uitdrukking op zijn gezicht die me gisteravond zo lang aan het praten had gehouden.

'Hij heeft hier twee jaar voor hij ziek werd een tijd lang gezeten. Hij zei vaak dat hij nog eens terug wilde. Lange tijd, toen hij jonger was, was hij er erg mee bezig. Het ergerde hem dat hij niet gezond genoeg was om te reizen. Toen de tijd verstreek sprak hij er minder over. Maar hij had een ingelijste foto die hij ergens op het wandelpad naar de watervallen had genomen tot een meter breed uitvergroot en die hing op zijn kamer aan de wand. Hij keek er heel vaak naar, denk ik, terwijl hij verder niets kon.' *Verdorie, nee*. Nu werd mijn stem ook nog onvast en moest ik mijn tranen wegslikken.

Tomas legde zijn hand op de mijne op tafel. 'Huil maar als je wilt. Het geeft niet.'

'Volgens mij horen vrouwen veel mysterieuzer te zijn dan ik tijdens ons afspraakje was,' zei ik.

'Ik vind mysterieus niet leuk. Ik vind jou leuk. Misschien heb je door al die extra jaren bij je familie niet geleerd hoe je hard moet zijn, of koud, of gemeen. Misschien is dat precies waarom ik je leuk vind, Lauren.'

Zijn vriendelijke woorden maakten de tranen pas echt los, en terwijl ik huilde bleef hij geduldig naast me zitten en streelde hij mijn hand.

'Maar ik wil eerlijk tegen je zijn,' zei hij en er klonk een onheilspellende gong in mijn borst. 'Nu ik weet wat ik over je weet, over je... onervarenheid, moet je denk ik zeggen. Ik moet in juni terug naar Kopenhagen, en dan kom ik volgend jaar januari pas terug. En dan ga ik een halfjaar later voorgoed naar huis.'

'Naar huis? Naar Denemarken?'

'Ja. Dus ik kan... Ik ben niet in staat om jou te bieden... je had het over trouwen, kinderen. Ik kan je maar beter waarschuwen. Ik ben hier niet voor altijd.'

'Dat is prima,' zei ik, waarschijnlijk te snel. 'Het maakt mij niet uit. Ik wil je heel graag blijven zien. Ik weet zeker dat onze tweede date veel beter zal zijn dan de eerste. Erger kan het niet worden.'

Hij tikte zachtjes op mijn hand. 'Laten we onze tweede date dan nu maar houden.'

'Een ontbijtje?'

'Wat dacht je van een snel hapje toast, en laten we daarna de westvleugel weer in gaan en zien of we meer kunnen ontdekken over onze verboden geliefden.'

'Ik draag een avondjurk en belachelijke schoenen,' zei ik.

'Dan gaan we toch even bij jou langs om een handiger outfit op te halen.'

Ik grijnsde hem toe. 'Oké.'

Het vage daglicht viel door de kieren tussen de planken voor de ramen, maar Tomas had een grote zaklamp met een lange straal meegenomen en ik kreeg nu een veel beter zicht op de vervallen grandeur van het gebouw.

'Proberen jullie het oorspronkelijke uiterlijk te behouden?' vroeg ik, terwijl hij het licht op het bewerkte plafond richtte. 'Die motieven van geperst staal zijn schitterend.' Ik voelde me veel gemakkelijker nu, in mijn spijkerbroek en T-shirt met lange mouwen.

'Het zal er heel anders uitzien als ik een nieuw ontwerp heb gemaakt. Ik heb nog geen tekeningen gemaakt, maar ik moet een aantal muren doorbreken en andere plaatsen. De ontwikkelaars willen de ruimte maximaliseren. En wat de binnenhuisarchitect doet: wie zal het zeggen?' Hij gaf me de zaklamp. 'Ga maar voor.'

Ik leidde hem door de gang naar de opslagruimte. Oude vloerplanken kraakten onder onze voeten en het stof kriebelde in mijn neus.

Hij haalde de sleutel tevoorschijn en opende de deur, en daarna scheen hij met de zaklamp in het rond. 'Goede hemel, wat een rotzooi.'

'Gooien ze dit allemaal gewoon weg?'

'Het verbaast me dat dat nog niet gebeurd is. Ze moeten deze kamer over het hoofd hebben gezien.'

'Ga je er iemand over vertellen?'

Hij schudde zijn hoofd. 'De ontwikkelaar kan het niet schelen. We kunnen deze dingen bekijken, als je wilt. Als je interesse hebt in ons historische geheimpje.'

'Dat lijkt me leuk.'

Hij kneep in mijn hand, boog zich toen naar me toe en kuste me licht op de lippen. Het duizelde me een beetje.

'En nu onze derde date,' zei hij. 'Koffie in mijn favoriete café.'

Ik glimlachte en stelde me voor hoe verrast Penny zou opkijken als we samen binnenkwamen. Maar toen wist ik het weer. 'O! Ik moet om halfzeven op het werk zijn! Hoe laat is het nu?'

Hij scheen met de zaklamp op zijn horloge. 'Kwart over zes. Gelukkig zijn we al ter plekke.'

'Ik moet rennen. Derde date: binnenkort.'

'Vanavond.'

'Goed. Ik zal bij mij thuis voor je koken. Zeven uur?' Ik kuste hem dapper op zijn mond, liet hem mijn lippen openen met zijn tong en rende toen weg door de gang, terwijl hij me bijlichtte, het licht van de vroege ochtend tegemoet. Grijnzend als een idioot.

3

Mijn dienst leek zich eindeloos voort te slepen, maar om twee uur was ik ten slotte vrij. Ik haalde wat boodschappen en ging naar huis om biefstukken te marineren en pasta en salade te maken. Toen volgde een lang bad. Eindelijk kon ik het vuil en de verschaalde alcohollucht van mijn lijf wassen. Ik had makkelijk in slaap kunnen vallen in het water, maar ik moest Adams boeken uitpakken voordat Tomas kwam. Mijn zitkamer had te weinig ruimte voor overbodige rommel.

In mijn badjas gewikkeld ging ik op de vloer zitten en opende de eerste doos. Er zat een brief van mijn moeder in.

Ik hoop dat je van deze boeken zult genieten en de tijd zult nemen om aan je broer – mijn geliefde zoon – te denken terwijl je ze leest.

Met een steek schuldgevoel herinnerde ik me dat ik gisteravond in het restaurant mijn telefoon had uitgezet. Ik vond hem snel in mijn handtas, zette hem aan en wachtte terwijl hij zeven steeds wanhopiger voicemailberichten van mijn moeder downloadde. Met mijn telefoon tussen mijn schouder en wang geklemd begon ik de boeken uit te pakken.

'Hallo?' antwoordde ze ademloos.

'Ik ben het.'

'Waar zat je?'

'Nergens. Ik was alleen vergeten mijn telefoon aan te zetten.'

'Lauren, je moet echt beter opletten. Het is niet eerlijk tegenover mij om zomaar te verdwijnen. Ik was gek van bezorgdheid. Ik heb de politie gebeld, maar die wilden niets doen.'

Ik onderging haar preek zonder morren terwijl ik de boeken uit de dozen naar de kast verplaatste, zei dat het me speet, met het gevoel dat ik een tiener was, maar toen ik er eindelijk een woord tussen kon krijgen zei ik: 'Mam, ik ben een volwassen vrouw. Je kunt echt niet verwachten dat je elke seconde van de dag weet waar ik ben.'

Het werd stil en ik wist dat ik haar gekwetst had. 'Sorry mam,' zei ik weer. 'Maar maak je geen zorgen over mij, oké? Ik red me wel.' Omdat ik me schuldig voelde, vertelde ik te veel. 'Ik heb een man leren kennen.'

'Een man? Als in een vriendje?'

'Ja. Hij is geweldig. Een architect uit Denemarken.'

'Spreekt hij Engels?'

'Ja, mam.' Ik probeerde niet te geërgerd te klinken.

'Je moet voorzichtig zijn, Lauren. Je bent niet zo goed met mannen.'

'Nou, dat zal ik ook nooit worden als ik niet meer tijd met ze doorbreng,' zei ik. Ik probeerde mijn toon luchtig te houden. 'We hebben vanavond onze derde date.' Zo had Tomas het genoemd. Ik moest ervan glimlachen. Ik had nooit eerder een derde date gehaald. 'Ik ga voor hem koken.'

'Dat is een goed idee. Jij kunt goed koken. Ik ben blij dat ik de tijd heb genomen om het je te leren.'

Ik voelde dat ze nog meer wilde zeggen – afschrikwekkende waarschuwingen, de belofte dat ik thuis altijd welkom zou zijn als de dingen verkeerd afliepen, een verzoek om haar te verzekeren dat ik veilig was – maar ze zei niets en ik merkte hoeveel moeite haar dat kostte. 'Ik moet ophangen,' zei ik. 'Ik probeer het hier een beetje op te ruimen voor hij komt.'

'Je hebt hem bij je thuis uitgenodigd? Zo vroeg in de relatie? Breng je hem zo niet op bepaalde gedachten?'

Bepaalde gedachten. O, wat hoopte ik dat Tomas bepaalde gedachten koesterde. Dezelfde gedachten als ik.

'Mam. Maak je geen zorgen.'

Ze bromde nog wat, maar zei uiteindelijk gedag, met de belofte om me morgenochtend vroeg te bellen om te horen hoe het gegaan was.

Ik legde mijn telefoon weg en richtte nu mijn volle aandacht op de boeken. Sommige waren stoffig en vergeeld. Romans en geschiedenisboeken en boeken over de ruimte of auto's. Ik blies het stof eraf, zette ze op de planken. Ik leegde een doos, en toen nog een. De meeste van deze boeken zou ik nooit lezen, maar het voelde niet goed om ze weg te geven of weg te gooien. Mijn oog viel op een boek over de Blue Mountains en ik sloeg het open om de platen door te kijken. Toen viel er een foto uit.

Het was een foto van een jonge Adam en een vriend van ongeveer zijn leeftijd. Ik besefte tot mijn verrukking dat deze foto hier genomen was, in Evergreen Falls. Ik herkende het panoramaterras op de rand van het klif, waar ze met ontbloot bovenlijf overheen geleund stonden, pratend met elkaar. Hun schouderbladen opgetrokken, als de knoppen van engelenvleugels. Adams lichte haar was lang. Ik kende zijn vriend niet, maar hij had donker haar en een knap profiel. Ik draaide de foto om. Achterop stond geschreven: *Adam en Frogsy. Veel liefs. Drew xxxx.*

Ik keek weer naar de foto. Adam was achttien of negentien op deze foto; vlak voordat hij ziek was geworden. Hij had nog geen idee van wat er zou komen. Hij leek gelukkig en ontspannen, pratend met een vriend voor het overweldigende uitzicht. Frogsy en Drew. Hij had die namen nooit genoemd en niemand uit zijn tijd in de Blue Mountains had in Tasmanië contact met hem gezocht. Ik bladerde voorzichtig door het boek, op zoek naar nog meer foto's. Die waren er niet, maar ik vond wel een opdracht voorin, in blauw handschrift: *Fijne negentiende verjaardag, en op nog vele jaren geluk. Liefs van Frogsy.*

Adam had niet zo veel jaren gekregen als Frogsy hem had toegewenst, en ze waren al helemaal niet gelukkig. Ik legde het boek weg en keek lange tijd naar de foto. Frogsy was een vreemde naam. Woonde hij hier nog? Maar toen begreep ik het: Frogsy was een bijnaam. Misschien rijmde het ergens op, misschien leek hij op een kikker of droeg hij vaak groen. Als hij die bijnaam niet meer gebruikte zou ik hem hoogstwaarschijnlijk niet meer kunnen vinden. Toch zou ik Penny de foto laten zien en het haar vragen. Of zelfs Lizzie: zij woonde hier al zo lang.

Dat waren de gedachten die door mijn hoofd speelden toen ik een klop op de deur hoorde.

'Tomas!' zei ik terwijl ik de deur opendeed en mijn badjas dichter om me heen trok. Was ik de tijd volkomen kwijtgeraakt? 'Ik had je nog niet...'

'Het spijt me,' onderbrak hij me. 'Ik moet afzeggen.'

'Afzeggen?' Geen derde date. Ik haalde nooit de derde date.

'Sabrina... mijn ex-vrouw... heeft een auto-ongeluk gehad. Mijn nummer stond in haar mobiele telefoon als contactpersoon voor noodgevallen. Ik moet... Ik rijd nu naar Sydney en vlieg dan naar Kopenhagen.'

Zijn ex-vrouw? Maar dat was toch zijn... ex? Ondanks mijn verwarring begreep ik dat dit niet het goede moment was om dit te vragen, dus zei ik: 'Natuurlijk. Is ze ernstig gewond?'

'Heel, heel erg. Ze ondergaat nu een spoedoperatie. Misschien haalt ze het niet.' Zijn kaak verstrakte terwijl hij zijn tranen inhield, diep ademhaalde. 'Ik weet dat het idioot klinkt, Lauren, maar verder heeft ze niemand. Haar ouders zijn overleden en ze heeft geen broers of zussen. Ik moet ernaartoe om alles te regelen. Ik ben haar oudste vriend.'

'Wat akelig voor je. Vreselijk dat zoiets gebeurt. Ga maar. Maak je niet druk over mij.'

Hij wist er een half glimlachje uit te persen. 'Je bent heel bijzonder. Hier, ik heb iets voor je.' Hij nam mijn hand, legde er iets in, sloot mijn vingers eromheen en drukte me tegen zich aan. Kuste me op de lippen. Zo hard. 'Ik weet niet hoelang ik weg ben. Ik bel wel.'

Toen was hij weg, knerpend over het grind naast het huis. Ik hoorde zijn auto wegrijden, deed toen mijn hand open en keek naar wat hij me had gegeven.

Het was de sleutel van de westvleugel.

Sabrina werd natuurlijk een obsessie voor me, zijn ex-vrouw, zijn oudste vriendin. Op gezette tijden bracht ik mezelf in herinnering dat de arme Sabrina op sterven na dood was en dat ik zo onaardig was dat ik zeker naar de hel zou gaan, maar ik kon er niets aan doen. Er ontvouwden zich scenario's waarin hij in Denemarken bleef om haar te helpen bij haar herstel en uiteindelijk met haar hertrouwde. Waarom zou hij ook niet? Wie was ik om een claim op hem te leggen? Twee dates, die eigenlijk één heel lange date waren, waarin ik me beschamend had gedragen. Mijn moeder had gelijk. Ik had te weinig ervaring met mannen. Ik was kwetsbaar.

Maar maandagnacht om drie uur liet mijn telefoon een luide ping horen. Ik deed mijn ogen open en pakte hem. Een berichtje van Tomas. *Veilig in Kopenhagen. Sabrina's toestand ernstig maar stabiel. Nog buiten bewustzijn. Stuur me je mailadres.*

Ik typte een antwoord en wachtte in het donker, zittend op mijn bed. Het enige geluid was het kloppen van mijn pols.

Ting-ting. *Ik neem contact op zodra ik kan. Heb slaap nodig. Moet contact opnemen met Sabs neef. Los het mysterie op terwijl ik weg ben.* ☺

Doe ik, typte ik en ik drukte op versturen. Toen was ik alleen in het stille duister.

Ik beloofde mezelf dat ik maandag na mijn dienst zou beginnen aan het leeghalen van de opslagruimte in de westvleugel, maar toen ik het café verliet en langs de balzaal liep, zag ik een groepje mannen bij de zuilengalerij staan. Ik treuzelde wat achter de uitgegroeide heggen en keek naar hen. Ik wist vrijwel zeker dat Tomas de eigenaar niet om toestemming had gevraagd om mij er binnen te laten gaan en rond te neuzen, en ik wilde hem geen problemen bezorgen. De mannen waren diep in gesprek en ik zou vol in het zicht zijn als ik langs hen heen liep om naar binnen te gaan.

Dus ik keerde om en liep via een overdekte passage en het vroegere tennisveld naar de rand van het klif. Een lange stenen muur, ongeveer tot heuphoogte, gaf de grens van het terrein van de Evergreen Spa aan. De Dorische zuilen waren gevlekt van de ouderdom en het mos en brokkelden op sommige plekken al af. Een oude stenen trap leidde naar... ergens. De toegang tot de treden werd versperd door een hek van ijzerdraad, met een waarschuwingsbordje eraan. Ik hoorde stemmen naderen en aarzelde. Mijn verlangen om ongezien in de westvleugel rond te neuzen vocht met mijn verlangen om niet uit te glijden op een afbrokkelende trap en dood te vallen. Wat zou mijn moeder zeggen als ze me zag?

Ik was in een wip over het hek heen. De treden waren stevig, zij het een beetje afgesleten, maar ze waren snel genomen en toen stond ik op een overgroeid, rotsachtig pad dat slingerend de vallei in liep. De Evergreen Spa was een kuuroord geweest in zijn hoogtijdagen, en misschien was dit een oud wandelpad geweest. Het idee stond me wel aan. Vanuit de stad zigzagden er veel mooie wandelpaden omhoog en omlaag naar de watervallen, en die werden allemaal goed onderhouden, met leuningen en stapstenen. Ze waren meestal stampvol toeristen. Het idee dat dit pad lange tijd door niemand betreden was, stond me wel aan. De zon scheen warm op mijn gezicht, er stond een middagbriesje.

Het pad voerde me met een flauwe bocht de vallei in. De flora vormde een scherp contrast met de geïmporteerde eiken en coniferen langs de straten van de stad. Hier en daar lagen er oude boomtakken op het pad waar ik overheen moest klimmen. Afgevallen blad van jaren, schors, krassende varens en losse steentjes probeerden mijn voeten onder me uit te halen. Ik zocht mijn evenwicht tegen de rotswand terwijl ik steeds verder afdaalde. Het bladerdek – satijnhout en ijzerhout – werd steeds dichter.

Ik keek op en zag de rand van het klif ver boven me. Ik zou op een bepaald moment weer helemaal omhoog moeten klimmen en wolken pakten zich samen. Ik aarzelde, maar toen zag ik honderd meter verder iets vreemds, dus liep ik door om het beter te bekijken. Al snel zag ik twee metalen kabels, ongeveer zo dik als mijn duim. De ene hing slap en was opgekruld aan het eind, maar de andere dook ver onder me de diepte in. Het beginpunt van beide kabels leek op de top van het klif te liggen, achter het hotel.

Inmiddels nieuwsgierig daalde ik verder af te midden van de scherpe geuren van het woud, de heldere kreten van de belhoningeter en de rotsen, groen van het mos in de schaduwen. Mijn voeten kraakten maar door, tot ik merkte dat het pad ophield in het niets en ik niet verder kon.

Ik knielde neer en keek over de rand naar beneden, en nu kon ik ver beneden me zien waar de kabel ophield: een klein metalen voorwerp was tot rust gekomen tegen de kale rotswand. Ik had geen idee wat het was, maar het had duidelijk iets met het hotel te maken. Zou Tomas het weten?

Het zweet droop nu onder mijn T-shirt en ik hurkte neer en wenste dat ik niet weer het hele stuk terug omhoog hoefde te ploeteren. In de verte kon ik verkeer horen en ik bedacht dat ik beneden in de vallei misschien wel een weg, een bushalte of een taxistandplaats zou kunnen vinden. Ik keek om me heen. Was dat een pad, dat zich naar het dal toe slingerde? Of nog een dood spoor?

Ik hees mezelf overeind en begon het te volgen. Een enorme, omgevallen eucalyptusboom versperde het spoor en ik leunde tegen de bast en keek eroverheen. Daar liep duidelijk een pad. Ik klauterde boven op de boom en liet me toen half glijdend, half vallend neerkomen aan de andere kant. Ik zocht mijn weg tussen rotsen en scherpgepunte grasbomen en dook bukkend onder massieve overhangende stukken rotswand door. Ik zag al dat dit pad om de volgende hoek ook ophield; het draaide scherp de rotswand in en verder was er alleen nog een diepe afgrond.

Maar toen ik dichterbij kwam, zag ik de grot.

Boven me waren de wolken inmiddels opgelost. Romantische gedachten aan in de grot schuilen voor de komende regen losten ook op. Ik zag onder ogen dat ik terug zou moeten ploeteren over het pad, maar ik wilde eerst zien hoe diep die grot was.

De opening was klein en werd geflankeerd door een brok graniet tot ongeveer borsthoogte. Ik moest me bijna dubbelvouwen om binnen te komen, maar eenmaal binnen kon ik rechtop staan. De grot was ongeveer zo groot als mijn badkamer, maar dan met een veel lager plafond. Een sterke, onaangename dierlijke geur sneed door de donkere kou. Ik moest aan spinnen denken en wist ineens niet hoe snel ik eruit moest komen.

Toen ik naar buiten ging, zag ik achter op de rots die half in de ingang stond iets gekerfd staan wat op een versiering leek. Ik bekeek het zorgvuldig en besefte toen dat ik een hartje zag dat in het steen was gekrast. Maar het graniet was te hard geweest om kromme lijnen te trekken. Het hart had scherpe hoeken en de letters die erbij stonden waren ook hoekig, samengesteld uit bliksemflitsen. Maar ze waren duidelijk genoeg. SHB.

Ik staarde ernaar. Mijn briefschrijver, SHB, had dit gekrast. Nee, dat klopte niet – de geheime minnares van SHB had dit gekrast. Wie was ze? Ik stak voorzichtig mijn vingers uit om de krassen aan te raken, en voelde het verleden en heden botsen. Pas toen ik het aanraakte zag ik dat er nog iets anders gekrast stond, maar dat kon ik in het schemerlicht niet goed onderscheiden.

Ik haalde mijn mobieltje tevoorschijn en deed de zaklamp aan. De andere krassen waren geen letters of hartjes. Het waren krassen. Felle krassen, niet zo diep als de letters maar evengoed in de rots gekerfd. Met kracht. Misschien zelfs met woede. Mijn huid prikkelde.

Ik draaide de telefoon om, zette de flits aan en nam een foto om die aan Tomas te sturen. Ik doorzocht de rest van de grot met de zaklamp, maar vond geen krassen meer. Ik stond daar lange tijd met mijn vingers over het hoekige hart te gaan. Het mysterie werd alleen maar groter.

4

1926

Ergens ver weg, boven het water, hoorde Violet haar naam roepen.

Haar ogen gingen open. Het zonlicht scheen op het water en weerkaatste groen en blauw. Ze schoot omhoog en brak door het oppervlak. De lateherfstzon viel schuin tussen de wilgen en de casuarina's door. Ada stond wild gebarend naast de poel.

'Alsjeblieft, Violet. We komen nog te laat.'

'We hebben tijd zat.'

'Dan ga ik zonder jou.'

'Ga je gang.'

Ada beende weg door het gras en Violet rolde zich op haar rug om te drijven. Ada was altijd zo'n spelbreker. Het was tot daaraan toe om geen badpak te bezitten, maar ze hoefde niet zo misprijzend te kijken naar dat van Violet, vooral omdat zij er juist zo trots op was: het was zwart, met een smaragdgroene ceintuur en een bijpassende smaragdgroene badmuts.

'Ze heeft gelijk, weet je,' zei Clive vanaf de platte rots waar hij met zijn geopende schetsboek zat. Violet vroeg zich af of hij haar weleens natekende. 'Je komt echt te laat.'

Violet en Ada werkten allebei in het Senator Hotel in het centrum van Sydney, waar Violets dienst over een uur zou beginnen. Tijd zat. 'Jullie piekeren te veel.' Ze rolde zich weer om en dook onder, met gesloten ogen. Een onder de badmuts uitgekomen krul kietelde haar wang. Toen weer omhoog, en deze keer zwom ze door tot ze de rotsachtige bodem onder haar voeten voelde. Op de oever lagen de handdoek en haar droge kleren te wachten. De kou kwam hard aan. Dit was tot oktober misschien de laatste keer dat ze kon zwemmen. Violet was dol op zwemmen, op verdwijnen in het vloeibare kristallijnen water. Er was wel meer dan een beetje kou voor nodig om haar tegen te houden.

'Moet je jou eens zien,' zei ze tegen Clive, terwijl ze over zijn schouder naar zijn tekening keek; ze was een beetje teleurgesteld toen ze zag dat een wilg vorm kreeg op zijn vel. 'Je hebt te veel vrije tijd.'

'Dat is maar voor even. Ik begin over een paar dagen aan mijn nieuwe baan.' Hij draaide zijn gezicht naar haar toe en glimlachte. 'Je komt me toch wel opzoeken, Violet?'

Violet wist dat Clive verliefd op haar was. Ze hadden de afgelopen twee jaar samengewerkt in het hotel. 'Misschien. Het is wel heel ver de bergen in.' Ze trok haar donkere haar onder haar badmuts uit en droogde het stevig af.

'Maar het hotel is zo mooi. Je zou het prachtig vinden. Alle dames in hun mooie jurken.'

'Het zou me alleen maar ergeren dat ik zelf geen mooie jurk aan mag.' Violet was niet van plan om Clive op te zoeken. Hij was haar zomerliefde en de zomer was allang voorbij. Bovendien was er niet meer tussen hen gebeurd dan een paar keer dansen en een korte kus. 'Je overleeft het wel zonder me,' zei ze.

'Misschien wel, misschien ook niet,' antwoordde hij lichtvoetig. Hij zei en deed alles lichtvoetig. Zelfs zijn haar en ogen waren licht, alsof de zon erin gevangenzat.

Violet trok haar jurk over haar natte badpak aan en liep naar het pad dat naar het station leidde. Haar schoenen en kousen zaten in haar tas.

'Mijn trein vertrekt morgenochtend om acht uur vanaf het centraal station,' riep hij haar na. 'Voor het geval je me uit wilt zwaaien.'

'Ik heb een vroege dienst,' riep ze terug. Dat was niet waar, maar het was gemakkelijker dan zeggen dat ze een afscheidsscène wilde vermijden.

'Dag, dan,' zei Clive.

Ze zwaaide en versnelde haar pas.

Uiteindelijk bleken ze verdorie allebei gelijk te hebben. Tien minuten nadat Violet aan haar dienst had moeten beginnen stormde ze de trap op naar de kamer die ze met drie andere serveersters deelde, haar uniform nog dichtknopend en haar krullen nog vochtig. Ada grijnsde zelfvoldaan in de eetzaal, waar ze witte porseleinen borden op een tafel voor zakenlieden neerzette.

'Je bent te laat,' zei meneer Palmer, haar temerige jonge baas.

'Ja, ik had een onvermijdelijke vertraging. Ik blijf wel wat langer.'

'Bij het zwemmen. Je had een onvermijdelijke vertraging bij het zwemmen.'

'Heeft Ada dat gezegd?' Violet zou haar tot moes slaan vanwege zulk bedrog.

'Nee. Je natte haar zegt dat. Je ziet er schandalig uit en ik laat je absoluut niet binnen om mijn beste klanten te bedienen.' Hij gebaarde naar haar blouse, en ze zag dat ze die verkeerd had dichtgeknoopt. Er gaapte een gat aan de voorkant waar de hele wereld zo doorheen kon kijken, tot op haar hemd. 'Het is voorbij, Violet. Je bent ontslagen.'

'Nee.' Zonlicht, zwemmen en flirten met Clive vervaagden in haar hoofd, tot het enige beeld dat overbleef dat van haar arme moeder was, die zat te naaien met vingers die krom stonden van de artritis. 'Alstublieft. Ik haal het wel in, voortaan zal ik veel beter mijn best doen.'

'Je hebt al twee waarschuwingen gehad,' zei meneer Palmer, en dat was ook zo, maar toch wilde ze tegen hem in gaan.

'U kunt me niet ontslaan!' riep ze uit en ze verhief haar stem tot die een schrille klank aannam die zijzelf niet eens kon verdragen. 'Ik dien een klacht in bij de eigenaar.'

'Ga je gang,' antwoordde hij zacht, terwijl hij haar de rug toekeerde. 'Pak je spullen en zorg dat je morgen om tien uur verdwenen bent. Lever je uniform in als je gaat. Het valt toch al bijna van je lijf.'

Violet greep naar haar blouse, wanhopig zoekend naar dat ene ding dat ze kon zeggen om hem op andere gedachten te brengen. Mama zou zo teleurgesteld in haar zijn. Zo verschrikkelijk teleurgesteld.

Zonder baan kon Violet mama niet onder ogen komen. Dat kon ze gewoon niet. Ze zat achter in de tram, in het donker waar de andere passagiers haar niet konden zien, en huilde. Ze ging zo op in haar ellende dat ze bijna haar halte miste, maar ze dacht er nog net op tijd aan om aan de bel te trekken. Ze stapte uit in Roseville, op twee straten bij de rijke familie Ramsey vandaan waar haar moeder als wasvrouw en naaister werkte. Ze hadden vier drukke kinderen en een kind dat stil was en onder de netelroos zat en witte sokken over zijn handjes moest dragen om zijn jeukende plekken niet kapot te krabben. Mama kreeg alleen maar kost en inwoning voor haar werk en was afhankelijk van een beetje geld van Violet om rond te kunnen komen.

Violet bleef een paar huizen voor haar bestemming even staan. Haar koffertje en draagbare grammofoon waren plotseling loodzwaar. Ze haalde diep adem. 'Mama, ik ben mijn baan kwijt,' zei ze zacht. Mama zou bedroefd kijken, misschien met haar tong klakken, vragen wat er was gebeurd en een manier vinden om het Violet te verwijten. Maar ze zou niet zeggen: *Ik ben afhankelijk van jou, wat moet ik beginnen zonder dat geld?* Daar was ze veel te trots voor. Violet moest het geld onder het theeblikje leggen als haar moeder even niet keek. Ze spraken er nooit over. Sterker nog, haar moeder had het vaak over het belang van onafhankelijkheid, al sinds Violet op haar veertiende door mama gedwongen was om van school af te gaan en een baan te zoeken. Dat was bijna zes jaar geleden, en haar arbeidsverleden was sindsdien altijd rommelig geweest.

Violet keek op. De lichten in mama's kamertje aan de zijkant van het huis waren aan. 'Mama, ik ben mijn baan kwijt,' zei ze nog een keer en toen liep ze vastberaden naar het huis toe.

Ze liet zichzelf binnen zodat haar moeder niet hoefde op te staan. Mama's knieën werden elke maand slechter. Violet had geen idee hoe ze elke dag bij de ketel kon staan en lakens en kussenslopen en handdoeken kon roeren. Violets moeder was niet oud – vijfenveertig pas – maar haar eigen moeder en grootmoeder waren al vroeg bezweken aan gewrichtspijn. Violet vroeg zich af of zij het op een dag ook zou krijgen, of dat ze haar vaders gewrichten had geërfd. Niet dat ze ooit had geweten waar of zelfs wie haar vader was.

Mama keek op vanuit haar versleten stoel bij het raam, gaf Violet een verwarde glimlach en zei: 'Ik zag je al op straat. Waarom heb je je koffer bij je?'

'Mama, ik...'

Mama zweeg vol verwachting.

'Ik heb een nieuwe baan. In de bergen.'

'Echt?'

'In Hotel Evergreen Falls. Veel chiquer dan de Senator.'

'Goed zo, meid. Wanneer begin je?'

'Al snel. Kan ik tot die tijd bij jou logeren? Ik moest ontslag nemen op mijn werk en ze deden er verschrikkelijk moeilijk over en zetten me direct op straat. Ik help wel met de was en ik heb nog een beetje spaargeld, dus ik kan mijn eigen eten betalen.' Violets hart klopte in haar keel. Een leugen, een dikke, vette leugen. Nu moest ze Clive overhalen om werk voor haar te vinden, anders zou alles in duigen vallen.

Violet stond om tien voor acht op het station, met zorg gekleed in een grijze zijden jurk en zwarte wollen kousen. Ze wilde er appetijtelijk uitzien, maar niet té appetijtelijk. Ze zocht haar weg door de drukke menigte. De trein stond al te wachten aan het drukke perron en Violet was bang dat Clive er al in zat en zij hem had gemist. Moest ze hem helemaal tot in de Blue Mountains volgen? Ze drong zich door de mensenmassa, zoekend naar zijn lichte haar, maar alle mannen in de bruine en grijze pakken droegen bruine en grijze hoeden, dus begon ze te roepen: 'Clive! Clive!'

Uiteindelijk vond hij haar. Hij benaderde haar van achteren en greep haar bij de schouder zodat haar hart een sprongetje maakte.

'Violet! Je bent gekomen!' Zijn grijze ogen glansden en het deed bijna pijn om te zeggen wat ze moest zeggen.

'Clive. Ik zit diep in de problemen. Ik ben mijn baan kwijt. Ik vroeg me af of... kun je voor mij informeren naar een betrekking bij de Evergreen Spa?'

Het licht in zijn grijze ogen doofde en heel even trok er irritatie over zijn voorhoofd. Maar de uitdrukking was maar vluchtig en hij glimlachte toch. 'Dat zal ik niet alleen vragen, ik zal ook zeggen dat je de beste serveerster bent met wie ik ooit heb gewerkt.'

'Dank je wel,' zei ze en ze ademde het beetje lucht in dat ze ongemerkt had ingehouden. 'Ik ben je erg dankbaar. Ik ben niet trots. Ik ben net zo lief een kamermeisje als een serveerster. Ik kan gewoon... Ik kan gewoon niet lang zonder werk. Mama heeft slechte gewrichten en ik weet dat ze bang is dat ze niet veel langer meer kan werken.'

'Je kunt op mij rekenen,' zei hij, en toen aarzelde hij en wilde nog iets zeggen.

'Wat is er?' vroeg ze.

'Kan ik ook op jou rekenen?'

'Op mij rekenen... Ik weet niet precies wat je bedoelt.' Haar hart klopte in haar keel. Vroeg hij nu om een soort gunst die ze niet wilde geven? Zo'n kerel leek hij niet, maar ze moest toegeven dat ze hem verschrikkelijk aan het lijntje hield.

'Als ik hun vertel dat jij de beste serveerster bent met wie ik ooit heb gewerkt, zet je me toch niet als leugenaar te kijk, hè? Dus niet te laat komen of brutaal zijn tegen de hoofdober of met de klanten flirten?'

Violet kromp ineen. Het was een pijnlijke maar terechte omschrijving van haar gedrag op het werk. 'Clive, ik zou je zo dankbaar zijn dat ik volwassen zal worden. Helemaal. Ik zal je goede naam niet te grabbel gooien, dat beloof ik je.'

'Goed.' Zijn ogen waren zacht. Hij tikte met zijn duim tegen haar kin.

Violet wist dat hij haar wilde kussen, maar ze boog haar hoofd om hem te ontmoedigen.

'Goed dan. Ik hoop je heel snel te zien.'

'Stuur maar een telegram naar mijn moeder als ze ja zeggen. Dan kom ik met de volgende trein.'

Hij zette zijn hoed recht en stapte in de trein. Violet bleef braaf staan wachten tot de trein zich in beweging zette. Ze zwaaide naar Clive en blies hem zelfs een kushandje toe, hoewel hij zich van het raam afdraaide en het niet zag. Misschien was dat maar beter ook.

Flora stond in de gang, met haar bagage op het dikke tapijt aan haar voeten, en wachtte.

Tony tikte ongeduldig met zijn voet. 'Komt hij nog?'

'Hij zegt van wel.'

Ze klopte nog eens op de deur. 'Sam? Schiet toch eens op. Straks missen we de trein.'

'Ik had een auto voor ons moeten bestellen,' zei Tony.

'Dan zou hij de auto laten wachten. Hij weet dat de trein niet wacht. Dan haast hij zich tenminste.'

Ze wachtte. De stilte werd steeds langer. Verderop in de gang ging een andere hoteldeur open en verscheen er een kamermeisje met een prop vuile lakens in haar armen. Ze keek hen nieuwsgierig aan. Flora bracht haar hand naar haar blonde haar, vastgespeld in een ingewikkelde knot op haar achterhoofd, en hield haar onderarm voor haar gezicht. Ze had er een hekel aan als de mensen haar zo aankeken.

'Sam?' vroeg ze nog eens.

'Ik ga niet mee.'

Bij het gedempte antwoord rolde Tony met zijn ogen en liet hij zijn handen in een karakteristiek gebaar de lucht in vliegen. 'Ik geef het op. Praat jij met hem. Dan zeg ik tegen de anderen dat we waarschijnlijk toch hier blijven.'

Flora keek hulpeloos toe hoe hij wegging. Ze klopte nog eens op de deur en dempte haar stem. 'Sam, laat me binnen. Tony is weg.'

Ze hoorde beweging toen hij opstond van het bed. Toen ging de deur open en keek hij naar buiten, zoekend naar Tony.

'Ik heb het je toch gezegd. Hij is weg.'

'Je hebt al eerder tegen me gelogen, zus.' Zijn donkere, donkere ogen waren glazig en een vertrouwde zoete, organische geur vulde de kamer. Siroop en geranium.

Flora duwde de deur open en Sam liet haar binnenkomen, waarna hij weer terugging naar zijn bed en zijn blad met dierbare spullen. Een lamp. Priemen, een schaar en een tang. En natuurlijk de lange, bewerkte pijp. Ze wees verwijtend op de spullen. 'Je had het me beloofd.'

'Die belofte was te moeilijk te houden.'

'Dan moeten we naar huis. We moeten terug naar de boerderij, waar je familie hebt die je kan helpen.' Ze waren door hun vader naar Hotel Evergreen Falls gestuurd in de hoop dat de frisse lucht en het bronwater – uit Duitsland geïmporteerd – heilzaam zouden zijn voor Sams gezondheid. Flora, vijf jaar ouder, had de verantwoordelijkheid voor de genezing van haar broer gekregen. Maar het was een taak die gedoemd was tot mislukken: de opium had hem zo sterk in zijn greep en ze was er tamelijk zeker van dat hij hier een vaste leverancier had gevonden. Dat was de reden dat hij niet wilde vertrekken.

Tony's vader, een goede vriend van haar eigen vader, had voorgesteld dat Tony hen zou vergezellen. Ze waren nu zes maanden verloofd en hadden nog geen trouwdatum. Beide families hoopten dat een lange vakantie het vuur een beetje zou aanwakkeren, dat lang niet zo snel opvlamde als ze hadden gehoopt.

'Ik vind dat we nog wat langer moeten blijven,' zei Sam. 'Ik zag een poster hangen. Voor Kerstmis in juni. Laten we blijven tot dan. Dat is over vijf weken al.'

'Nog vijf weken?'

'Kom op, Sissy.' Hij stak nog een pijp op, in kleermakerszit op het bed gezeten. 'Doe niet zo knorrig.'

Ze klemde haar tanden stevig op elkaar om niet te gaan schreeuwen. 'Ik moet op je passen. Ik maak je leven heus niet moeilijk omdat ik dat leuk vind.'

'Die spaghettivreter anders wel.'

'Noem Tony niet zo. Bovendien is hij niet Italiaans. Hij is Amerikaans.'

'Maar wel Amerikaans-Italiaans. Zo glad als...'

'Hij is mijn verloofde,' wierp ze verhit tegen. 'Binnenkort is hij je zwager.'

'Waar is hij nu? Dealtjes aan het sluiten met de maffia?'

'Sam, hou op.'

'Bruine ogen en kogels. Dat is waar jij mee trouwt.'

'Vader keurt het goed. Jouw mening over Tony doet er niet toe.' Hun vader had meer gedaan dan het goedgekeurd. Hij had het zelf gearrangeerd. 'Hoe dan ook, ik hou van Tony,' voegde ze eraan toe, terwijl ze besefte dat het klonk alsof ze in de verdediging schoot. 'Hij heeft veel geduld gehad met jou.'

Sam zweefde nu weg in zijn gouden bubbel. Zijn adem werd langzamer en zijn ogen vielen halfdicht.

Tranen van frustratie welden op in Flora's ogen, maar ze knipperde ze weg. 'Sam, je moet ermee stoppen.'

'Kan ik niet,' zei hij met een klein stemmetje.

'Dan moet je naar een dokter.' Plotseling leek dit het beste idee wat ze ooit had gehad en ze fleurde wat op. 'Wil je naar een dokter gaan als we hier blijven? Als je me dat belooft, schrijf ik aan vader en zeg ik dat we hier zullen blijven. Tot Kerstmis in juni.'

Hij wuifde haar weg. 'Ja. Ja, als dat nodig is. Regel het maar.'

Een sprankje hoop vlamde op in haar hart. 'Komt voor elkaar,' zei ze en toen liet ze hem alleen achter op het bed. Toen ze de deur achter zich sloot, zag ze verderop in de gang hetzelfde kamermeisje. Weer keek ze Flora nieuwsgierig aan. Ze vroeg zich misschien af wat ze op de mannenverdieping deed. Flora hield haar hoofd hoog en maakte geen oogcontact terwijl ze langsliep. Nu moest ze Tony gaan vertellen dat ze nog vijf weken moesten blijven. Dat zou hij niet leuk vinden.

Flora vond Tony uiteindelijk op het tennisveld, bezig met een ontspannen dubbelspel met Vincent, Harry en Sweetie (deze laatste, een omvangrijke boom van een kerel, werd zo genoemd vanwege zijn gewoonte om elke vrouw die hij ontmoette 'Sweetie' te noemen). Ze bleef een tijdje staan kijken. Hun witte kleren staken fel af tegen de groene tennisbaan en ze lachten en riepen vrolijk naar elkaar. Tony en zijn vrienden waren zo anders dan Sam. Het waren mannen die de wereld direct doorgrondden en hem in beweging hielden met terloopse, zelfverzekerde handen. Sam was een nietsnut in de marge, bleek met blozende wangen, met nog donkerder haar en ogen dan Tony. Sam was altijd een vreemde jongen geweest: grillig en op de een of andere manier volkomen argeloos. Vanaf het moment dat hij ter wereld kwam was Flora genoodzaakt geweest om voor hem te zorgen, niet alleen door haar ouders, die weinig tijd voor hun kinderen hadden, maar ook door haar eigen hart, dat onmetelijk veel en angstvallig van hem hield.

Aan de andere kant stond Tony, een en al glanzende olijfkleurige huid en gespierde onderarmen, die de tennisbal rondmepte terwijl zijn donkere haar over zijn ogen viel. Wat had ze een steek in haar hart gevoeld toen ze hem voor het eerst zag. Knap en werelds, de erfgenaam van zijn grootvaders exportbedrijf, een en al charme en zelfbeheersing. Flora hield van hem, was dol op hem. Het was het idee van een huwelijk waar ze niet dol op was. Nog niet.

Hij had haar aanwezigheid nog steeds niet opgemerkt, dus probeerde ze te zwaaien; het was Vincent die zijn service afbrak en zei: 'Je kunt haar niet blijven negeren, Tony.'

Was dat wat hij deed? Haar negeren? Nou, daar was ze wel tegen bestand. Gekrenkte trots was voor overgevoelige vrouwen.

Hij draaide zich om en ze zwaaide weer en riep toen: 'Ik moet je spreken.'

'Ga maar,' zei Vincent, altijd de aardigste van Tony's entourage. 'We zien je later wel in het koffiehuis.'

Tony gaf zijn racket aan Sweetie, kwam naar Flora toe en gaf haar een arm. 'Kom mee, Florrie. Laten we van het uitzicht genieten.'

De tennisbaan lag aan de rand van het klif en ze liepen nu naar de glanzende, witstenen afscheiding die de grens van de hoteltuinen aangaf. Toen Flora er zeker van was dat ze buiten gehoorsafstand van zijn vrienden waren, zei ze: 'Sam wil niet weg.'

'Dan moeten jij en ik hem hier achterlaten.'

'Je weet dat dat niet kan. Vader was heel duidelijk. Ik moet voor hem zorgen.'

'Voor hem zorgen? Een onmogelijke taak. Wéét je vader het?'

'Van de opium? Ik... ik weet het niet. Misschien wel, en dan doet hij alsof hij het niet weet. Maar als hij het wist... Het is alleen...' Haar ogen schoten weg.

Tony bleef staan en draaide haar naar zich toe. 'Wat is er?'

'Ik kan hem niet alleen laten.'

'Hij is bijna twintig.'

'Nee, het kán niet. Ik moet voorkomen dat hij iets stoms doet als ik... iets wil erven.' Ze wist dat ze niet over geld moest praten. Tony had genoeg, maar haar familie had meer. Veel, veel meer. De familie Honeychurch-Black bezat onroerend goed en titels over de hele wereld, al eeuwenlang.

'Ah. Ik begrijp het.' Hij kantelde zijn hoofd een beetje naar rechts. 'Dat is gemeen.'

'Vader is niet gemeen. Hij is verstandig. Hij wil zeker weten dat Samuel veilig is.'

Tony knikte, trok haar dicht tegen zich aan en bracht zijn lippen naar haar oor. 'Het komt wel goed met jou. Maak je geen zorgen.'

'Hoe weet je dat? Dat kun je niet zeker weten.'

Hij gaf geen antwoord. In plaats daarvan begon hij langzaam voor haar te zingen, zachtjes. Ze vond het heerlijk als hij dat deed. *La Bohème* of *Tosca* of een andere belcantomelodie. Ze sloot haar ogen en leunde tegen hem aan; zijn tenniskleren roken naar citroen en zon.

'Denk je echt dat alles goed komt?' zei ze na een tijdje ademloos, toen haar hart niet meer zo opgesloten voelde achter haar ribben.

'Dat beloof ik je.' Toen duwde hij haar zachtjes van zich af. 'Maar ik kan hier geen dag meer blijven. Ik neem de middagtrein terug naar Sydney.'

'Kom je weer terug?'

'Zo snel als ik kan. Over een paar dagen. Ik heb zaken die niet zo mooi zullen wachten als jij.' Hij streek met de rug van zijn hand over haar wang. 'Beeldschone meid.'

Ze glimlachte onwillekeurig. 'Sam zei dat hij met me naar de dokter zal gaan. Dat is goed, denk je niet?'

'Zeker, Florrie. Geef de hoop niet op.'

Ze liepen hand in hand naar de theekamer. *Geef de hoop niet op.* Dat zou ze niet doen. Niet wat Sam betrof. Nooit.

5

Onder een onrustige, grijze hemel stapte Violet op station Evergreen Falls de trein uit. Ze zette de kraag van haar wollen jas op en trok haar zijden sjaal wat dichter om zich heen: de roestkleurige met de hiëroglyfen, die ze gisteren had gekocht. Hij stak prachtig af tegen haar witte jurk. Sjaals en hoeden waren haar grote zwakte. En jurken. En schoenen ook. Ze moest rustig aan doen en zuinig zijn, vooral omdat de Evergreen Spa haar maar twee maanden werk had toegezegd. In de winter waren ze dicht en dan zou ze terug moeten naar Sydney.

Maar dan nog. Ze had een baan, na slechts een week zonder te hebben gezeten. Dankzij Clive.

Waar was hij?

Hij had beloofd haar op te halen. Ze keek het perron rond, maar kon hem niet vinden. Ze ging op de lange, geverfde bank zitten wachten. Mensen kwamen aan, haalden dierbaren op, gingen weer weg. Geluiden en beweging. Automobielen en rijtuigjes op de weg. Daarna alleen nog Violet, helemaal alleen. Een ruige wind joeg droge bladeren over het perron. Koude grijze wolken kwamen aandrijven en het begon te spetteren.

Natuurlijk had ze geen paraplu. Vooruitdenken was niet haar sterkste kant.

De stationsklok zei haar dat er al veertig minuten waren verstreken. Ze kon hier niet eeuwig in de regen blijven wachten. Violet trok haar hoed steviger over haar oren, nam haar koffer in de ene hand en haar grammofoon in de andere en ging bij het kruierskantoor de weg naar het hotel vragen.

Het regende hard toen ze de driekwart kilometer had afgelegd naar de Evergreen Spa, een crèmekleurig gebouw met boogramen en zuilengalerijen, geflankeerd door rijen dennenbomen. Haar kleren waren nat en ze sopte in haar schoenen, die doorweekt waren door de diepe plassen. Haar koffer leek wel een ton te wegen en trok een diepe, paarse groef in haar hand. Maar nu deed de portier eindelijk de hoge voordeur open en gebaarde dat ze binnen kon komen.

'Dank u,' zei ze, terwijl het water van haar neus droop. 'Weet u waar Clive Betts is?'

De portier schudde zijn zilveren manen. 'Nee, mevrouw. Die naam ken ik niet. Logeert hij hier?'

'Nee, hij is timmerman. Klusjesman. Hij werkt hier sinds kort.'

'Sorry, mevrouw. Er werken hier zoveel mensen. Bijna honderd. Als hij nieuw is, ken ik hem waarschijnlijk niet.'

De deuren gingen achter haar dicht en ze stond op de glanzende parketvloer van een weelderige foyer. Donkerrood behang, versierd met oosterse patronen, bedekte de wanden tot aan het hoge plafond met duizelingwekkend wit pleisterwerk en reliëfs. Ondanks het hondenweer buiten waren de hoge ramen zo ontworpen dat ze het licht vingen en weerkaatsten, vooral op de glinsterende kroonluchter die in het midden van de ruimte hing. Een lange loper liep van de deur naar een eikenhouten balie, waar een gedistingeerd uitziende vrouw een groot, in leer gebonden register zat door te lezen. Iets aan haar uitstraling dwong Violet naar haar toe te lopen; zij zou Violet kunnen vertellen wat ze moest doen en waar ze heen moest.

'Hallo,' zei Violet, die haar omzichtig benaderde.

De vrouw keek op. Ze had iets aristocratisch over zich, met haar gebogen neus en haar haar hoog en streng boven op haar hoofd. Ze droeg een elegante blauwe jurk met een even elegant blauw vest erover en snoeren met glanzende parels. 'Och, arm kind. Je bent doorweekt!'

'Ik ben Violet Armstrong. Ik ben... nieuw.'

De vrouw stond op, stralend, en stak haar hand uit. 'Heel aangenaam om je hier te hebben. Ik ben juffrouw Zander, de bedrijfsleidster.' Ze liet 'bedrijfsleidster' klinken als een exotische, vreemde term. 'Clive sprak zo lovend over je.'

'Clive. Die zou me van de trein halen.'

'Morgen,' zei juffrouw Zander. 'We verwachtten je morgen pas.'

Violet vervloekte zichzelf. Eerste indruk: de dagen door elkaar halen en aankomen als een verzopen kat.

'Het maakt niet zoveel uit,' ging juffrouw Zander verder. 'Hier, laat me iemand zoeken om de balie over te nemen, dan breng ik je naar je kamer.' Ze wenkte een piccolo voor Violets bagage en zei een kamernummer tegen hem, en toen riep ze een mooi, roodharig meisje bij de balie. Violet bewonderde haar mooie blauwe uniform en witte sjaal en vroeg zich af of zij op een dag ook achter de balie zou kunnen werken. Haar hoofd zat al vol dromen. Rijke gasten verwelkomen, bewonderd worden om haar edele glimlach en de stand van haar mooie kin...

'Kom, loop eens door,' zei juffrouw Zander vanaf het andere eind van de foyer. 'Ik heb niet de hele dag de tijd om je rond te leiden.'

Juffrouw Zander beende met haar de hal door en bleef staan bij een kast met een rode deur. Ergens bij haar middel haalde ze een lang, gevlochten koord tevoorschijn met een set sleutels eraan. Ze bekeek Violet van onder tot boven. 'Hmm. Je bent wat slanker dan Clive Betts me liet geloven. Maar...' Ze trok de deur open en haalde er drie uniforms voor Violet uit. 'Deze zullen je wel passen.'

Violet nam de kleren in haar armen: zwarte jurken, aan de voorkant gesloten met twee rijen witte knoopjes, en witte haarbanden.

Juffrouw Zander sloot de deur en liep weer verder. 'Je krijgt kost en inwoning en we betalen je hetzelfde als je bij de Senator kreeg. Laat maar aan Alexandria weten hoeveel dat was. En lieg niet: ze zal ze bellen om het te controleren.'

'Wie is Alexandria?

'De roodharige achter de balie. Mijn adjunct.'

'Hoe kan ik haar baan krijgen?'

Juffrouw Zander draaide zich naar haar om, keek haar even aan en begon toen luid te lachen. 'Liever, je zou haar baan alleen kunnen krijgen als je geboren was als heel iemand anders, in een heel andere familie.'

Dat deed pijn, maar Violet hoorde het met een glimlach aan.

'Volg me. Aan deze gang vind je de opslag, onderhoud, administratie en natuurlijk de keuken. De gasten zijn boven. Jij hoeft daar niet te komen. Nooit.' Ze zweeg even voor het effect. 'Beneden zijn de personeelskamers en de eetzaal voor het personeel, de enige plek waar jij zult eten.'

'Waar eten de gasten?'

'De grote eetzaal; dat is dezelfde ruimte als de balzaal. Daar zul jij maaltijden serveren. Je mag onder geen beding eten meenemen uit de eetzaal boven. Je mag ook niet roken. Evergreen Spa is een rookvrij hotel. We zijn een kuuroord, weet je.'

'Dat is prima, ik rook niet.' Dat was niet helemaal waar. Violet had altijd een glimmend doosje sigaretten in haar tas zitten, voor als ze naar een dansfeest of een partijtje ging, of gewoon om te flirten, al hield ze niet zo van de rook die haar keel droog maakte.

'Goed zo. Het is een smerige gewoonte. Om je te laten inwerken koppel ik je aan Myrtle, die veel ervaring heeft. Zij zal je laten zien wat je moet doen. Hier.' Ze begonnen een trap af te dalen. Geen tapijt of loper, alleen onbewerkt hout. 'Jouw kamer is de derde rechts. Je deelt hem met Myrtle en Queenie. Neem maar geen raad van Queenie aan. Ze is een beetje traag.'

Juffrouw Zander klopte een keer stevig en pakte toen een sleutel om de kamer open te maken. Er stonden drie bedden onder een raam dat op dezelfde hoogte lag als het gras buiten. Haar koffer en grammofoon wachtten al op een van de bedden op haar, samen met wat opgevouwen linnengoed. Door het dunne witte gordijn zag Violet een paar mannenschoenen staan. Ze liep naar het raam en keek op. Het was Clive.

'Ah, daar is hij,' zei ze.

Juffrouw Zander fronste haar voorhoofd. 'Ik weet dat jij en meneer Betts bevriend zijn, maar ik verwacht dat jullie werken, niet kletsen. Aangezien jij morgenavond pas voor het diner ingeroosterd staat, verwacht ik dat je hem met rust laat zodat hij onze keukenluiken kan repareren.'

'Natuurlijk.'

Toen stak de oudere vrouw haar hand uit en haalde met kracht haar duim over Violets lippen.

'Auw!' zei Violet, terwijl ze ineenkromp.

'Even controleren of je lippen die kleur van zichzelf hebben. Ik sta niet toe dat mijn meisjes make-up dragen. Jullie zijn geen nachtvlinders.'

'Begrepen, mevrouw.'

Juffrouw Zander glimlachte en al haar bazigheid smolt weg. 'Ik hoop dat je hier prettig zult werken, lieverd. Je hebt een lief gezicht.'

'Dank u.' Violet gloeide een beetje en vroeg zich af waarom ze, na zo'n korte kennismaking, al had besloten dat ze heel graag wilde dat juffrouw Zander haar aardig zou vinden.

'Myrtle heeft nu dienst. Zorg dat je droog wordt en kleed je om. De wasruimte en de wc zijn aan de overkant van de gang. Hier is je sleutel. Als het opklaart, ga dan wandelen. Frisse lucht is goed voor de gezondheid.' Ze knikte een keer en liep toen weg, een kolkend kielzog van parfum achterlatend.

Violet liep nog eens naar het raam. Het was schemerdonker in de kamer door de geringe lichtinval en de donkere lucht buiten. Maar toen ze opkeek kon ze Clive in de regen zien staan werken, met zijn mouwen tot aan zijn ellebogen opgerold en zijn lijf geconcentreerd naar zijn taak gebogen. Ze klopte op het glas, maar hij hoorde haar niet, dus bleef ze gewoon een tijdje naar zijn schoenen staan kijken terwijl ze uitdroop op de kale houten vloer.

Myrtle was te jong om moederlijk genoemd te worden, maar toch was dat precies wat ze was, met haar ronde lijf, grote boezem en zachte witte handen. Die middag en avond gaf ze Violet een snelle introductie tot de Evergreen Spa. Gelukkig had Violet lang genoeg in hotels gewerkt om niet geïntimideerd te raken door de verschillende regels en alle andere dingen die ze moest onthouden. Ze kreeg een rooster van vijf dagen, met steeds twee halve diensten per dag: van elf tot drie, en dan weer van vijf tot negen.

Hoewel ze niet ingeroosterd stond, draaide ze de volgende ochtend de vroege dienst naast Myrtle mee, om ervaring op te doen. De lunchtafels waren allemaal schitterend gedekt met glanzend gepoetst zilverwerk en een enorme zilveren schaal seizoensfruit in het midden.

Violet jatte een sinaasappel en verborg die in de pijp van haar lange onderbroek toen de dienst bijna afgelopen was.

Buiten scheen de zon en de hemel was blauw met wit. Het was een dag om buiten te zijn, bij voorkeur zingend. Ze neuriede in zichzelf terwijl ze om het gebouw heen liep, waar ze de sinaasappel uit zijn verstopplek bevrijdde en hem begon te pellen. Op dat moment zag ze Clive, die nog altijd bezig was met de keukenluiken.

'Clive!' riep ze blij en ze rende naar hem toe.

Hij keek op, in verwarring. 'Moet ik jou niet over een uur van het station halen?'

'Ik ben een dag eerder gekomen. Heb het hotel zelf gevonden. Kijk, ik heb mijn uniform al.' Violet draaide voor hem rond.

'Je ziet er geweldig uit. Ik ben zo blij dat je er bent.' Hij straalde. Toen herinnerde ze zich wat juffrouw Zander had gezegd en dat ze Clive had beloofd hem niet in de problemen te brengen.

'Ik kan je maar beter met rust laten. Juffrouw Zander zei dat ik je niet moest storen tijdens je werk.' Ze stak de sinaasappelschillen in haar zak.

Clive draaide zich weer om naar het luik, dat hij met een enorme schroevendraaier vastschroefde. 'De wonderen zijn de wereld nog niet uit. Violet doet alles wat haar wordt gezegd.'

Ze zwaaide met de sinaasappel. 'Bijna alles.'

Hij lachte. 'Pas jij maar op.'

Bijtend in de sappige sinaasappel slenterde ze weg, in de richting van het klif.

Violet bleef staan onder een eucalyptusboom die wuifde in de wind en hield haar adem in. Het uitzicht dat zich voor haar ontvouwde was spectaculair. De oeroude vallei, uitgesleten in het grijze, rode en bruine sedimentgesteente en begroeid met blad in alle tinten groen, strekte zich kilometers ver voor haar uit. De wolken waren donkere, veranderlijke vormen in de verte en ze kon de zon zien schitteren op de beroemde watervallen. Het zou veel te koud zijn om te zwemmen. Toch? Ze had nog uren voor haar volgende dienst.

Een glooiende helling liep af naar de vallei. Myrtle had haar verteld dat alle paden hier uiteindelijk naar een wegwijzer leidden die alle richtingen aangaf: naar de watervallen, naar de boerderijen onder aan de berg die hun verse producten rechtstreeks omhoog stuurden met een berglift; naar de volgende dorpen in de bergketen.

'Je mag niet te laat komen voor je eerste echte dienst, Violet,' zei ze tegen zichzelf terwijl ze het pad begon af te lopen.

Omdat er zoveel gasten naar de Evergreen Spa kwamen voor het gezonde bronwater, de frisse lucht en de lichaamsbeweging was er veel geld besteed aan het vrijmaken en begaanbaar houden van de paden. Ze volgde het pad tot aan de beschilderde houten wegwijzer. Terwijl ze de laatste happen van haar sinaasappel nam, bestudeerde ze de bordjes. Toen veegde ze haar kleverige vingers af aan het gras en sloeg de richting van de watervallen in.

Violet liep voornamelijk in de schaduw en wenste dat ze een jas bij zich had. Onder de lange mouwen van haar jurk voelde ze kippenvel opkomen. Ze sloeg haar armen om zich heen en wreef over haar bovenarmen in de hoop dat het pad spoedig weer in de zon zou liggen.

Het pad liep slingerend en kronkelend naar beneden, tussen eucalyptusbomen en varens door, en ze was blij dat ze haar platte werkschoenen aanhad. Klokvogels en kookaburra's riepen vanuit de begroeide schaduwen naast het pad. Toen werd het heel stil, op het geluid van haar voetstappen na. De lichaamsbeweging verdreef de kou, en toen leidde haar pad haar de zon weer in en zag ze in de verte de glanzende watervallen liggen.

Ze bleef staan en haar ogen werden groot. Op een grote, vlakke rots naast de watervallen stond een man. Hij was volkomen roerloos en, als ze zich niet heel erg vergiste, volkomen naakt.

Violet bleef tussen de bomen staan, met bonzend hart. Was hij krankzinnig? Was hij gevaarlijk?

Ze keek nog eens. Hij was ver weg. Hij leek jong, maar wel oud genoeg om beter te weten, en ja, hij had geen draad aan zijn lijf.

Ze besloot dat de bomen haar voldoende aan het zicht onttrokken en bewoog zich vooruit, tussen de bomen door tot ze de volgende bocht bereikte, waar ze beter zicht had.

Daar stond hij, ongeveer driehonderd meter verderop in de vallei, met zijn armen boven zijn hoofd. Hij had heel donker haar, een bleke huid, een goedgevormd lichaam en een aangenaam symmetrisch gezicht, al kon ze er geen details in onderscheiden. Ze stelde zich voor dat hij gewoon met zijn ogen dicht van de zon op zijn naakte lijf stond te genieten. Ze benijdde hem zijn vrijheid, zijn onverschilligheid.

Maar ze kon absoluut niet naar de watervallen afdalen terwijl daar een naakte man stond, dus ging ze flink teleurgesteld weer terug naar haar werk.

Flora kleedde zich zorgvuldig in een crèmekleurige wollen jurk en een bontstola. Ze wilde graag een goede indruk op de dokter maken. De schande om een opiumverslaafde in de familie te hebben, verdroeg ze niet licht.

Ze maakte voor de spiegel haar haar op. Al die haarspelden. Geen van Flora's vriendinnen had nog lang haar. Ze hadden het allemaal afgeknipt, in scherpe bobs of in golven tot kinlengte. Misschien was zij ouderwets.

Flora legde haar borstel neer en boog zich dicht naar de spiegel toe, zo dichtbij dat hij door haar adem besloeg. *Laat het alsjeblieft goed gaan vandaag.* Ze had Karl benaderd, de Zwitserse gezondheidsspecialist van de Evergreen Spa, en beleefd naar een goede, discrete huisarts in de omgeving gevraagd. Hij had dokter Dalloway aangeraden, ongeveer vijf minuten rijden met de automobiel, aan de andere kant van het spoor, en had voor haar een afspraak voor vandaag gemaakt.

Starend in de spiegel fronste Flora haar voorhoofd en zag een rimpel tussen haar wenkbrauwen ontstaan. Toen klaarde haar gezichtsuitdrukking weer op en zag ze haar voorhoofd weer glad en bleek worden. Wat leek ze op haar vader, met haar rechte neus en rechte mond, alsof haar ontwerper gewoon geen inspiratie meer had. Gewoontjes. Niet als een beleefde manier om lelijk te zeggen, want ze was niet lelijk. Ze was alleen... gewoontjes. Ze had het altijd oneerlijk gevonden dat haar uiterlijke verschijning niets prijsgaf over de schatten in haar binnenste: haar intelligentie, haar vriendelijkheid, haar plichtsgetrouwheid.

Ze snoof en stond op. Wat maakte het uit? Schoonheid zou haar toch niet meer geluk brengen dan ze nu al had. Ze keek even op de tafelklok naast het bed. Vijf over twee. Sam was laat. Was hij het vergeten? De auto stond vast al te wachten.

Flora zette een vilten hoed met een smalle rand op en pakte haar lederen tas. Sam zat op de verdieping hieronder, op de mannenverdieping. Ze kwam daar liever niet te vaak. Tony's ploertige vriend Sweetie was daar vaak, ook al zat Tony zelf weer in Sydney, en hij was altijd veel te blij als hij haar zag.

Ze liep de trap af en de gang door en klopte toen zacht op Sams deur.

Geen antwoord.

Harder. Roepend: 'Samuel Honeychurch-Black. Je hebt het beloofd. Je hebt het belóófd!'

Nog steeds geen antwoord.

Ze grabbelde in haar tasje naar de extra sleutel van zijn kamer die Tony met zijn charme aan juffrouw Zander had weten te ontfutselen. 'Ik kom naar binnen, Sam,' riep ze, hopend dat hij aangekleed zou zijn. Meer dan eens was ze binnengekomen toen hij half gekleed of naakt was. Het leek hem weinig uit te maken wie hem zag.

Geen Sam.

Zijn verdwijning was even voorspelbaar als frustrerend. Zijn koffer stond open op de oriëntaalse sprei, het bed en de vergulde stoel waren bezaaid met kleren en zijn blad met opiumparafernalia stond op het bewerkte houten bureau. Flora aarzelde. Als ze het nu eens gewoon weggooide? Het meenam naar het klif en het allemaal in de vallei liet vallen, tussen de rotsen en de bladeren?

Ja, als ze dat nu eens zou doen en de onthouding Sam zo ziek maakte dat hij stierf? Ze had hem meer dan eens zien proberen te stoppen, en de koorts en de rillingen die door zijn lichaam schokten waren zo alarmerend geweest dat ze opgelucht was toen hij weer een pijp nam. Ze wist te weinig van dit verslavende middel, wat het met hem deed, of hij eraan zou kunnen sterven. Ze leefde in plaats daarvan onder een voortdurende, zachte ruis van bezorgdheid.

Flora besloot hoe dan ook naar dokter Dalloway te gaan. Dan kon ze hem alle vragen stellen waar ze antwoord op moest hebben, en bij sommige vragen zou het misschien juist beter zijn als Sam er niet bij was.

Ze draaide de deur achter zich op slot en ging de trap af, keek voor alle zekerheid nog even in de bibliotheek – Sam verstopte zich daar vaak – en liep toen over het parket van de foyer de winterse zonneschijn in. De hemel was zo bleek als waterverf en de zon was ver weg. De automobiel stond al te wachten en ze gaf de chauffeur een kaartje met dokter Dalloways adres en liet zich achterover zakken tegen de leren bank om het landschap voorbij te zien snellen.

Al snel stonden ze voor de praktijk. Ze gaf de chauffeur opdracht om te wachten en haalde diep adem voor ze het pad op liep. Het huis van de arts was een keurig geschilderd huisje met een patio vol rozen in nette potten. Er was een tijd geweest dat Flora arts wilde worden. Haar vader wilde er natuurlijk niets van horen, maar desondanks had ze navraag gedaan aan universiteiten en een dierbaar fantasieleven opgebouwd waarin ze anderen hielp, de geheimen van ziektes ontsluierde, de scherpte van haar brein gebruikte. Maar ze was veel te rijk en te welopgevoed om als vrouw medicijnen te mogen studeren.

Ze trok aan de bel en verwachtte dat een dienstmeisje of echtgenote de deur open zou doen. In plaats daarvan werd ze begroet door een jonge man. Hij was een paar centimeter langer dan zij en stevig, met krullend kastanjebruin haar, en fraai gekleed in een broek van witte serge met een gestreept zijden overhemd erboven. Hij droeg een hoornen bril van het soort dat wel een Harold Lloyd wordt genoemd, naar de beroemde komiek.

'Ik kom voor dokter Dalloway,' zei ze.

'Dat ben ik,' antwoordde hij.

Ze moest zich inhouden om niet te zeggen: 'Wat bent u jong.' Ze had een bezadigde vaderfiguur verwacht en vroeg zich af of ze eerlijk en open zou kunnen zijn tegen een man van haar eigen leeftijd. Vooral een met zo'n warme glimlach.

'U moet juffrouw Honeychurch-Black zijn,' zei hij met uitgestoken hand. 'Maar waar is meneer Honeychurch-Black?'

Ze schudde hem stevig de hand. 'Hij is... eh... Mag ik binnenkomen?'

'Zeker.'

Flora volgde hem de hal in. 'Bedankt dat u tijd heeft gemaakt om mij te spreken, dokter Dalloway,' zei ze.

'Zegt u maar Will.'

Op de gesloten deur aan haar linkerhand hing een bordje met PRIVÉ en ze nam aan dat daar zijn woonvertrekken lagen. Rechts was een kleine wachtkamer en hij ging haar daardoorheen voor naar een praktijkruimte die rook naar loog en teatreeolie. Grafieken en diagrammen van lichamen hingen aan de muren. Pas toen ze zat en de deur achter hen dicht was, legde ze het eindelijk uit.

'Mijn broer is verdwenen. O, kijk maar niet zo bezorgd. Hij verdwijnt vaak. Hij loopt het meeste gevaar als hij in zijn kamer is... denk ik.'

Will hield zijn hoofd een beetje schuin. 'Dat begrijp ik niet.'

'Nee,' zei ze. 'Ik leg het allemaal nogal onhandig uit, nietwaar?'

Hij glimlachte. 'Neem de tijd.'

Ze werd opnieuw geraakt door zijn warme glimlach. Die reikte helemaal tot aan zijn ogen en nog verder. Naar binnen. Haar ongemak smolt bij elke keer dat hij dat deed een beetje verder weg. 'Goed dan,' zei ze. 'Mijn broer is... hij gebruikt...' Haar mond was droog. 'Hij rookt opium.'

Will pakte een pen op en begon te schrijven. 'Ik begrijp het.'

'Karl, de medisch specialist van het kuuroord, zei dat u discreet zou zijn.'

'Absoluut, juffrouw Honeychurch-Black.'

'Flora.'

'Mag ik je vragen, Flora, hoelang hij al opium rookt?'

'Minstens een jaar. Hij is een paar maanden met een vriend in China geweest en kwam toen terug met de pijp.'

'En hoeveel rookt hij?'

'Per dag? Per week?'

'Laten we zeggen per dag.'

'Tja, aangezien ik er niet de hele tijd bij ben... Ik zou zeggen dat het ergens tussen de tien en twintig pijpen ligt.'

'Hoe vroeg op de dag begint hij?'

'Dat weet ik niet zeker. Zijn stemming verandert de hele dag. Maniakaal op sommige ochtenden, melodramatisch op andere. Hij is 's middags vaak verder weg en is dan boos tijdens het diner. Ik denk dat hij zichzelf in slaap rookt.' Haar stem zakte weg tot fluistertoon. De schaamte. 'Ik moet eraan toevoegen dat hij altijd al humeurig is geweest. Excentriek. Zelfs voor de... je weet wel.'

Will zat nog steeds te schrijven. 'Heeft hij voor zover je weet ooit geprobeerd ermee te stoppen?'

'O ja, verschillende keren. Maar dat is afgrijselijk. Hij krijgt koorts en buikloop en ligt maar te kreunen en te trillen. Ik ben zo bang dat hij dood zal gaan.' Haar stem werd nog zachter. 'Gaat hij dood als hij ermee stopt?'

Hij keek op en fronste zijn wenkbrauwen. 'Het is verschrikkelijk om met het middel te stoppen, dat is waar, maar het zal hem niet doden. Nee, een veel groter gevaar is dat hij het blijft gebruiken. Nog los van het feit dat hij een grotere kans op een ongeluk heeft, een overdosis te nemen en te stoppen met ademhalen, zijn hersenen en zijn organen te beschadigen, teert de verslaving op de levenslust. Vele opiumverslaafden worden zo ongelukkig dat ze uiteindelijk zelfmoord plegen.'

Er ging een rilling van Flora's tenen tot haar kruin. Haar maag voelde hol.

'Helaas is er geen makkelijke manier om ermee te stoppen. Aangezien hij niet bij je is, neem ik aan dat hij niet bijzonder gemotiveerd is.'

'Maar hoe kan ik hem dan laten stoppen?'

'Dat kun je niet.'

Hij sprak de woorden vriendelijk uit, maar ze voelde de koude, wrede scherpte ervan in haar lichaam. Tranen prikten in haar ogen en ze boog van schaamte haar hoofd.

'Hier,' zei hij, terwijl hij een zakdoek in haar vingers drukte.

'Dank je,' wist ze uit te brengen, en ze balde de zakdoek in haar hand en liet de tranen zo zachtjes mogelijk vallen. Er verstreek een minuut. Ze vermande zich, depte haar ogen droog en gaf hem de zakdoek terug.

'Hou maar,' zei hij.

Ze vouwde hem op en liet hem in haar handtas glijden.

'Flora,' zei hij, 'het juk van de opium drukt vaak zwaar op de directe naasten van de verslaafde. Je moet goed voor jezelf zorgen.'

'Dank je.' Ze stond op, vastbesloten om hem niet meer in de ogen te kijken, die warme glimlach met dat beetje medelijden niet meer te hoeven zien. 'Als je de rekening naar mij stuurt in de Evergreen Spa, stuur ik een cheque.'

'Als ik nog van dienst kan zijn...'

'Dank je,' zei ze beslister en ze haastte zich naar buiten.

In de auto haalde ze diep en huiverend adem en rekte haar bovenlichaam uit. Wat was het gruwelijk om zo veel van iemand te houden en te moeten aanzien hoe hij zichzelf te gronde richtte. En door zichzelf te gronde te richten, haar ook elke kans op geluk te ontnemen. Omdat ze hem niet van de drugs af kon krijgen, zou vader hen allebei onterven. Zou Tony zonder haar familieconnecties nog met haar willen trouwen? Ze had ogen in haar hoofd en zag even helder als wie ook dat hij heel knap was en zij maar gewoontjes.

Ze deed haar handtas open en haalde er Wills zakdoek uit, die ze tegen haar te warme gezicht aan drukte. De auto hobbelde de treinrails over. Haar hoofd voelde overvol. *Je kunt hem er niet mee laten stoppen.*

Nee, dat zou ze niet accepteren. Ze zou een manier vinden om tot hem door te dringen. Hij was nog altijd haar lieve Sam, haar kleine broertje. Ze zou zijn hart aanspreken en dan zou ze hem dwingen in te zien wat hij zichzelf aandeed. Wat hij hun allebei aandeed.

Violet vond de eetzaal er schitterend uitzien rond etenstijd. De kroonluchters die de hele dag hadden gesluimerd, waren nu aan en verspreidden hun volle, oogverblindende licht. Alle tafels waren verlicht met een kring kaarsen en een orkestje speelde zachte muziek terwijl de gasten binnenkwamen, gekleed in hun fraaie avondkleding. Violet gaf het niet graag toe, maar van veel gasten was ze diep onder de indruk. De pasgekroonde Miss Sydney was er, een kleine schoonheid met een platte borstkas, een hartverwarmende glimlach en lichtblonde krullen. Ze werd vergezeld door een man die Violet voor haar vader aanzag, tot hij in het volle zicht zijn hand uitstak en Miss Sydney in de billen kneep. Ook was er de beroemde operazangeres Cordelia Wright, een molachtig vrouwtje dat voortdurend met haar ogen knipperde en een poederige huid en een scherpe tong bezat. Aan een andere tafel zaten de zure dichter Sir Anthony Powell en zijn vrouw, de schrijfster Lady Powell, die beroemd was om haar verhalen van zo'n hoog literair gehalte dat niemand ze begreep. Violet had op school een aantal van Sir Anthony's gedichten gelezen en vond ze saai. Myrtle zei dat deze paar kleinere sterren lang niet zo spectaculair waren als sommige andere gasten die ze in de loop der jaren had gezien, onder wie Amerikaanse filmacteurs en Engelse royalty.

De gong voor het diner luidde en Violet begon tussen de sfeervolle eetzaal en de felverlichte, lawaaierige keuken heen en weer te rennen. De keukenchef en hoofdober, Hansel, was een slechtgehumeurde Duitser en zijn tweede in rang was een even slechtgehumeurde Oostenrijker. Ze regeerden met ijzeren vuist over de rest van het bedienend personeel, schreeuwend en rammelend in de keuken, maar waren stil en onderdanig in de eetzaal. De twee leken elkaar te haten en waren bijna voortdurend in verhit Duits aan het discussiëren. Gelukkig waren de koks altijd vriendelijk, met name de oude heer die iedereen eenvoudig Kok noemde, met zijn ronde, rode gezicht. In de eetzaal ving Violet flarden op van de gesprekken tussen de gasten.

'Ik had allang weer in New York moeten zijn.'

'Dus ik zei: "Ik accepteer geen penny minder dan tienduizend."'

'Nee, het is een grote Studebaker-automobiel. Ik ben toch geen boer.'

Hun stemmen en zinnen wervelden langs haar heen en ze was zich sterker dan ooit bewust van het verschil tussen haar en de zeer rijken. Naast deze mensen waren de gasten in de Senator maar heel eenvoudig. Zij leidden een leven waarvoor haar verbeeldingskracht tekortschoot.

Na het hoofdgerecht werd het een beetje rustiger. De gasten begonnen zich op de dansvloer te begeven en het orkest speelde een levendige wals. Violet had veel zin om te dansen, maar moest zich

tevredenstellen met tikken met haar voet terwijl ze de borden opstapelde. Vele etensgasten sloegen het dessert over, dus keerde ze naar
de keuken terug met een blad vol fruitsalades die onvermijdelijk in
de varkenstrog terecht zouden komen. Helaas kon ze moeilijk fruit-
salade in de pijp van haar lange onderbroek verbergen.

Myrtle stond bij de grote stenen spoelbakken en liet water over
haar hand stromen.

Violet ging naast haar staan. 'Wat is er?' vroeg ze.

Myrtle draaide haar ronde, blozende gezicht naar Violet toe. 'Ik
heb mijn vingers verbrand aan de koffiepot,' zei ze.

'Laat eens zien.' Violet draaide Myrtles hand om. Haar vingers
waren felrood. 'Je moet naar Karl, die doet er wel wat op.'

'Tafel acht hebben geen dessert!' schreeuwde Hansel met zijn zware accent.

'Dat is mijn tafel,' zei Myrtle.

'Ze heeft haar hand verbrand!' riep Violet hem toe. 'Een momentje.' Ze draaide zich om naar Myrtle. 'Ga. Zoek Karl. Ik dek je wel.'

'Je bent een schat.'

Violet pakte een blad desserts op en ging naar tafel acht. Terwijl
ze de desserts aanbood, keek ze nieuwsgierig naar een jongeman met
donker haar aan de tafel. Was hij het? Hij leek veel op de man die ze
een paar dagen eerder naakt had gezien. Hij zat naar het plafond te
staren alsof de muziek zich daar verzamelde. De blonde vrouw naast
hem was in gesprek met een andere man, een knappe Italiaan die
volgens Violet misschien filmacteur was. De blonde vrouw droeg een
lang parelsnoer om haar hals, dat ze zenuwachtig ronddraaide tussen
haar vingers. Violet zette net haar dienblad neer toen de vrouw uitriep: 'O, nee!'

Violet keek op. De vrouw had zoveel druk op haar snoer gezet dat
hij was gebroken en de parels stuiterden alle kanten uit.

Snel liet Violet zich op de vloer vallen en begon de parels op te
rapen voor ze wegrolden. Tijdens het rapen merkte ze dat er nog iemand bij haar op de vloer lag. Ze stak haar hand uit naar een parel
onder een stoel en greep per ongeluk zijn hand vast.

'Het spijt me,' zei ze en toen zag ze dat het de jongeman van bij de watervallen was. Wat schreef de etiquette voor? Moest ze zeggen dat ze hem naakt had gezien? De gedachte maakte haar vanbinnen aan het lachen en ze moest erg haar best doen om het in te houden.

Maar de jongeman keek haar gewoon aan – zijn blik brandde door haar ogen en dieper, dieper – en Violet voelde zich gevangen, met bonzend hart. De muziek leek zachter te worden, de parels vergaten zichzelf en Violet keek terug naar hem. Een trage hitte ontvlamde in haar benen, kroop omhoog over haar dijen, brandde in haar ribben.

'Heb je ze allemaal gevonden?' Dat was de Italiaanse man, maar zijn accent klonk Amerikaans.

Violet kwam weer bij haar positieven. 'Ik... ik heb deze,' zei ze, en ze ging rechtop zitten en bood de Italiaan haar handje parels aan.

'Goed zo, meisje,' zei hij met een charmante glimlach. Hij was knap en vriendelijk, maar riep maar een verwaterde, bleke variant op van het gevoel dat ze net nog bij de andere man had ervaren.

Die andere man zat weer aan tafel en telde de parels uit in de hand van de blonde vrouw. Nu de ramp was opgelost serveerde Violet de desserts uit en keerde terug naar de keuken.

Wie was hij?

Ze bleef er de rest van haar dienst over piekeren en probeerde bij hun tafel te blijven rondhangen om ze te horen spreken of zijn blik te vangen, maar de man staarde weer naar het plafond. Een voor een stonden de andere gasten aan tafel acht op om te gaan dansen en Violet besefte dat de blonde vrouw en de Italiaan een stel waren. Uiteindelijk bleef alleen de donkerharige man zitten.

Violet was inmiddels de tafel naast hem aan het afruimen, en ze was verrast toen ze zich omdraaide en de man daar zag staan, heel dichtbij haar.

'Hallo,' zei hij, zonder te glimlachen.

'Hallo,' antwoordde ze, op haar hoede.

'Bedankt dat je mijn zus hielp. Dat was erg vriendelijk van je.'

Wat een rare snuiter was hij. Ze glimlachte. 'Niets te danken.' Toen, al wist ze dat ze het niet moest doen, stak ze haar vrije hand uit en zei: 'Ik ben Violet.'

Hij keek even naar haar hand alsof hij niet precies wist wat het was, pakte hem daarna aan en drukte hem aan zijn lippen. Zacht en voorzichtig eerst, maar toen vurig en brandend. Violet keek om zich heen, bang dat Hansel haar zou zien en ontslaan. Hij voelde dat ze zich terugtrok en liet haar los, en zijn handen vielen slap langs zijn zij terwijl hij haar aankeek.

'Ik moet door met mijn werk,' zei ze, terwijl het zenuwachtige verlangen wegtrok.

'Het was voorbestemd dat dat snoer zou breken,' zei hij, 'zodat jij en ik elkaar konden ontmoeten.'

Violet wist niet wat ze moest zeggen. Ze stonden even in een verhitte stilte, tot hij plotseling zei: 'Samuel Honeychurch-Black. Zeg maar Sam.'

'Het spijt me, meneer Honeychurch-Black, maar ik mag de gasten niet bij hun voornaam noemen.'

'En jij doet altijd wat je gezegd wordt?' Was dat een uitdaging? Er was geen glimlach, geen twinkeling in zijn ogen.

Ze aarzelde en zei toen dapper: 'Nee. Nee, Sam, niet altijd.'

Toen glimlachte hij en het was alsof er een ster tot leven kwam. Violet ervoer het als een fysieke klap. Misschien hapte ze zelfs naar adem.

'Ik hoop je nog eens te zien,' zei hij en hij neeg zijn hoofd.

Uit haar ooghoek zag Violet Hansel de eetzaal binnenkomen. Ze boog haar hoofd om de tafel af te ruimen. Toen ze weer opkeek, was Sam weg.

Terwijl Tony haar rondzwierde, zag Flora dat Sam met de serveerster praatte.

'Dat is niet best,' zei ze.

'Wat?' vroeg Tony, die haar blik volgde. 'O, laat hem toch flirten.'

'Hij flirt niet. Hij wordt verliefd.'

'Laat hem dan maar verliefd worden. Ze is maar een serveerster. Het leidt tot niets.'

Maar Tony had het niet eerder zien gebeuren. Thuis was Sam al drie keer gevallen voor iemand die onbereikbaar voor hem was: een veel oudere vrouw, een novice die op bezoek was bij de plaatselijke kerk en de jonge echtgenote van de kruidenier. Het waren stuk voor stuk drama's geworden, want hij hield van hen op de manier waarop een kind van een eendenkuiken houdt. Gefascineerd, gretig, maar dodelijk onhandig. Met gebroken harten, gezinnen en dromen. Want geen van hen had de kracht gehad om hem te weerstaan in die korte, vrolijke maanden waarin hij besloot voor altijd van hen te houden.

'Zal ik eens met hem praten? Van man tot man?' vroeg Tony.

'Hij zal niet naar je luisteren.'

'Dat is waar.'

De muziek ging verder en Flora probeerde te genieten van het dansen. Ze keek vanuit de verte naar de knappe serveerster met het donkere haar en hoewel ze haar niet kende, was ze al bezorgd om haar.

6

De volgende dag tijdens de ontbijtdienst hield Violet haar ogen wijd open voor Sam. Elke keer dat de grote dubbele deuren openzwaaiden verwachtte ze zijn donkere haar te zien, en elke keer dat ze dichtgingen zonder dat hij verscheen vocht ze tegen de teleurstelling. Veel gasten kwamen niet naar de eetzaal voor het ontbijt, maar lieten zich liever iets te eten op hun kamer brengen of aten in het koffiehuis.

Ze vervloekte zichzelf om haar idiote gedrag, om de gedachte dat zijn interesse iets te betekenen had.

Met een mengeling van ontgoocheling en schaamte ging ze de trap weer af en liep ze door de schemerige gang naar haar kamer. De deur stond al open en binnen trof ze juffrouw Zander aan.

'O, Violet. Daar ben je.'

'Ik had dienst.' Violet zag dat juffrouw Zander haar matras omhoog had getrokken en eronder zocht. Ze kwam in opstand. 'Is er iets aan de hand?'

'Dat zal ik je zo vertellen.'

Violets ogen schoten naar haar tasje dat aan de deur hing, met haar sigarettenkoker erin. 'Bent u op zoek naar iets specifieks?'

Juffrouw Zander stond op en streek haar haar glad. 'Parels.'

Violets maag werd vloeibaar. 'Parels? Wie heeft beweerd dat ik...'

'Niemand,' zei juffrouw Zander, snel en streng. 'Laat me je zakken even controleren.'

Violet stak haar armen omhoog en juffrouw Zander voelde in allebei haar zakken.

'Mijn tas hangt aan de deur,' zei Violet, die besloot om eerlijk te zijn. 'Er zitten sigaretten in, maar die zijn niet van mij.'

Juffrouw Zander trok een wenkbrauw op. 'Zo, niet van jou? Gelukkig had ik ze al gevonden en weggegooid, hoewel ik de koker in je tasje heb gelaten. Wat de parels betreft, ik heb de hele kamer gecontroleerd en je gaat vrijuit.'

'Waarom zocht u naar parels?'

De mond van juffrouw Zander werd strak. 'Je bent erg direct.'

'Ik ben geen dief.'

'O, ik begrijp het. Je trots is gekwetst. Maak je geen zorgen, liefje. Het was maar een voorzorgsmaatregel. Nee, ene meneer Honeychurch-Black, een van onze gasten, kwam me vanmorgen opzoeken.'

Violet probeerde haar belangstelling te verbergen. 'O?'

'Hij wilde zijn waardering voor je uitspreken omdat je hem en juffrouw Honeychurch-Black gisteravond zo snel hebt geholpen, toen haar parelsnoer brak. Ik controleerde alleen even of je er niet één of twee had achtergehouden, want dat zou verschrikkelijk beschamend zijn. Aangezien ik je nog niet zo goed ken, dacht ik dat het doorzoeken van je kamer het pad van de minste weerstand was. Nu heb ik dit.' Ze haalde een opgevouwen envelopje uit haar mouw. 'Meneer Honeychurch-Black wilde je per se een bedankbriefje geven. Ik zei natuurlijk dat dat niet nodig was, maar...' Ze haalde haar schouders op.

Violet nam de envelop aan en liet hem in haar zak glijden.

Juffrouw Zander kneep haar ogen een beetje dicht. 'Maak je hem niet open?'

'Later,' zei Violet met gespeelde onverschilligheid.

'Hmm.' Juffrouw Zander tuitte haar lippen en keek Violet even aan voor ze weer wat zei. 'Haal je niets in je hoofd. Over hem.'

'Ik ken mijn plaats,' zei Violet. Ze wilde alleen zijn om de envelop te openen.

'Goed zo. Ik mag je wel, Violet. Je mag er niets over zeggen, maar ik wil Queenie aan het eind van de week ontslaan als jij zegt dat je wilt blijven.'

'Ja!' riep Violet, te snel. Toen dacht ze aan de arme, saaie, magere Queenie en voegde er schuldbewust aan toe: 'Ik heb het geld nodig voor mijn moeder. Ze heeft verschrikkelijk veel last van artritis.'

'Je maakt een goede indruk op mensen, juffrouw Armstrong. Ga zo door.'

Violet voelde de warme gloed van juffrouw Zanders herwonnen goedkeuring.

Juffrouw Zander ging weg en Violet sloot de deur zachtjes achter haar en ging in kleermakerszit op het bed zitten in het zwakke licht van het hoge raam. Ze had niet het geduld om langzaam of voorzichtig te zijn, dus scheurde ze de envelop open en schudde er een opgevouwen vel notitiepapier van het hotel uit, plus iets wat op een knoop leek.

Ze raapte het op. Het was inderdaad een knoop; een grote, ongeveer tweeënhalve centimeter in doorsnee. Maar er zat een gedroogde bloem opgeplakt en een speld op de achterkant. Het hele ding was gelakt, zodat het als een broche gedragen kon worden. Had hij dit voor haar gemaakt? De gedachte vervulde haar van een opwinding die haar wangen deed gloeien. Ze vouwde het briefje open.

Een mooi, lief ding voor een mooi, lief ding. Dankbaarheid. Je SHB.

'Je Samuel Honeychurch-Black,' zei ze hardop, en ze ging achterover liggen op haar kussen. Niet: *Groet, SHB*. Niet formeel. Nee: *Je SHB*. Alsof hij van haar was. Waarom zou hij dat schrijven? Vond hij haar echt mooi? En lief? Ze sloot haar ogen en hield het briefje bij haar neus, snoof diep. Het rook naar iets wilds en zoets.

Toen ging ze overeind zitten. Als juffrouw Zander hier binnen kon komen en aan haar spullen kon zitten wanneer ze maar wilde, moest Violet een plek vinden waar dit briefje niet snel gevonden zou worden.

Ze keek de kamer rond. Tasje, koffer, matras... Ze waren allemaal omgekeerd of doorzocht. Toen vielen haar ogen op haar draagbare grammofoon. Ze had hem gekocht in een tweedehandswinkel in Sydney en het achterpaneel had altijd losgezeten. Ze ging ernaartoe, maakte het deksel los en klapte het open. Ze schoof de drie platen die ze erin bewaarde opzij, wurmde voorzichtig het hoekje los met haar nagel en liet het briefje erin glijden. De gedachte dat het daar zijn zoete geur zou verliezen maakte haar bedroefd, maar ze wilde het risico niet lopen dat juffrouw Zander het zou vinden en zich afvroeg of er iets speelde tussen haar en Sam.

Speelde er iets tussen haar en Sam?

Violet haakte het deksel weer op de grammofoon en ging terug naar haar bed, waar ze ging liggen dagdromen over Sam. Verward, maar evengoed glimlachend.

Ze zag Sam die avond niet, en de volgende ook niet. Het werd donderdag, haar vrije dag, en ze treuzelde lang voordat ze uit bed kwam. Queenie hield de badkamer een eeuwigheid bezet en toen Violet eindelijk was aangekleed en in de personeelseetkamer in de kelder zat, waren de meeste andere personeelsleden ofwel aan het werk of de deur al uit.

Het ontbijt voor het personeel was niet zuinig. Elke ochtend werd er een lange tafel vol gezet met schalen koteletten, worstjes, bacon en eieren. De mannen zaten aan de ene kant van de eetzaal en de vrouwen aan de andere, maar in de praktijk gingen mensen die met elkaar wilden kletsen gewoon in het midden zitten en draaiden ze zich naar elkaar om. Violet zag Clive aan zijn kant van de eetzaal en ging met haar bacon en eieren naar een plek waar ze konden praten.

'Ah, daar is de schone Violet,' zei hij, en zijn lichtgrijze ogen straalden van warmte.

'Zit jij ook zo laat nog te ontbijten?'

Hij gebaarde naar het lege bord dat hij aan de kant had geschoven. 'Nee. Ik zit te tekenen.'

Hij hield zijn schetsboek omhoog om haar zijn herschepping van de voorkant van het hotel te laten zien.

'Dat is erg knap, Clive,' zei ze, terwijl ze op de lange houten bank ging zitten. 'Waarom teken je nooit mensen?'

'Dat doe ik wel,' zei hij, met zijn hoofd over zijn tekening gebogen.

Haar ijdelheid werd haar te machtig en ze vroeg: 'Waarom teken je mij nooit?'

Hij legde zijn potlood neer en keek haar nieuwsgierig aan. 'Omdat...' Hij viel stil.

'Omdat?'

'Omdat een vel papier te vlak en te klein is om jou te kunnen vangen.'

Ze sloeg haar ogen neer en stond zichzelf een glimlach toe, al wist ze dat ze dat niet moest doen.

'Hoor eens, Violet, heb je die grammofoon nog?'

'Ja, die heb ik bij me.'

'Een paar jongens en meiden hebben vanmiddag om drie uur afgesproken in een oud, verlaten huis aan de andere kant van het spoor. Het huis schijnt leeg te staan en de vloeren zijn geschikt om te dansen.'

Deze keer probeerde ze haar lach niet te verbergen. Het leek een eeuwigheid sinds Violet had gedanst. In Sydney ging ze elke zaterdag altijd naar een thé dansant op Martin Place. Voor twee dollar zes kreeg ze zoveel thee en scones als ze op kon, plus een orkest dat elk nummer dat ze kon bedenken op verzoek leek te kunnen spelen. 'Wil je dat ik mijn grammofoon meebreng?'

'Ja, en je platen. Vraag Queenie ook maar, en verder iedereen die vanmiddag niet hoeft te werken. Myrtle weet waar het is.'

'Het klinkt leuk,' zei ze, stralend.

'Waarom spreken we niet om halfdrie voor de deur af? Dan kunnen we er samen heen lopen.'

Ze aarzelde. Vroeg hij haar nu om samen te gaan, als een stel? Dit was lastig. Had hij haar vragen over zijn tekening als flirten opgevat? God wist dat mannen haar altijd verkeerd begrepen, wat dat betreft.

'Alleen voor de wandeling,' zei hij vlug. 'Dan kan ik de grammofoon voor je dragen.'

'Ja, waarom niet,' zei ze, opgelucht. 'Fijn.'

Na het ontbijt maakte ze een snelle wandeling over het terrein, terwijl ze heimelijk naar de ramen keek om te raden welke kamer van Sam was. Ze wist dat de kamers van de mannen allemaal op de tweede verdieping lagen, maar natuurlijk zag ze hem niet. Ze vroeg zich af hoe moeilijk het zou zijn om uit te vissen wat zijn kamer was. Toen riep ze zichzelf tot de orde. Wat zou het uitmaken als ze dat wist? Ze kon hem moeilijk gaan opzoeken.

Nee. Ze *moest* gewoon ophouden met aan hem denken.

Violet ging terug naar haar kamer en bracht de rest van de dag door met babbelen met Myrtle en Queenie, en met het in orde brengen van de jurk die ze die middag zou dragen. Die was al ruim een jaar oud, maar ze had er de vorstelijke prijs van negen shillings voor betaald en was van plan hem te blijven dragen tot hij van haar lijf viel. Hij was gemaakt van zachtroze georgette – wat tot twee onderrokken noopte – en had uitwaaierende zijflappen en een rand van romig kant die er nooit goed aan vastgenaaid zat en dus omhoogkrulde in de hoeken. Terwijl ze die vastnaaide, haalde Myrtle een paar roze satijnen schoentjes met namaakdiamanten gespen tevoorschijn die volgens haar wel bij de jurk zouden staan. Tot Violets verrukking pasten ze precies, al waren ze wat vlekkerig bij de hielen. Ze bond een crèmekleurige haarband met kralen om haar hoofd en speldde Sams broche op haar jurk. Nu was het tijd om Queenie en Myrtle te helpen aankleden en kappen. Violet was heel handig met haar. Ze had haar eigen haar nog maar een paar maanden eerder tot vlak onder haar oren afgeknipt.

Om halfdrie verklaarde Myrtle dat het tijd was om te gaan. 'Zullen we samen lopen?' vroeg ze terwijl ze haar jas aantrok.

Violet aarzelde. 'Ik loop erheen met Clive,' zei ze.

Queenie keek haar jaloers aan. 'Clive Betts? Is dat je vriendje?'

'Nee. Hij bood alleen aan mijn grammofoon te dragen, dat is alles.'

'Maar hij is wel gek op je,' zei Myrtle, terwijl ze aan de gesp op haar schoen frutselde.

'O ja?' vroeg Queenie met een dreinend stemmetje. 'Wat een pech! Ik ben gek op hem.'

'Je mag hem hebben,' zei Violet snel, maar toen voelde ze een steek schuldgevoel. 'Ik bedoel, hij is schattig, maar hij...' Is Sam niet. Hij was overduidelijk Sam niet. 'Hij is mijn type niet.'

'Hij is mijn type,' zei Queenie rouwig.

Er viel een ongemakkelijke stilte en toen zei Myrtle: 'Nou, je kunt maar beter niet te laat komen, nu hij zo aardig is om je grammofoon te dragen. We zien je daar wel.'

Clive stond tussen de twee dennenbomen aan weerszijden van de ingang te wachten, onberispelijk gekleed in een jasje en een broek met omslag en met een strooien boothoed op. Hij nam Violets grammofoon bij het handvat en stak zijn elleboog uit zodat zij die vast kon houden.

Met een glimlach nam ze zijn arm. Hij lachte terug, maar zei alleen: 'Laten we gaan.' Daar was ze blij om.

Eigenlijk was het die middag te koud voor de dunne jurk van georgette, maar het was het wel waard toen Violet de waarderende blikken van de mannen zag toen ze op het feest aankwam en haar jas uittrok. Er waren ongeveer veertig mensen: bedienend personeel, kamermeisjes, piccolo's en een paar onbekenden. Er was een tafel klaargezet met een schaal punch en bekers, en verschillende vrouwen hadden koekjes en cakes gebakken en boden ze druk aan iedereen aan. Een jongeman met een luide stem zag Clive met Violets grammofoon en riep: 'Daar is de muziek!'

Er klonk gejuich en er werd ruimte vrijgemaakt. Violet wond de grammofoon op en zette haar favoriete dansplaat op – 'The Original Memphis Five' – en al snel waren ze aan het dansen. Myrtle had wat appels de keuken uitgesmokkeld, en die gebruikten ze als prijzen bij het dansen. Violet ging helemaal op in het moment en genoot van de beweging van armen en benen en voeten en het bonzen van haar hart terwijl ze danste.

Later was ze uitgeput en stond ze tegen een muur geleund op een knapperige appel te kauwen toen er een opname van Marion Harris die 'Somebody Loves Me' zong opgezet werd. Er vormden zich paren, terwijl de anderen naar de kant afdwaalden. Het begon al schemerig te worden en er was geen verlichting in het huis. De feestgangers hadden alle drie haar platen al twee keer helemaal gehoord. Ze stond daar met haar beker punch en liet zich meevoeren door haar fantasieën over Sam terwijl ze aan zijn broche frutselde en de woorden om haar heen wervelden.

Somebody loves me, I wonder who, I wonder who he can be...
'Violet?'
Ze keek op. Het was Clive, die glimlachend op haar neerkeek.
'Heb je het naar je zin?' vroeg hij.
'Ja. Ik had al weken niet gedanst. Het is zalig.'
'Je kijkt een beetje melancholiek.'
'Nee. Het gaat prima. Hooguit een beetje heimwee.' Ze kon hem – of wie dan ook – nooit de waarheid vertellen. *Ik kan een heel rijke*

gast in het hotel maar niet uit mijn hoofd krijgen. Hij gaf me dit cadeautje en noemde zich de mijne. Clive zou al haar plezier in de situatie verpesten door te zeggen dat ze gek was, dat ze het zich maar verbeeldde of dat ze kans liep haar baan kwijt te raken.

'Mis je je moeder?'

'Ja, zeker. Ik moet haar schrijven.' Violet besefte dat ze de waarheid sprak. Ze was te overweldigd en druk geweest om mama te schrijven dat ze veilig aangekomen was. Wat zou haar moeder zeggen als ze wist dat Violet gevoelens voor iemand koesterde die volkomen verboden voor haar was? Plotseling was Violet geïrriteerd; iedereen om haar heen was zo'n brave borst.

En jij doet altijd wat je gezegd wordt?

Ze glimlachte toen ze terugdacht aan Sams woorden.

'Daar is die glimlach weer. Veel beter,' zei Clive.

'Clive,' zei Violet. 'Wist je dat Queenie smoorverliefd op je is?'

Zijn mondhoek trilde van verbazing. 'Queenie?'

'Ze is gek op je. Je zou haar ten dans moeten vragen.'

Clive haalde zijn schouders op, duidelijk ongemakkelijk. Zijn ogen zochten Queenie aan de andere kant van de kamer. 'Queenie is niks voor mij.' Toen keek hij Violet weer aan en zijn voorhoofd rimpelde alsof hij een ongelukkige gedachte had. 'Het spijt me,' zei hij met droevige ogen. 'Ik zal niet... We zijn nog steeds vrienden, toch, Violet?'

'Niets meer en niets minder,' zei ze luchtig.

Hij knikte, draaide zich om en ging naar de dranktafel. Violet had met hem te doen, maar toch was ze opgelucht dat hij eindelijk geaccepteerd leek te hebben dat hun romance – hoe kort en oppervlakkig ook – voorbij was. Ze keek naar de mensen in de kamer. Gelach en dansende voeten. Ze had geen zin meer om te dansen, maar ze wilde het feest niet verpesten door haar grammofoon mee te nemen. Ook wilde ze hem niet achterlaten zodat Clive hem mee terug kon nemen – niet met haar dierbare briefje van Sam erin. Dus trok ze haar jas aan om even naar buiten te gaan, de koele namiddaglucht in, en ze ging op de trap zitten waar twee andere meisjes die ze nog nooit had gezien zaten te roken.

'Sigaret?' zei een van hen, terwijl ze haar een filigraan sigarettenkoker toestak.

'Graag,' zei ze.

Het andere meisje, dat te veel lipstick op had, gaf haar vuur en ze trok aan de sigaret en blies een dunne rookpluim uit.

'Wat een fantastische broche heb je daar,' zei het eerste meisje.

'Dank je. Die heeft iemand speciaal voor mij gemaakt.'

'Gemaakt?' Lipstickmeisje snoof. 'Dat dacht ik niet. Ik heb ze voor negen pence te koop gezien in de hoofdstraat. Een oude dame uit Leura maakt ze voor de toeristen. Het is een inheemse bloem, weet je. Een tricoryne.'

Violets gezicht gloeide van vernedering. 'Zei ik "gemaakt"? Ik bedoelde "gehaald".' Ze zagen vast wel dat ze loog, maar waren zo beleefd er niets over te zeggen. Dus Sam was niet urenlang bezig geweest de broche te lijmen en te lakken. Hij had precies negen pence aan haar uitgegeven.

Ze zat te roken en te wachten tot het feest afgelopen zou zijn, wat uiteindelijk gebeurde toen de zon achter de horizon zakte. Toen pakte ze haar grammofoon, zag dat Clive al weg was en droeg hem dus zelf terug naar de Evergreen Spa, met Myrtle en Queenie als gezelschap. Queenie was in tranen omdat Clive haar had afgewezen, en toen Myrtle vriendelijk zei dat Clive een schoft was die haar aandacht niet waard was, stoof Violet op.

'Clive Betts is géén schoft,' zei ze fel. 'Dat hij geen interesse in haar heeft betekent nog niet dat hij een slecht mens is. Hij is een van de liefste mannen die ik ken.'

Myrtle was beduusd van de felheid in Violets stem. 'Ja, maar hij heeft die arme Queenie afgewezen en...'

'Zo is het leven,' zei Violet. 'Die dingen gebeuren. Bij iedereen.' Toen beende ze voor hen uit, ook al knelden Myrtles schoenen bij haar tenen. Ze had spijt dat ze zo onaardig tegen Queenie was geweest, maar sinds ze Sam had ontmoet had ze zulke heftige stemmingswisselingen dat ze ze met geen mogelijkheid onder controle leek te kunnen krijgen.

Het hoge silhouet van de Evergreen Spa lag nu voor haar. Ze wist dat ze Queenie en Myrtle weer onder ogen zou moeten komen in hun gezamenlijke slaapkamer, maar ze hoopte dat ze tegen die tijd een lang bad had kunnen nemen om tot rust te komen. De lichten gingen aan achter de ramen van het hotel, en ze keek op naar de tweede verdieping en liet haar ogen van raam naar raam gaan, voor het geval dat...

Daar was hij. Hij zat achter het raam naar beneden te kijken, zijn gezicht vol dromerige melancholie.

Ze hoopte vurig dat hij haar zou zien en vroeg zich af of ze het aandurfde om een steentje tegen zijn raam te gooien om zijn aandacht te trekken.

Ze had zich geen zorgen hoeven maken. Haar lichte jurk in de schemering moest zijn blik hebben getrokken. Zijn gezicht lichtte op. Bij wijze van antwoord brak er een glimlach door op haar lippen.

Hij hief zijn hand op en wuifde, een keer maar. Zij wuifde terug en staarde daarna naar hem omhoog terwijl hij op haar neerstaarde, tot ze vreesde dat Myrtle en Queenie haar zouden inhalen en ze met tegenzin naar binnen ging.

Haar hart zong het lied dat ze zojuist nog had gehoord: *Somebody loves me.* Er houdt iemand van mij.

De deur van het koffiehuis ging open en Tony liet Flora voorgaan.

'Dames eerst,' zei hij met de vertrouwde twinkeling in zijn ogen.

Ze stapte glimlachend naar binnen en achter hen sloot de deur de winterkoude wind buiten. Het koffiehuis lag achter de balzaal aan de buitenkant van het hotel en werd gedreven door een Turks echtpaar en hun vijf zonen. Het was helemaal aangekleed met geweven kleden, vergulde wandversierselen en bronzen ornamenten. Er kwamen hier maar weinig vrouwen; het was een soort ontmoetingsplek voor de mannen in de Evergreen Spa geworden. Flora keek snel om zich heen en zag tot haar opluchting dat ze vandaag niet de enige vrouw hier was.

Tony's vriendengroep zat aan een tafel aan het achterraam, dat uitkeek op een wirwar van wijnranken. Ze begroetten elkaar uitbundig, begroetten haar wat minder uitbundig en gingen weer zitten.

De obers kwamen hun bestellingen opnemen en Flora kromp ineen bij de flauwekul die de mannen daarbij debiteerden, vooral Tony en Sweetie, die grappen maakten over hun hoofddoeken en hun huidskleur. De obers namen de sneren goedmoedig op, maar Flora wist dat ze beledigd waren.

'Dat moeten jullie eigenlijk niet doen, weet je,' zei ze tegen Tony toen de obers weg waren om hun koffie te maken.

'Dat vinden ze juist leuk,' zei Sweetie, en hij haalde zijn omvangrijke schouders op. 'Het geeft ze het gevoel dat we allemaal vrienden zijn.'

'Ik vind het gemeen,' mompelde ze.

'Pas op, je trouwt met een feeks,' plaagde Harry. 'Straks gaat zij zeggen wat je moet doen.'

Tony kuste haar op haar wang. 'Zet dat maar uit je hoofd, Florrie. Sweetie heeft gelijk; ze zouden zich zorgen maken als we er nu mee ophielden. Niet iedereen heeft zo'n zachtaardige inborst dat hij geen grapje kan verdragen, zoals je broer.'

Gegrinnik overal om tafel. Flora gaf geen antwoord; ze was gewend aan hun opmerkingen over hoe anders Sam was. Ze moest toegeven dat hij excentriek was, maar ze begon genoeg te krijgen van het gekibbel tussen Tony en Sam. Maar ze deed haar best om het allemaal van zich af te laten glijden terwijl de gesprekken verdergingen, hun koffie kwam – na één slokje wist Flora al dat ze nooit meer koffie zou proberen – en het koffiehuis lawaaierig werd.

Na een paar minuten trok Tony zich even terug uit het gesprek en sprak zacht tegen Flora. 'Het stoort je toch niet dat ik wat grappen over Sam maak?'

'Jawel. Maar ik ben eraan gewend.' Ze glimlachte zwak. 'Ik weet dat jullie niet met elkaar overweg kunnen.'

'Ik dacht dat ik je misschien gekwetst had. Je bent zo stil.'

'Ik maak me gewoon zorgen over hem.'

'Hij is een man, geen jongetje.'

'Hij is wél een jongetje. Zijn geest, zijn hart en zijn ziel liggen nog een heel stuk achter op zijn lichaam.' Ze spreidde haar handen hulpeloos. 'Hij denkt dat hij verliefd is.'

'Op wie?'

'Een serveerster die Violet heet.'

'De deerne die jouw parels heeft opgeraapt?'

'Die, ja. Ik heb hem een paar dagen uit de eetzaal weggehouden, maar dat kan ik niet blijven doen. Hij praat over haar. Vraagt zich hardop af waar ze vandaan komt, hoe ze is.'

'Wil je dat ik haar laat ontslaan?'

Flora huiverde. 'O, nee. Die arme meid. Het is haar schuld niet. Ik zeg steeds tegen hem dat het geen echte liefde is, dat hij haar nauwelijks kent en betoverd is door haar uiterlijk en onmogelijk een toekomst met haar kan hebben. Vooralsnog gedraagt hij zich, maar ik weet dat het niet echt binnenkomt.'

Tony fronste nadenkend zijn wenkbrauwen. 'Misschien benader je dit verkeerd. Laat hem maar verliefd op haar zijn, maar overtuig hem ervan dat het heel slecht voor haar is als ze iets zouden krijgen. Ze zou zeker haar baan kwijtraken.'

Flora dacht erover na. 'Je hebt gelijk. Dat zou best kunnen werken.'

Tony knipoogde. 'Zeg niet dat ik nooit iets voor je doe.'

'Dat zou ik nooit zeggen.'

Flora verontschuldigde zich kort daarna om naar boven te gaan en met Sam te praten. De middagen werden al korter; het zonlicht lag zacht glanzend over de vallei en de amberen gloed weerkaatste in de ramen van het trappenhuis. Flora liep met gebogen hoofd door de gang naar Sams kamer, als altijd oplettend dat ze geen oogcontact maakte met de andere mannen die daar liepen. Ze klopte aan, wachtte even en wilde haar sleutel pakken.

Maar dat hoefde niet. Sam kwam vanuit de badkamer de gang in lopen, met alleen een handdoek om zich heen en met nat haar dat naar alle kanten uitstak.

'Sissy!' riep hij vrolijk.

Ze deed een stap achteruit en liet hem de deur opendoen. 'Je moet je eigenlijk aankleden voor je hier rondrent,' zei ze.

'Er is niemand die er aanstoot aan kan nemen.'

'Stel dat hier een jonge vrouw was? Zoals ik?'

'Dan ziet ze alleen wat God in zijn grote glorie heeft gemaakt,' antwoordde hij, terwijl hij zijn armen spreidde. Toen pakte hij snel de handdoek vast, voor die op de grond viel. 'Kom binnen en ga bij het raam zitten terwijl ik me aankleed.'

Flora liep achter hem aan de kamer in. Met een snelle blik zag ze dat de opiumpijp en lamp nergens te bekennen waren. Maar ze bleef op haar hoede. Als hij in de greep van onthouding zou zijn, was hij niet zo vrolijk en spraakzaam. Sam liet zijn handdoek vallen en ze wendde haar blik af naar buiten. 'Toe nou, Sam. Een beetje decorum.'

'Jij deed me vroeger in bad,' zei hij. Ze hoorde hem zijn garderobe-kast openen en daarna weer sluiten. 'Het is niets wat je niet eerder hebt gezien. Zo, ik ben weer fatsoenlijk.'

Ze draaide zich om en zag dat hij een dieprode kamerjas aanhad, gemaakt van zijde en geborduurd met draken. Hij had hem meege-nomen uit China, samen met zijn opiumverslaving. Hij knielde op de vloer naast het bed en haalde zijn zilveren blad eronder vandaan.

Flora sprong overeind en hield zijn hand tegen. 'Wacht,' zei ze. 'Wacht even tot ik heb gezegd wat ik moet zeggen. Nu je nog helder denkt.'

'Ik denk altijd helder, lief zusje van me,' zei hij, maar evengoed liet hij het blad op de vloer staan en rechtte hij zijn rug om haar aan te kijken. 'Zeg het maar.'

'Ik heb eens nagedacht over Violet.'

Hij glimlachte en de warmte die in zijn ogen verscheen was haar pijnlijk vertrouwd; ze zag die al bij hem sinds hij klein was. Het was de uitdrukking die hij kreeg als hij dacht aan iets wat hem na aan het hart lag. 'Violet,' zei hij. 'Ik heb ook aan haar gedacht.'

'Ik weet het. Dat is wel duidelijk. Ik wilde zeggen... doe haar geen kwaad.'

'Ik zou er niet over peinzen.'

'Als je haar het beste wenst, vergeet dan niet uit welke stand zij komt. Het beantwoorden van jouw interesse zou haar haar baan kunnen kosten.'

'Dan zorg ik wel voor haar. Ik heb geld genoeg.'

'Sam, nee...'

'Als je hier komt om mij te vertellen van wie ik mag houden, verspil je je tijd.' Hij pakte het blad en ging ermee op het bed zitten, streek een lucifer af en hield die bij de lont van de lamp.

'Wees alsjeblieft verstandig,' zei ze, terwijl ze haar frustratie en angst inslikte.

'Waarom zou ik?' Hij wapperde de lucifer uit en reikte naar het flesje met opium.

'Om de mensen van wie je houdt geen pijn te doen. De mensen die van je houden.'

'Het zijn dwazen als ze van me houden,' antwoordde hij.

'Laat je haar met rust?'

Hij zuchtte. 'Dat heb ik tot dusverre gedaan, niet? Omdat jij dat zei?'

Ze moest toegeven dat dat waar was. Ze knikte.

'Laat het dan gaan. Misschien moet je mijn pijp even proeven, Sissy?'

'Nee!' riep ze snel uit. 'Nooit.'

Hij grinnikte en inhaleerde een longvol rook. 'Jij doet ook altijd wat het verstandigst is.'

Flora wist niet of die laatste opmerking een belediging of een compliment was, maar ze wilde niet met hem blijven praten. Ze kon hem niet verdragen in zijn roes. 'Als ik jou echt kan vertrouwen, zie ik je vanavond in de eetzaal voor het diner. We hoeven niet meer op onze kamers te eten.'

Hij wuifde haar weg. 'Maak je maar geen zorgen.'

Dat was veel makkelijker gezegd dan gedaan.

Flora ging terug naar haar kamer, deed de deur open en ademde de zoete geur in van de verse rozen die juffrouw Zander elke woensdag voor haar neerzette. Haar hand ging naar het lichtknopje toen haar voet tegen iets op de vloer aankwam. Ze keek naar beneden en zag een bundel brieven liggen. De post van deze week.

Flora ging aan het bureautje naast het bed zitten en trok de klep open. Ze maakte de brieven los en bladerde erdoorheen. Twee van haar vader. Een van haar vriendin Liberty, die een reis door Amerika maakte, en nog een van haar vroegere schooljuffrouw die altijd lange, onsamenhangende brieven over niets interessants schreef. En ten slotte de rekening van dokter Dalloway. Will.

Die maakte ze het eerst open, maar er was geen rekening. Alleen een handgeschreven brief.

Beste Flora,

In plaats van je een factuur te sturen voor mijn tijd, waarvan je maar zo weinig hebt gebruikt, wil ik je graag uitnodigen om mij opnieuw te bezoeken, op welke dag ook, zonder afspraak, als je geruststelling of hulp wilt hebben bij je verschrikkelijke last. Ik zal je helpen zo goed als ik kan.

Hoogachtend,
Will

Flora vouwde de brief zorgvuldig op en schoof hem van zich af. Ze werd heen en weer geslingerd tussen woede om zijn vrijpostigheid en ontroering om zijn aanbod. Sam noch Tony, noch haar vader leek het iets te kunnen schelen hoe het haar verging met deze enorme verantwoordelijkheid op haar schouders. Dat een vreemde aanbood om haar te helpen bij haar problemen maakte duidelijk hoe weinig steun ze elders kreeg. Ze moest zich wel beschaamd voelen bij zijn warmte.

Flora borg de brief op in een van de hoekjes van haar bureau en probeerde hem uit haar hoofd te zetten.

7

Violet merkte dat ze steeds aan Sam moest denken. Op verstandige momenten zei ze tegen zichzelf dat ze maar een paar woorden met hem had gewisseld en dat ze haar hoofd koel moest houden. Maar de verstandige momenten kwamen steeds verder uiteen te liggen naarmate de dagen verstreken. Ze zag Sam niet in de eetzaal; zijn zus en haar aanstaande kwamen er vaak, maar Sam niet. Eenmaal zag ze hem wegslenteren door de foyer en de voordeur, met een glazige blik op zijn gezicht, maar onder juffrouw Zanders oplettende blik kon ze hem niet aanspreken.

Dus hing ze elke dag tijdens haar pauze op het wandelpad rond; ze had hem een keer gezien bij de watervallen en ze hoopte dat hij daar nog eens naartoe zou gaan. Ze zag vele andere gasten, die meestal nieuwsgierig naar haar uniform keken als ze elkaar passeerden, maar geen teken van Sam.

Haar eerste twee weken in dienst van de Evergreen Spa verstreken. Ze deed wat ze Clive had beloofd en werkte hard. Juffrouw Zander gaf haar vaak een goedkeurend knikje als ze elkaar in de gangen passeerden. Ze stuurde geld naar haar moeder en ging naar Queenies afscheidsfeestje in de personeelskamer, vol schuldgevoel, maar ook blij dat ze vast werk had. Er was nog wel het probleem van de winterstop, maar dat duurde nog een paar weken en ze hoopte werk te vinden in een winkel of een restaurant om die periode te overbruggen zodat ze niet met lege handen naar mama terug hoefde.

En op een dag, toen ze na de lunchdienst bij de keukendeur rondhing en met Myrtle kletste, dacht ze dat ze Sam zag. Hij stak de tennisbanen over en liep de stenen treden naar het wandelpad af.

'Dus toen bedacht ik dat ik er een nieuwe zoom in moest leggen,' zei Myrtle, 'want hij was gewoon te kort. Je zult wel denken dat ik een waardeloze versierder ben.'

'Hmm? O. Nee, Myrtle. Helemaal niet.'

'Ik heb er gewoon de benen niet voor, weet je. Dat litteken op mijn knie, van toen ik vorig jaar gevallen was...'

'Er is niets mis met jouw benen. Maar... Het spijt me, maar ik geloof...' Violet gebaarde naar haar voorhoofd. 'Hoofdpijn. Ik ga een luchtje scheppen.'

'Geweldig idee. Ik ga mee.'

'Ik... Nee, misschien...'

Myrtle fronste. 'Als ik je verveel, moet je het maar zeggen, hoor.'

Violet greep Myrtles hand, kneep er een keer in en zei: 'Sorry. Dit gaat niet om jou.' En ze begon te rennen.

Alle toegangswegen tot de wandelpaden leidden naar dezelfde plek – de wegwijzer – en daar haalde Violet hem in. Gelukkig waren zij de enige twee op het pad.

'Sam!' riep ze.

Hij draaide zich om, zag haar en bleef staan. Hij leek niet verbaasd. Het was bijna alsof hij haar verwacht had.

Ze haastte zich naar hem toe en hij schonk haar een verblindende glimlach. 'Daar ben je,' zei hij.

'Ja,' zei ze. 'Daar ben ik.'

'Ik ga naar de watervallen. Heb jij die al gezien?'

Ze schudde haar hoofd. 'Niet van dichtbij.'

Hij nam haar hand en trok haar mee. 'Kom mee.'

Hij begon zo snel te lopen dat ze moest rennen om hem bij te houden, en toen zij begon te rennen deed hij dat ook, over het kiezelpad. Ze hoopte dat ze niet over haar schoenen zou struikelen. Hij lachte, de zon scheen in zijn haar, en zij was bijna te verbaasd over zijn vreemde gedrag om te genieten van het gevoel van zijn hand in de hare. Maar toen voelde ze het briesje op haar wangen en lachte zij ook, omdat het zo gek was om in haar serveerstersuniform over het wandelpad te stormen, hand in hand met een man die ze amper kende maar die haar hart had beroerd met zijn donkere, donkere ogen.

Ze gingen verder over het pad en andere slingerweggetjes, en het razen van de watervallen werd luider en luider. Er was geen tijd of adem om te praten, hoewel hij af en toe uitriep: 'Wat mooi!' Ze wist nooit precies welk onderdeel van hun omgeving hem de uitroep ontlokte – vogels of bloemen of geuren of geluiden –, maar ze vond het evengoed geweldig. Passie en vuur. Hij was perfect.

Ten slotte stonden ze stil bij de platte rotsen boven aan de watervallen. Kleine stroompjes vielen in een donker oog van koud water, dat vervolgens over de rand van het klif stroomde en zich in de vallei stortte, ruim honderd meter lager.

'Hou je van zwemmen, Violet?' vroeg hij.

'Ja.'

'Ga je gang maar dan,' zei hij met een gebaar naar de waterpoel.

'Dat water is ijskoud.'

'Durf je soms niet?' plaagde hij.

Ze hief haar kin en keek hem stralend aan. 'Ga jij er maar in. Of ben jíj bang?'

Hij grijnsde en begon zijn overhemd los te knopen. Ze herinnerde zich dat ze hem hier naakt had gezien en de hitte rees op in haar lijf. Terwijl hij zijn kleren uittrok, liep hij naar de zanderige rand van de poel. Ze liep achter hem aan, al bezig met haar eigen knoopjes, vol angst en verlangen.

Hij trok zijn lange onderbroek uit en bleef toen staan, plotseling verlegen. Zijn lichaam was licht en bleek, magerder dan ze had verwacht. Zij stapte uit haar schoenen en jurk, rolde haar kousen af, glipte uit haar onderrok en liet alles op de rotsen vallen. Toen was ze uitgekleed tot op haar hemd en haar onderbroek met de pijpen die met roze linten onder haar knieën waren dichtgestrikt. Een golf koude ernst overviel haar, en ze sloeg haar armen om haar borstkas.

Sam liep naar haar toe, nam haar handen in de zijne en spreidde zijn armen uit. Haar kleine borsten, die haar altijd zo goed in haar jurken lieten passen, leken plotseling een verschrikkelijke handicap. Haar hemd hing erbij alsof het op twee spijkers hing.

'Kijk eens hoe mooi je bent,' zei hij terwijl hij haar handen losliet.

Violet hield haar adem in. Met woest bonzend hart draaide ze zich om en begon het water in te lopen. Het was ijskoud en ze zette zich schrap, liep toen verder en dook het diepste deel in. Verder en verder de donkere, ijzige diepte in. De kou benam haar de adem. Ze schoot weer naar de oppervlakte en wenkte hem. 'Zie je? Niet bang.'

'Is het koud?' vroeg hij.

'Helemaal niet. Maar je kunt toch wel zwemmen, hè?'

'Natuurlijk.' Een tel later dook hij er naast haar in. Hij kwam boven, met druipend haar, en riep: 'Leugenaar!'

Ze zwom bij hem vandaan naar de ondiepe stukken van de poel en hij ving haar en drukte haar tegen zich aan. Haar handen gingen naar zijn schouders en ze kon zijn dikke kippenvel voelen. Zijn lippen waren maar een paar centimeter bij de hare af.

'Mag ik je kussen?' vroeg hij.

Ze knikte stom en hij drukte zijn lippen tegen de hare met evenveel passie en kracht als de watervallen hadden. De hitte van zijn mond was verschroeiend en liet haar het koude water vergeten. Hij liet zijn tong in haar mond glijden – geen enkele jongen die ze eerder had gekust had dat gedaan – en ze drukte haar borsten en dijen onwillekeurig tegen hem aan.

'Ik wist dat je zoet zou smaken,' murmelde hij in haar mond, en daarna verdubbelde hij zijn druk op haar lippen. Zijn handen lagen om haar billen en kneedde ze stevig.

Plotseling liet hij haar los. 'Het is te koud, Violet.'

Ja, het was te koud. Ze knikte en ze klommen de poel uit. Ze keerde hem de rug toe, stroopte haar natte onderhemd af en pakte haar onderrok. Toen wurmde ze zich uit haar onderbroek en gooide die op de rotsen, beschaamd en uitgelaten tegelijk. Het water op haar lichaam verdampte al en haar huid was gespikkeld van het kippenvel. Toen ze zich omdraaide was hij al aangekleed. Zijn natte lange onderbroek lag in een hoop op de grond naast haar doorweekte onderbroek.

Iets daaraan maakte haar aan het lachen en hij greep haar rond haar middel en kneep de lucht uit haar lijf. 'Wat ben je mooi,' zei hij.

'Laten we de kleren hier achterlaten om de mensen iets te denken te geven,' zei ze.

'Ik weet een plek waar we naartoe kunnen gaan,' zei hij terwijl hij haar losliet en ze voelde duidelijk dat hij haar niet had gehoord of niet had geluisterd. 'Kom mee.'

Hij greep haar hand weer, net als daarvoor, en trok haar met zich mee het wandelpad op, en haar benen deden pijn van het klimmen. Maar toen nam hij een omweg, over rotsen en varens, en even later stonden ze bij de ingang van een grot.

Violet was direct op haar hoede. 'Het lijkt zo donker.'

'Ja. Niemand zal ons zien. Ik kom hier zo vaak.'

Ze liet zichzelf de grot in voeren.

'Ik wil je iets laten zien,' zei hij. 'Kijk.'

Vlak bij de ingang stond een groot rotsblok met een gladde achterkant. Ze tuurde in het schemerduister en zag dat hij haar een ingekerfde vorm wilde laten zien. Toen ze beter keek, besefte ze dat het een hartje was, met scherpe hoeken waar de zachte rondingen hoorden te zijn.

'Heb jij dit gekerfd?'

Hij schudde zijn hoofd. 'Nee. Ik heb dit gevonden. Het is graniet. Moet je je voorstellen, iemand heeft dit met hamer en beitel uitgekerfd, om zijn liefde voor zijn meisje te bewijzen. Sinds ik het gevonden heb beschouw ik deze grot als de Grot der Geliefden. Vind je het niet geweldig? Zoveel passie?'

Ze haalde haar vingers over de uitgehakte lijnen en zei niet dat ze het hart maar lelijk vond. Toen ze zich omdraaide was Sam zijn overhemd weer aan het openknopen. Een steek verlangen, maar ook een golf achterdocht.

'Sam? Waarom trek je je overhemd uit?'

'We gaan de liefde bedrijven,' zei hij.

Het duizelde haar, maar de bodem van de grot was koud en ze wist zeker dat het hier stikte van de mieren en de spinnen.

'Nee,' zei ze zacht maar vastberaden.

Hij stopte met openknopen en fronste zijn voorhoofd. Was hij boos op haar? Koude spijt. Nu zou ze hem kwijtraken.

'Het spijt me,' legde ze uit. 'Niet hier. Niet nu.'

'Goh. Er heeft nog nooit iemand nee tegen me gezegd,' zei hij terwijl hij zijn vingers bij zijn knoopjes vandaan haalde en zijn overhemd halfopen liet.

'Sam, ik heb nog nooit ja gezegd,' antwoordde ze langzaam, zodat hij het zou begrijpen.

'Is dat zo? Wacht je tot je getrouwd bent?'

'Tot ik de liefde vind,' zei ze.

'Is dat zo?' zei hij weer.

'Ik weet bijna niets over jou,' zei ze.

'Dat zullen we direct rechtzetten. Kom, ga hier bij me zitten. Geen zorgen, de grond is best zacht. Je kunt je hoofd op mijn schoot leggen. Zo.'

Violet liet zich ontspannen tegen hem aan zakken en hij legde zijn jas over haar schouders en begon zacht over haar haar te strelen.

'Wat wil je weten?' vroeg hij.

'Hoe oud ben je?'

'Bijna twintig.'

'Ik ook,' zei ze.

'Ga door. Meer vragen.'

'Waar kom je vandaan? Vertel me eens over je familie.'

'Ik woon met mijn familie op veertig hectare boerenland in New South Wales. We zijn heel rijk en blijkbaar heel bekend. Ik heb meer geld dan jij kunt tellen.' Hij lachte om die opmerking, al wist Violet niet precies waarom. 'Mijn vader is een kwaadaardige oude intrigant en mijn moeder een mooie deurmat. Mijn arme zus, die je hebt ontmoet, is vriendelijker dan ze zou moeten zijn, gezien haar afkomst. Mijn vader heeft een huwelijk voor haar geregeld met de gladde zoon van een van zijn zakenrelaties, een man die haar gelijke niet is qua intelligentie of inborst, en die zonder twijfel haar buik zal vullen met een dozijn katholieke baby's en haar zal gebruiken tot ze een lege huls is. En jij?'

Ze was zich pijnlijk bewust van het verschil in hun afkomst en vooruitzichten. 'Ik heb een moeder met artritis die als wasvrouw en naaister werkt. Ze kan in één dag een jurk maken en moet dat ook vaak voor de familie voor wie ze werkt. Maar ze betalen haar erg weinig en haar handen doen het niet meer zo goed als vroeger. Ik stuur haar geld, maar ik zie een tijd aankomen dat ik voor ons allebei moet werken...' Violet viel stil. Nu ze de vreselijke waarheid hardop had uitgesproken, voelde ze zich ellendig en verloren.

Sam was stil geworden. Ze draaide haar hoofd om hem aan te kijken en zijn blik was nadenkend.

'Hou je van je moeder?' vroeg hij.

'Natuurlijk hou ik van haar.'

'Maak je er dan geen zorgen over. Want ik hou van iedereen van wie jij houdt, en ik heb genoeg geld om het allemaal te regelen. Dus maak je er nooit meer zorgen over, want ik kan het niet verdragen om je te zien piekeren. Ik zal alles regelen met mijn geld. Dat is makkelijk voor mij, en ik hou van je.'

De liefdesverklaring kwam achter zo'n verwarrende mededeling aan dat Violet hem bijna niet opmerkte. Hij hield van haar? Haar hart begon sneller te kloppen. Hij hield van haar.

'Meer vragen,' zei hij.

Ze nam een moment om zich bij elkaar te rapen. 'Eh... wat doe je in de Evergreen Spa?'

'Ik heb wat gezondheidsproblemen die mij niet storen, maar alle anderen wel. Ik ben hier om die op te lossen. We zijn hier nu twee maanden. Voor Flora en Tony is het hun eerste vakantie samen, maar hij reist de hele tijd naar Sydney om naar de hoeren te gaan, al zegt hij tegen haar dat het zakenreisjes zijn.'

'Dat is vreselijk.'

'Híj is vreselijk.'

'Heb je het tegen haar gezegd?'

'Dat zou haar te veel pijn doen. En ze zou me ook niet geloven. Maar ik heb hem horen opscheppen tegen zijn verachtelijke vrienden. Kom op, meer vragen. Over mij, niet over hen.'

'Geloof je in God?'

Zijn handen lieten haar haar even los en hij gooide ze in de lucht. 'Ja! Ik vereer de papavergod.'

'Ik heb nog nooit van hem gehoord.'

'Misschien is de papavergod een vrouw,' zei hij. 'Ze heeft wel iets vrouwelijks. Volgende vraag.'

'Hou je echt van me?'

'O, ja. Vanaf het moment dat ik je zag. Vanaf het moment dat ik je zag.'

Hij sloot zijn ogen en kreeg een verzaligde uitdrukking op zijn gezicht, en Violets lichaam barstte bijna van geluk en verlangen en wilde pieken van emoties. Ze hield ook van hem. Hoe gek het ook klonk, ze hield ook van hem, al vanaf het moment dat hun blikken elkaar die avond in de eetzaal hadden gekruist. Anderen zouden zeggen dat ze dwaas was: Myrtle en Clive en haar moeder. Maar zíj waren juist dwaas. Wat onnozel om te denken dat liefde sober en ordentelijk moest zijn, zich hoorde te ontvouwen in een langzaam, vast patroon zodat niemand geschokt werd. Liefde was een bliksemflits die bij haar insloeg met schitterende, woeste kracht. Het was oeroud en eeuwig en het haalde de alledaagse lagen van de wereld af en toonde het natte, kloppende hart van de werkelijkheid daaronder.

'Ik hou ook van jou,' zei ze.

'Natuurlijk,' zei hij. 'Jij begrijpt me.'

Ze stak haar hand uit naar zijn kin en streelde hem zacht, met onrustig hart. 'Ik ben mijn baan kwijt als we betrapt worden.'

'Dat kan me niet schelen. Ik heb genoeg geld voor ons allebei.'

'Maar het kan mij wel schelen,' zei ze. 'Voorlopig. Tot de dingen wat... zekerder zijn.'

'Dan zal ik heel goed oppassen.' Hij deed zijn ogen open en glimlachte op haar neer. 'Sissy houdt me in de gaten. Ze zou dit beslist niet goedkeuren. En mijn vader en moeder evenmin. Het is heerlijk, nietwaar? Een liefde die verboden is smaakt zoeter en scherper.'

'Misschien heb je gelijk. Maar Sam,' zei ze vriendelijk, 'ik moet gaan en me netjes afdrogen en aankleden voor het werk.'

'Laten we teruggaan naar het hotel, maar niet samen,' zei hij. 'Loop jij honderd meter voor me uit, alsof we toevallig op hetzelfde moment hier wandelen en elkaar niet kennen. Dan kan ik de hele tijd naar het zoete wiegen van je heupen kijken.'

'Goed,' zei ze, terwijl ze opstond. 'Ik ga wel eerst.'

Die avond bij het diner besloten zij en Sam zwijgend een spelletje te spelen. Ze ruilde van tafels met Myrtle, die met tegenzin instemde omdat Violets afwijzing van eerder die dag nog niet vergeten was, en Violet bediende aan zijn tafel alsof er niets tussen hen was voorgevallen. Hij zat naast zijn zus – die Violet als een havik in de gaten hield – en de Italiaanse man met zijn entourage, de operazangeres, de schoonheidskoningin en het schrijversechtpaar. Flora was zeer sober gekleed, in een lange grijze rok en een dichtgeknoopte blouse, met haar lange haar in een nette knot. Het was moeilijk te geloven dat zij en Sam broer en zus waren. Ze lachten en praatten allemaal vrolijk, ook Sam, die haar niet één keer aankeek.

Maar intussen... Als ze langsliep streek hij losjes met zijn onderarm langs haar heup; als ze vooroverboog om de borden af te ruimen drukte hij zijn kuit tegen de hare. Elke aanraking was verhit en elektriserend. De herinneringen aan de dag stonden haar nog helder voor de geest, naakt bij hem zijn, hem kussen, zijn openlijke verlangen om de liefde met haar te bedrijven. Ze huiverde ervan. In al haar bijna twintig jaar had ze nooit overwogen om met iemand naar bed te gaan. Mama had erin gestampt dat 'in de problemen raken' alleen maar tot ellende leidde: daar was zijzelf het bewijs van. Violet had veel vriendjes gehad. Sommigen waren wat vrijpostig geworden, en ze had hen op hun handen en soms in hun gezicht geslagen. Maar Sam maakte een honger in haar wakker waarvan ze nooit had kunnen dromen. Wat wilde ze graag weer naakt bij hem zijn, haar lichaam over de volle lengte tegen zijn harde, hete lijf drukken. In haar verbeelding bestonden er geen gevolgen: er was alleen het verlangen, vloeibaar en verzengend.

Na haar dienst lag ze lange tijd in bed terwijl het verlangen door haar lichaam gierde en haar uit de slaap hield. Ze vroeg zich af of ze ooit nog goed zou slapen.

Er hing bij het ontbijt altijd een bepaalde geur in de personeelskamer. Bacon en toast, ja, maar ook een gistige, vochtige geur van een ruimte die de hele nacht dicht heeft gezeten. Ondanks de kou zette Violet een raam op een kier. De ramen lagen bijna op grondniveau, maar evengoed kwam er een heerlijke teug frisse lucht binnen. Violet bleef even bij het raam geleund staan en liet de koude lucht haar vermoeide ogen opfrissen na een nacht woelen en draaien. De andere personeelsleden liepen naar het buffet en de tafels, lachend en pratend en rammelend met bestek en servies. Maar plotseling was het stil.

Violet draaide zich om. Juffrouw Zander stond in de deuropening met haar onberispelijke haar en elegante parels en overzag de ruimte. Ze keek om zich heen en elk personeelslid hield de adem in, zich afvragend of ze hem of haar zocht.

'Ah, Violet,' zei ze toen ze Violet bij het raam zag staan. 'Heb je al gegeten?'

'Nee,' zei Violet. Haar hart klopte in haar keel.

'Eet dan iets en kom daarna meteen naar mijn kantoor.' Toen draaide ze zich om en vertrok zonder nadere uitleg.

De anderen keken Violet medelijdend aan. Clive stond een tel later naast haar. 'Wat is er aan de hand?' vroeg hij.

'Ik weet het niet.' Ze dacht aan het spelletje met Sam van gisteravond. Had Hansel haar betrapt op flirten met een gast? Had Myrtle dingen verteld? Of was het erger dan dat? Had iemand hen zien kussen, of bijna naakt bij de watervallen zien staan?

'Dan kun je maar beter iets eten,' zei Clive. 'Ga zitten, ik haal wel een bord voor je.'

Hoe kon ze ooit eten nu deze angst boven haar hoofd hing? Haar vermoeide hersenen konden het niet bevatten. Ze wilde alleen maar terug naar bed en dan slapen tot alles voorbij was.

'Toe dan. Ga zitten,' zei Clive weer en hij duwde haar zacht naar de vrouwenkant van de kamer.

Violet ging zitten en Myrtle kwam naar haar toe. Die lieve Myrtle; ze ging vlak naast Violet zitten en gaf haar een kneepje. 'Het is vast niets,' zei ze. 'Juffrouw Zander jaagt ons altijd zonder reden de stuipen op het lijf.'

Clive kwam terug met een bord bacon en biefstuk. Violet prikte er maar wat in, schoof het toen van zich af en liet zich van de bank af glijden. 'Ik kan dit maar beter achter de rug hebben,' zei ze.

'Succes,' antwoordde Myrtle zacht.

Ze liep de trap op en de foyer door naar de lichtblauwe deur van juffrouw Zanders kantoor. Ze klopte en wachtte. Eindelijk deed juffrouw Zander de deur open.

'Ja, goed zo. Kom binnen, Violet.'

Violet volgde haar naar binnen. Juffrouw Zander nam plaats achter haar glanzende bureau, waarop papieren, boeken, inktpotten en pennen precies evenwijdig naast elkaar stonden uitgestald. Juffrouw Zander vroeg Violet niet te gaan zitten, dus bleef ze staan, met in elkaar geslagen, klamme handen.

'Is er iets aan de hand?' vroeg ze. Nu kwam het, de beschuldiging dat ze zich aan een gast had opgedrongen. Als ze haar baan kwijtraakte, zou Sam haar dan werkelijk te hulp schieten?

'Ik heb verschillende van mijn gasten gesproken,' zei ze terwijl ze op haar papieren keek.

Violet hoorde bijna niets door het razende bloed in haar oren. Ze durfde niets te zeggen.

'Er zijn er zoveel die geen vastomlijnde plannen hebben om in de winter te vertrekken, dat ik besloten heb het hotel open te houden, met een minimale personeelsbezetting. Zie je, normaal gesproken sluiten we na de Kerstmis-in-juniviering en gaan we de eerste dag van de lente weer open.'

Omdat het niet de beschuldiging van wangedrag was die ze verwachtte wist Violet niet wat ze moest zeggen.

'Ik ben heel tevreden over je werk en nodig je uit om in de winter hier te blijven werken.'

De opluchting golfde als warm water over haar heen. 'O, ja!' riep ze uit. 'Ja, graag. Dat is geweldig nieuws.'

'Goed zo. Hou het wel voor jezelf, want veel mensen werken hier al langer dan jij, maar krijgen toch geen extra werk aangeboden. Myrtle, bijvoorbeeld. Voor zover ik kan inschatten hebben we nog geen twaalf gasten te bedienen. Misschien moet je extra taken uitvoeren. Ik hoop dat je je niet te goed voelt voor wat kamermeisjeswerk.'

'Helemaal niet. Ik ben u heel dankbaar voor deze kans en ik zal u niet teleurstellen.'

'Dat weet ik,' zei juffrouw Zander met een glimlach, en Violets hart sprong op.

Met een schrikbarend geratel kwam het telefoontoestel van hout en koper op juffrouw Zanders bureau tot leven. Juffrouw Zander nam met één hand op en gebaarde met de andere dat Violet kon gaan.

'Dank u. Dank u,' zei Violet geluidloos terwijl ze achteruit het kantoor uit liep.

Ze sloot de deur achter zich en bleef er even tegenaan geleund staan, met haar ogen dicht. Nu kon ze mama schrijven en haar wat geld voor de winter beloven. Mama's artritis was tijdens de winter altijd het ergst, en elk jaar weer was ze bang dat de familie waar ze werkte haar zou ontslaan. Violet deed haar ogen open en ging aan het werk, terwijl ze haar gedachten liet afdwalen. Zou Sam een van de gasten zijn die in de winter bleef? Haar hart kon het niet verdragen dat ze het niet wist.

Een korte roffel op haar deur wekte Flora uit haar dagdroom. Ze zat aan haar bureau met een half voltooide brief aan haar vader voor zich. Hoe moest ze onder woorden brengen dat het niet beter, maar ook niet slechter ging met Sam? Moest ze opbiechten dat ze hem niet kon laten stoppen met opium roken? Zou het zin hebben om dokter Dalloways relaas door te geven? Of was vader zich er nog steeds niet van bewust dat Sam zich zijn eigen problemen grotendeels zelf aandeed? In dat geval zou het zo'n grote schok zijn als ze het hem vertelde dat hij iets onvergeeflijks zou kunnen doen, zoals Sam onterven. En wat moest haar broertje dan? Moest hij op straat leven, zoals de smerige bedelaars die ze in Sydney had gezien?

Het klopje was een welkome afleiding. Ze stond op en deed de deur open voor juffrouw Zander, de elegante bedrijfsleidster.

'Goedemorgen, juffrouw Honeychurch-Black,' zei ze kordaat. 'Vergeef mij dat ik u stoor, maar er is een telefoongesprek voor u in mijn kantoor.'

'Telefoon?'

'Het is meneer Honeychurch-Black. Uw vader, bedoel ik.'

Flora voelde het bloed uit haar gezicht wegtrekken. 'Mijn vader,' fluisterde ze.

'Is alles in orde?'

'Ja, ja. Ik was hem juist een brief aan het schrijven toen u klopte. Het is een schok, dat is alles. Alsof ik hem tot leven heb gebracht.' Ze lachte nerveus en besefte dat ze dwaas klonk. 'Gaat u mij voor, alstublieft.'

Ze liep achter juffrouw Zander aan naar beneden en volgde haar door de foyer naar haar kantoor, waar juffrouw Zander haar de telefoon aanwees en haar beleefd alleen liet. De deur ging achter haar dicht.

Flora nam het oorstuk in de ene hand en de ontvanger in de andere, en ging op de rand van het bureau zitten. 'Hallo, vader?'

'Florrie, lieverd. Wat heerlijk om je stem te horen.'

'Ik zat u net te schrijven. Wat een toeval.'

'Je bent een brave meid. Brieven doen er te lang over, en ik moest je spreken over twee dringende zaken.'

Flora slikte moeizaam. 'Ga uw gang.'

'Ik heb twee stukken correspondentie gehad die me enige zorgen baren. Een van je broer, en een van je aanstaande.'

'Tony heeft u geschreven?'

'Waarom bewaren we die niet voor het laatst, goed? Wat Samuel betreft. Hij schrijft dat jullie nog wat langer in de bergen blijven.'

'Dat klopt,' zei Flora, terwijl haar hart schuldbewust in haar keel klopte. 'Dat wilde ik u zelf laten weten. Ik had geen idee dat Sam u had geschreven.'

'Dat doet hij zo nu en dan. Lange, onsamenhangende brieven die niet erg begrijpelijk zijn, maar hij had altijd al een merkwaardige fantasie. Kan ik uit de verlenging van jullie verblijf opmaken dat zijn toestand verbetert?'

Flora deed haar mond al open om hem te vertellen dat haar broer een opiumverslaafde was en dat ze hem net zo min beter kon maken als naar de maan vliegen door met haar armen te flapperen, maar angst verlamde haar tong. Ze moest Sam beschermen. 'Een beetje. Een klein beetje.'

'Dat is dan genoeg.' Zijn stem klonk zo opgelucht dat Flora had kunnen huilen.

'Vader, zijn toestand is... Ik heb een arts geraadpleegd, die me zijn hulp aanbiedt.'

'Goed gedaan. Dat, de frisse lucht en het bronwater zullen hem er snel weer bovenop helpen. Ik heb alle vertrouwen dat je dit kunt oplossen.'

Ze wilde graag van onderwerp veranderen, maar was ook gespannen. 'En Tony's brief?'

Zijn stem werd streng. 'Ik geloof dat je niet helemaal eerlijk tegen me bent geweest, Florrie.'

'Wat bedoelt u?' Ze keek uit het raam, naar het witte winterzonlicht in de warrige dennentakken. Het zag er koud uit, bitter koud, al was het warm in het kantoor.

'Tony heeft gevraagd om de bruiloft te vervroegen.'

'O.'

'Maar jij zei dat hij hem juist zes maanden wilde uitstellen. Ik heb hem een brief gestuurd met de vraag of hij uitleg wil geven, maar ik dacht dat het sneller en duidelijker was als ik met jou sprak.'

Vader had Tony teruggeschreven? Dat was een ramp. Dan zou Tony weten dat ze de bruiloft had willen uitstellen. 'Ik zei dat wíj hem wilden uitstellen,' legde ze slap uit.

'En met "wij" bedoel je: "Flora", nietwaar?'

'Ja,' zei ze zacht. 'Ik heb er niet met Tony over gesproken. Ik wist niet dat hij het erg zou vinden. Hij dacht dat het uw beslissing was.'

Een geërgerd geluid. 'Wat denk je in hemelsnaam te winnen bij het uitstellen van je huwelijk, Florrie?'

'Ik weet het niet,' zei ze en dat was waar. Het kwam toch wel, of ze nu wilde of niet. Ze zou echtgenote en daarna moeder worden, ze zou een huishouden runnen en liefdadigheidsbals bezoeken en oud worden aan Tony's zijde en keurig haar plicht vervullen als lid van de familie Honeychurch-Black, zelfs met haar nieuwe, exotischer achternaam.

Haar vaders stem werd zachter. 'Kun je alsjeblieft met Tony spreken? Kies een datum. Ergens dit jaar.'

Haar adem balde zich samen in haar longen. Dit jaar was al half voorbij.

'Florrie?'

'Hij zit nu een paar dagen in Sydney, maar ik zal zeker met hem spreken. Stuur hem die brief niet. Hij zal denken dat ik een leugenaar ben, of dat ik niet van hem houd. Ik hou wel van hem.'

'Ik vrees dat het te laat is. Hij is vanochtend met de post meegegaan. Maar misschien is dat maar beter. We kunnen maar beter openheid hebben. Een huwelijk floreert niet in het duister. Praat met hem. Schrijf me welke datum jullie kiezen. Ik verwacht eind volgende week een brief. Beloof je dat?'

'Ja, ja,' zei ze, terwijl ze nu al opzag tegen Tony's terugkeer. 'Dat beloof ik.'

Toen Violet na haar ontbijtdienst naar haar slaapkamer ging, zag ze dat haar kussen tegen de muur geleund stond. Nieuwsgierig pakte ze het op. Eronder lag een wit linnen zakje met een rood sluitkoord.

Ze maakte het open. In het zakje zaten snoepjes. Hartjes. In Sydney wisselden zij en haar vriendinnen die altijd met elkaar uit tijdens het dansen of in de bioscoop. Violet keerde het zakje op het bed om en bekeek de inhoud. Roze, witte, gele. Op alle hartjes stonden de woorden *Hou van jou.*

Violet kon haar glimlach nauwelijks bedwingen.

De vroege avonden waren het ergst. Flora had geen idee welke versie van Sam ze zou aantreffen als ze hem ging ophalen voor het diner – glimlachend en gedwee, onredelijk en boos of volledig van de wereld, met halfgeloken ogen wegdrijvend in zijn gouden zeepbel. Flora zat heel stil op haar kamer en probeerde de vlinders in haar buik te dwingen hetzelfde te doen. Uiteindelijk stond ze op en liep naar zijn kamer.

Ze klopte en hij deed de deur bijna onmiddellijk open, met een wilde blik in zijn ogen en een blos op zijn wangen. Hij droeg een half dichtgeknoopt overhemd en een gekreukte broek die hij vermoedelijk onder het bed had gevonden.

'Sissy?' zei hij, schijnbaar niet-begrijpend.

'Waarom ben je niet gekleed voor het diner?'

'Ik ga niet. Ik moet een vriend opzoeken. Hij is de stad uit geweest en... ik moet hem echt zien.'

'Een vriend? Wat voor vriend?' Sam had geen vrienden; die had hij nooit gehad.

'Gewoon een vent die ik ken uit het dorp. Ik heb om zes uur afgesproken. Is het al zes uur?' Hij haalde zijn zakhorloge tevoorschijn. 'Nog twintig minuten. Twintig minuten, dan ben ik weg.'

Flora werd achterdochtig. 'Hoe heet die vriend?'

'Doet er niet toe. Je bent soms echt een verschrikkelijke bemoeial. Ga jij maar dineren. Ik hoorde Tony's bende een paar minuten geleden al langskomen. Ik zie je morgenochtend wel bij het ontbijt.' Hij wilde de deur in haar gezicht dichtdoen, maar zij stak een hand uit om hem tegen te houden.

'Sam, ik heb vader vandaag gesproken. Je moet hem echt niet meer zulke vreemde brieven schrijven.'

'Heb ik hem een vreemde brief geschreven?'

'Dat zegt hij.'

'Ik heb gedroomd dat ik hem schreef. Of misschien was dat echt.' Hij fronste.

Ze dempte haar stem. 'Zie je wat de opium met je doet? Je ziet het verschil tussen slapen en waken niet meer.'

Met een bars gezicht duwde hij haar arm opzij en sloeg de deur dicht. Flora bleef even aan de andere kant staan en nam toen een besluit.

Ze overwoog even naar de eetzaal te gaan om tegen Tony's vrienden te zeggen dat ze niet kwam dineren, maar ze zouden toch amper opmerken dat ze er niet was, en misschien zouden ze vragen gaan stellen en de gelegenheid te baat nemen om Sam te bespotten. Dus ging ze haar jas uit haar kamer halen en wachtte buiten zonder het tegen iemand te zeggen.

Ze schrok van de koude lucht toen de dubbele deuren achter haar dichtvielen. Het laatste reepje oranje van de zon was al bijna gedoofd achter de vallei en in het oosten verschenen de sterren aan de horizon. Ze stelde zich op tussen twee dennenbomen bij het hek aan de voorkant – bomen van ruim drie meter hoog – en hield vanuit de schaduwen de voordeur in de gaten.

Een ijzige wind joeg over haar heen en ze stak haar handen in haar jaszakken, wensend dat ze haar handschoenen of stevige laarzen had aangetrokken. Na een paar minuten ging de deur open en viel er een vingerbreedte licht naar buiten. Daar was Sam, diep weggedoken in zijn jas. Ze zag hem met stevige pas de weg op lopen en begon hem te volgen, op een afstand van dertig meter.

Het was lang geleden dat ze hem zo snel had zien bewegen. In het afgelopen jaar was hij sloom en lui geworden. Hij hield zijn hoofd gebogen en als hij de voetstappen achter zich al hoorde, liet hij dat niet blijken.

Ze liepen de heuvel op en staken het treinspoor over. Het station lag er leeg en stil bij, het bordje EVERGREEN FALLS rammelde in de wind. Het gras was lang hier, en vochtig van de dauw. De schemering had plaatsgemaakt voor de nacht en Flora keek beurtelings naar Sam en naar haar voeten, zodat ze niet zou uitglijden.

Uiteindelijk vertraagde hij zijn pas, terwijl hij naar de huizen aan zijn linkerhand keek alsof hij niet precies wist waar hij moest zijn. Ten slotte bleef hij staan. Flora kwam zo dichtbij als ze durfde, maar verschool zich achter een eikenboom. In een windvlaag regenden gele en bruine bladeren op haar neer. Sam beklom vijf treden naar de lage veranda van een vervallen huis. Aan weerszijden van de treden brandden lampen en er stond er nog een op de vloer naast een lange bank, waarop een oosterse man lag uitgestrekt. Hij streelde een pluizige rode kat.

Flora spitste haar oren.

'Malley,' zei Sam tegen hem. 'Je bent terug.'

'Terug met alles wat je nodig hebt.'

Het was zoals zij vermoedde: deze man – Malley – was de leverancier van Sams opium. Wat zou ze graag de treden op rennen en gillen dat ze hiermee moesten ophouden! Maar ze kon alleen maar toekijken. Sam ging naast Malley zitten, en toen het licht in het gezicht van de man viel, zag ze dat hij helemaal niet oosters was. Hij was even blank als zijzelf, maar hij droeg een wijde zwarte broek en een geborduurd Manchu-jasje. Hij droeg zijn lange, zwarte haar in een strakke paardenstaart en zijn sikje en snor waren lang en piekerig. De planken van het verandahek onttrokken aan het oog wat ze precies deden, maar ze nam aan dat ze geld en goederen uitwisselden.

Flora liet zich tegen een boom aan zakken, terwijl de woede en pijn door haar lijf raasden. Hoe durfde deze afschuwelijke Malley bij haar broer met vergif te leuren en dan nog met zo'n ontspannen grijns op zijn gezicht? Ze haalde diep adem, wachtte tot Sam klaar zou zijn en zich weer de nacht in zou spoeden. Toen dat gebeurde ging ze niet achter hem aan, maar maakte ze zich los uit de schaduwen en stormde de treden voor Malleys huis op.

Hij keek haar wazig aan. 'Wie ben jij?'

'Ik ben Samuels zuster, en ik eis van u dat u ophoudt hem opium te verkopen.'

Hij glimlachte sluw en haar gloeiend hete woede bekoelde genoeg om te bedenken dat ze deze man helemaal niet kende, dat ze hier alleen was in het donker en dat niemand wist waar ze was.

'Waarom denkt u dat ik hem dat heb verkocht?' vroeg Malley.

'Omdat...' hakkelde ze. Ze had geen bewijs. 'Dat weet ik gewoon. Probeer maar niet zo slim te doen.'

Hij stond op en ze ging twee stappen achteruit, met bonzend hart. Maar hij ging niet achter haar aan. Hij deed de voordeur open en glipte naar binnen.

'Ik zal melding over u maken bij de politie!' riep ze.

'Dan doe ik melding over uw broer,' antwoordde hij, terwijl hij met een onschuldig gebaar zijn handen spreidde. 'Het zal hem wel bevallen in de gevangenis, denkt u niet?'

Toen ging zijn deur met een zachte klik dicht en stond zij daar op de treden voor zijn huis, trillend van kou, angst en woede.

Ze draaide zich om en keek naar de sterrenhemel, naar de donkere boomtakken die ruisten in de wind. Het leek alsof er een verschrikkelijke kreet in haar keel bleef steken, een kreet die ze nooit zou kunnen slaken. Haar blik werd wazig en ze was bang dat ze zou flauwvallen. Ze besefte dat ze maar één of twee straten bij Will Dalloway vandaan was. Had hij niet gezegd dat ze altijd bij hem mocht langskomen?

Ze begon te rennen.

Een paar minuten later stond ze op zijn deur te bonzen. 'Will! Will! Laat me erin!'

De deur ging open en licht, warmte en de geur van iets smakelijks dat op het vuur stond kwamen naar buiten. Hij keek haar geschrokken aan, ving haar op in zijn armen en zette haar daarna op haar voeten in de hal, terwijl hij de deur achter haar sloot.

'Wat is er gebeurd? Ben je gewond?'

'Nee, ik...' Ze merkte dat ze stond te snikken. Haar gezicht was vochtig en warm. 'Ik weet niet precies wat er is. Het voelt alsof ik uit elkaar val. Ik...'

Hij moest haar ondersteunen terwijl hij haar door de deur met PRIVÉ erop naar binnen bracht. Hij liet haar plaatsnemen in een oorfauteuil. Toen liep hij naar een blad met drank op de schoorsteenmantel. 'Je valt niet uit elkaar, maar je bent hysterisch. Hier.' Hij kwam terug met een glas whisky, dat ze braaf leegdronk.

'Zo. Wat is er gebeurd?'

Ze gaf hem het whiskyglas en vertelde het. Eindelijk sprak ze hardop uit in wat voor wrede hoek ze was gedreven. Sam was een opiumverslaafde, ze moest hem helpen om zelf in de gunst van hun vader te blijven, maar ze kon hem niet helpen zonder hem uit te leveren aan de wet of aan de afkeuring van zijn familie, of aan iets anders verschrikkelijks wat ze nog niet had bedacht. Wat ze ook deed, het zou altijd een verkeerde keuze zijn. Terwijl ze vertelde zat ze openlijk te huilen, alsof ze haar goede fatsoen op Malleys veranda had laten liggen en het nooit meer terug zou krijgen. Maar het voelde fijn om het allemaal eens uit te spreken en erom te huilen.

De hele tijd zat hij voor haar op een geborduurde poef. Het lamplicht weerkaatste in zijn Harold Lloyd-bril. Toen ze klaar was, bekroop een dodelijke schaamte haar.

'Het spijt me zo,' zei ze. 'Ik had werkelijk niet...'

'Mijn moeder dronk,' zei hij snel. 'Overdadig. Elke dag als ik uit school kwam wist ik niet of ze nuchter en vol schuldgevoel zou zijn, of dronken en boos. Ik deed wat ik kon om haar te helpen. Ik probeerde braaf te zijn. Ik deed mijn best op school. Ik schreef verhalen voor haar. Ik smeekte haar te stoppen. Ik dacht dat ik haar kon helpen als ik maar dat ene ding kon bedenken dat haar tot bezinning zou brengen. Uiteindelijk was er natuurlijk niets wat ik kon doen. Mijn vader verliet haar toen ik veertien was en nam mij en mijn zusje mee. Ze probeerde een paar keer contact met me op te nemen, maar daarna hoorde ik niets meer. Tot het nieuws van haar dood me bereikte, afgelopen Kerstmis.'

Flora keek hem aan en knipperde met haar ogen. Hij had het hele verhaal verteld op een toon die standhield tegen een aanstormende vloedgolf van emoties.

Hij haalde adem en zijn stem werd weer normaal. 'Je ziet dus, Flora, ik weet hoe je je voelt. Dat hoeft je niet te spijten.'

Ze knikte, maar durfde niets te zeggen uit angst dat ze weer ging huilen.

'Nog een whisky?'

'Nee, ik... Ik moet terug naar het hotel. Niemand weet waar ik ben.'

'Laat me je even brengen. Je zou na het donker niet meer alleen buiten moeten zijn.'

'Nee, nee. Het is niet ver.'

'Ik sta erop. Alsjeblieft, Flora, laat me je helpen.'

Ze legde haar vingers op haar voorhoofd, niet in staat om helder te denken. 'Goed dan. Goed.'

Tien minuten later stond ze alweer bij de ingang van het hotel te kijken hoe Wills auto wegreed, de heuvel op. Hij had haar weggebracht in een warme, zoete stilte, hoewel het koud was in de auto en het er vettig rook.

Binnen in haar was iets veranderd, en ze keek met verrassend veel spijt het laatste beetje schijnsel uit de koplampen van zijn Nash-personenauto na toen die de hoek om sloeg en uit het zicht verdween. Wat een ander leven had ze kunnen hebben. Eenvoudiger.

Beter. Maar Tony kwam morgen of de dag daarna weer terug, en dan moesten ze een trouwdatum kiezen.

Daarna zou de rest van haar leven op haar af komen razen en haar voeten onder haar wegslaan, als een stroom die te sterk was om tegen te vechten.

8

Tony kwam op zaterdagmiddag terug. Hij leek tijdens het diner volmaakt gelukkig en tevreden, en hij kuste Flora warm op de wang voor hij die avond naar bed ging en zei dat hij van haar hield. Ze telde de dagen en wist zeker dat vaders brief er al moest zijn, als die verzonden was, dus slaakte ze een zucht van verlichting. Vader moest hem op een of andere manier uit de post hebben gehaald, om haar het gezichtsverlies te besparen.

Op zondag nodigde Karl hen allemaal uit om op forel te gaan vissen in de koude riviertjes en poelen vijftien kilometer ten noorden van Evergreen Falls. Omdat het te veel gedoe opleverde om voldoende auto's en rijtuigjes voor hen allemaal te regelen, besloten ze dat het amusant zou zijn om de trein te nemen met al hun vishengels, emmers en tassen. Sam weigerde natuurlijk om mee te gaan, zodat Flora was overgeleverd aan het gezelschap van Tony, Sweetie, Harry, Vincent en Vincents vriendin Eliza, die voor het weekend vanuit Sydney was overgekomen. Eliza en Flora zaten naast elkaar op het treinbankje, damesachtig in hun knielange geruite rokken, met picknickmanden op schoot. De jongens met hun strooien boothoedjes op dartelden rond, staken hun hoofd en armen uit het raam en schepten op over het aantal en het formaat van de vissen die ze gingen vangen. Vincent zond Eliza af en toe een vriendelijke knipoog, maar Tony leek vergeten dat Flora er was. Het deed er niet toe; ze vond het fijn om hem gelukkig te zien.

Ze stapten na twee haltes uit en begonnen aan de lange wandeling naar de rivier. Het was een koele, heldere dag en de zon bracht vanuit de verte een beetje warm licht. Een kookaburra riep in de verte, en de jongens probeerden hem allemaal na te doen en moesten erom lachen tot ze dubbel lagen. Eindelijk kwam de groep bij een grote poel. De jongens schopten hun schoenen uit en rolden hun broekspijpen op om het water in te waden terwijl Flora en Eliza een geschikte plek voor de picknick zochten. Uiteindelijk kozen ze een grote, platte rots om het tafelkleed met servies en bestek klaar te zetten. Het eten bleef nog even ingepakt.

'Het zal wel te koud zijn om lang in het water te blijven,' merkte Eliza op.

'Ik weet niet of het echt de bedoeling is om vis te vangen,' antwoordde Flora. 'Ik denk dat dit misschien de grootste lol is.'

'Ze zijn in elk geval nogal uitgelaten.'

Flora draaide zich om en keek naar Tony, die met zijn rug naar haar toe stond. De zon wierp lichte vlekken in zijn donkere haar. Zijn brede rug was gekromd en zijn heupen vierkant terwijl hij zijn lijn in het koude water wierp. Zijn rug. Als ze getrouwd was, mocht ze zijn rug aanraken. Niet alleen door zijn overhemd heen, zoals ze één of twee keer dapper had gedaan toen hij haar kuste. Het bezorgde haar een vreemde, ongemakkelijke opwinding.

'Wanneer gaan jullie trouwen?' vroeg Eliza, die op de rand van de rots zat en haar enkels over elkaar sloeg.

'Ik moet zo snel mogelijk een datum kiezen,' antwoordde Flora, met haar rug naar de picknick. 'Ik moet er met Tony over praten. Hij zat voor zaken in Sydney.'

Eliza knikte, en het leek alsof ze iets wilde zeggen maar het niet deed. In plaats daarvan glimlachte ze. 'Hou je van hem?'

'Ja. En jij en Vincent?'

'Ik blijf maar hopen dat hij me ten huwelijk vraagt, maar dat doet hij niet. Het duurt al zo lang. Zes maanden. Het helpt niet dat hij hier zo lang heeft gezeten.'

'Dat is misschien mijn schuld. Of misschien die van mijn broer. Sam wil niet weg, dus ik kan niet weg, dus blijft Tony, en dus blijven ze allemaal. Maar maak je geen zorgen, we gaan allemaal naar huis na Kerstmis in juni. Over twee weken al. Misschien doet Vincent dan wat hij behoort te doen.'

Eliza haalde haar schouders op. 'Ik weet het niet. Weten mannen eigenlijk wel wat ze behoren te doen?'

'Ik hoop van wel.'

Ze begon zachter te spreken. 'Flora, als je zou weten dat Vincent... iets deed wat hij *niet* behoorde te doen... zou je me dat dan vertellen?'

Flora stond versteld van de vraag. 'Vincent is een zeer deugdzaam mens, Eliza. Je hoeft je nergens zorgen over te maken.'

'Maar zou je het vertellen?'

'Zou je dat willen?'

Eliza knikte nadrukkelijk. 'Ik zou het willen weten als hij iets deed wat niet in de haak was.'

'Dan zou ik het zeggen, ja.'

Eliza's blik verplaatste zich naar iets boven Flora's schouders, en ze draaide zich om en zag Tony uit het water oprijzen.

Flora keek hem stralend aan. 'Stop je er al mee?'

'Ik had een paar keer beet.' Hij knikte Eliza toe. 'Vind je het erg als ik je gesprekspartner even steel? Ik moet haar spreken.'

Eliza zei: 'Natuurlijk niet', maar Flora had sterk het gevoel dat er een zekere vijandigheid tussen hen was.

Tony nam haar bij de arm en ze gingen het bos is. Zodra ze buiten gehoorsafstand waren, vroeg Flora: 'Mogen Eliza en jij elkaar niet?'

'Eliza? Ze is een dwaas. Vincent kan veel beter krijgen. Ik hou er niet van als ze zo zit te roddelen en te fluisteren.'

'Hoorde je haar dan?'

'Ze heeft een schrille stem die ver draagt. Ik hoorde haar fluisteren, al verstond ik niet wat ze te zeggen had. Ik hoef het ook niet te weten, Flora. Maar wees op je hoede met haar.' Hij bleef staan en draaide haar met haar gezicht naar hem toe. 'Maar ik heb je niet hiernaartoe meegenomen om over Eliza te praten.'

Er kroop iets kouds in zijn stem en Flora's maag draaide zich om. 'Nee?' Er stak een briesje op, dat de takken boven hen liet ritselen. Een zware geur van eucalyptus en vochtige aarde kwam haar neus binnen.

'Ik heb een brief van je vader gekregen toen ik gisteren terugkwam.'

De brief. Die vervloekte brief. Flora kromp ineen. 'Waarom heb je dat gisteren niet gezegd?'

'Ik wilde even afwachten of jij er eerst over zou beginnen.'

Flora schudde haar hoofd. 'Niet boos zijn. Ik weet dat ik dom ben geweest.'

'Ik wil dit even goed duidelijk hebben. Je hebt tegen je vader gezegd dat *ik* de bruiloft wil uitstellen.'

'Ja.'

'En je zei tegen mij dat *hij* de bruiloft wilde uitstellen?'

'Ook ja.'

'Maar de hele tijd was jijzelf de enige die de bruiloft wilde uitstellen?'

Deze keer knikte ze alleen. Haar wangen begonnen te gloeien van schaamte, ondanks de koude lucht.

Tony draaide zich half van haar af, met zijn mond in een harde lijn, en schudde boos zijn hoofd.

'Het spijt me, Tony,' zei ze terwijl ze een hand op zijn schouder legde.

Hij veegde hem eraf. 'Kun je me uitleggen waarom?'

'Het leek allemaal te snel te gaan.'

'Wil je niet met me trouwen?'

'Natuurlijk wil ik met je trouwen. Ik hou van je.'

'Dan begrijp ik het gewoon niet.'

Ze haalde diep adem. Misschien zou Tony het begrijpen als ze het hem vertelde. Ze zouden per slot van rekening gaan trouwen. Levenspartners worden, vertrouwelingen. 'Ken je dat gevoel dat je leven niet van jezelf is? Dat je hulpeloos voortdrijft in een koers die al voor je is uitgezet?'

'Blijf je nu bezig met die onzin, Florrie?' zei Tony, die nu van boosheid overschakelde op ergernis. 'Al die zweverige ideeën – die zijn de reden dat je broer zo'n hopeloos geval is. Ik verwacht dat jij praktischer bent. Dat waardeer ik juist zo in jou.'

'Je hebt het nooit gevoeld? Je hebt nooit gevoeld dat je zonder reden gedwongen bent in jullie familiebedrijf te werken in plaats van een hogere passie na te jagen? Dat je gedwongen bent om met mij te trouwen in plaats van het meisje van je dromen te leren kennen?'

'Ik geloof niet in droommeisjes. Die komen alleen wanneer ik slaap,' zei hij driftig. 'Draait het soms daarom? Wil je op een droom-man wachten?'

'Nee, dat bedoel ik helemaal niet.'

'Flora, onze vaders zijn goede vrienden, dat is waar. Ze hebben ons aan elkaar voorgesteld omdat we bij elkaar pasten, niet omdat dit een roman uit de negentiende eeuw is en we tegen onze wil met elkaar moeten trouwen. We kunnen het toch prima met elkaar vinden? We genieten van elkaars gezelschap?'

Langzaam begon het Flora te dagen dat haar twijfels Tony hadden gekwetst.

'Zie je het niet?' ging hij verder. 'Andere problemen zullen verdwij-nen als we trouwen – de mijne en de jouwe. Met mij als je man kan je vader je later uit zijn testament schrappen zonder dat het iets uit-maakt. We redden het evengoed. Hij heeft nota bene beloofd een huis voor ons te kopen. Met jou als mijn vrouw krijg ik makkelijker toegang tot de betere kringen. Dan ben ik geen "nouveau riche" meer; dan ben ik een ere-Honeychurch-Black. Flora,' ging hij verder, terwijl hij haar schouder aanraakte en zijn hand lichtjes naar haar borst liet dwalen, 'er zijn andere dingen waar ik echt niet meer op wil wachten.' Toen haalde hij zijn hand weer weg, zoals altijd een heer.

Het bloed raasde in haar hoofd.

'Wat zou je willen doen, Flora?' drong Tony aan. 'Als je niet met mij zou trouwen, als je niet het leven leidde dat je familie voor je uitgestip-peld had, wat zou je dan doen? Je zou een vis op het droge zijn.'

'Ik zou arts zijn,' flapte ze eruit.

Nu lachte hij. 'Jij? Arts?'

Haar gezicht brandde van verontwaardiging. 'Ik ben erg slim en ik help graag mensen.'

Hij schudde zijn hoofd en zijn lach stierf weg op zijn lippen. 'Flora, ik hou echt van je. Maar nu doe je belachelijk.'

Een luid gejuich in de verte vertelde hun dat iemand een vis had gevangen.

'Ik doe niet belachelijk,' zei ze zacht, maar hij leek het niet te horen.

'Laten we teruggaan,' zei hij. 'Ik vergeef je dat je de feiten verdraaid hebt. Denk er maar niet meer aan.'

'September,' zei ze, plotseling vastberaden en moedig. 'We trouwen in het voorjaar.'

'Perfect. Kies maar een zaterdag halverwege de maand en laat het je vader weten.' Hij sloeg zijn arm om haar heen en leidde haar het bosje uit. 'Ben je niet blij dat we dit gesprekje hebben gehad?'

Ze knikte stilletjes. Ze wist niets tegen zijn argumenten in te brengen, dus schonk ze geen aandacht aan het beetje opstandigheid in haar dat zei: *En mijn dromen dan?* Tony had gelijk. Dromen kwamen alleen als je sliep. Tony had haar wakker gemaakt, en nu was het tijd om verder te gaan met haar leven.

Flora ging die middag bij Sam op zijn kamer langs om hem over de trouwdatum te vertellen.

'Ik zou graag zeggen dat ik blij voor je was, Sissy,' zei hij, 'maar ik voel me ellendig bij de gedachte dat Tony DeLizio mijn zwager zal zijn tot de dood ons scheidt.'

'Zeg dat nou niet, Sam,' zei Flora, terwijl ze naast hem op het bed ging zitten. Ze zag een boek op het nachtkastje liggen, opengeslagen. Ze was blij dat hij had zitten lezen en dat ze geen spoor van opiumrook in de kamer bespeurde. 'Ik moet toch een keer volwassen worden.'

'Een lentebruid dus, hè?' Hij knipte in zijn vingers. 'Je zou hier moeten trouwen! Het is hier groot genoeg en ook chic genoeg voor een bruiloft van stand.'

Flora fronste haar wenkbrauwen. 'We zijn in september allang weg,' zei ze. 'We vertrekken direct na Kerstmis in juni.'

'O ja?'

'Dat heb je beloofd. Bovendien gaat het hotel dicht.'

Hij spreidde zijn vingers. 'Nee hoor. Niet helemaal. Ik sprak vanmorgen met Lord en Lady Powell. Zij blijven nog – Lady Powell probeert haar boek af te maken. En natuurlijk is ze verschrikkelijk goed bevriend met mevrouw Wright, de operazangeres, en die heeft gezegd dat ze ook blijft. En Miss Sydney heeft mevrouw Wright als moederfiguur aangenomen, dus zij en haar verfoeilijke verloofde zullen zich ook ingraven. Juffrouw Zander heeft gezegd dat ze een minimale personeelsbezetting zal aanhouden. Zie je het al voor je? Een handjevol van ons met het hele hotel voor onszelf?'

Flora had tijdens de hele toespraak met haar hoofd staan schudden. 'Nee, nee, duizend keer néé, Sam. Het kerstfeest is op 25 juni, en we vertrekken op de 26e.'

'Ga maar zonder mij,' snoof hij.

'Dat kan niet. Vader staat niet toe dat ik je hier achterlaat en ik...'

'Maar Flora,' onderbrak hij haar, terwijl hij een wijsvinger op haar lippen legde. 'Ik voel me al zoveel beter. Ik rook minder. Ik weet zeker dat het door de berglucht komt.'

Ze kneep haar ogen een beetje dicht.

'Ik weet dat je wilt dat ik helemaal stop, maar dat is zo moeilijk. In plaats daarvan minder ik langzaam het aantal pijpen dat ik rook. Kijk me nu eens.' Hij liet zijn vinger zakken en ging voor haar staan, en ze moest toegeven dat hij er goed uitzag.

'Echt?'

'Het komt door Violet,' zei hij. 'Door haar wil ik een goed mens zijn.'

'Violet? De serveerster?'

Zijn wijsvinger ging opnieuw naar haar lippen. 'Geen kwaad woord over haar. Zij heeft dit voor elkaar gekregen. Zij heeft gedaan wat jij nooit hebt gekund.'

Wat kwetsten zijn woorden haar, wat raakten ze haar diep in haar buik. Maar als het waar was dat zijn liefde voor de serveerster hem ertoe bracht om minder te roken, moest ze dat accepteren. 'Wees alsjeblieft voorzichtig met haar,' zei ze.

'Ik zou nooit iets doen wat niet juist en goed was,' antwoordde hij. Toen glimlachte hij haar jongensachtig toe. 'En? Kunnen we blijven?'

'Ik ga hier niet trouwen.'

'Kunnen we deze winter blijven?'

Dat zou Tony niet leuk vinden, maar dat deed er niet veel toe. Sams gezondheid was haar eerste prioriteit. 'Zolang je blijft minderen.'

Hij drukte zijn hand vurig tegen zijn hart. 'Ik geef je mijn woord.'

'Dan blijven we,' zei ze en ze had onmiddellijk spijt.

Het dansen in het leegstaande huis was uitgegroeid tot een vaste zaterdagmiddagverpozing en Violet, de eigenaresse van de grammofoon, werd altijd verwacht. Ze vond het niet erg: ze hield veel van dansen en het was verschrikkelijk saai om de hele week in een zwartwit uniform te lopen. Het was fijn om wat kleur op te smeren en haar haar te doen.

Vandaag zinderde de kamer van opwinding door de aanstaande Kerstmis-in-juniviering. De werknemers waren in gedachten al bezig met hun eigen festiviteiten voor de winterstop, en het gerucht ging dat juffrouw Zander het personeel toestemming gaf om zich tijdens de middagkerstviering onder de gasten te mengen. Iemand had nieuwe platen meegebracht – ze waren de drie van Violet allemaal zat – en de muziek was snel en leuk, en Violet ging de dansvloer op om de Black Bottom te dansen, de Saint Louis Hop en de Charleston. De avond viel. Een van de kamermeisjes had uit het hotel een tas vol gebarsten glazen die toch weggegooid zouden worden meegenomen, en die zette ze overal in de kamer neer met kaarsen erin, zodat het interieur flikkerend verlicht werd. Er werd een foxtrot opgezet en Clive kwam hoopvol naar haar toe. Ze liet zich door hem in zijn armen nemen, maar probeerde een koele afstand tussen hen te bewaren. Dat maakte hun passen onhandig, maar hij scheen het niet te merken.

'Ik mag niets zeggen,' biechtte Clive op, 'maar ik moet je gewoon vragen of juffrouw Zander je gevraagd heeft om deze winter te blijven.'

Violet keek om zich heen. Niemand luisterde. De muziek en het gebabbel waren ver weg. 'Ja. Maar ik mocht het aan niemand vertellen.'

Clive grijnsde. 'Ik ook,' zei hij. 'Dan zijn we hier allebei.'

'Het zal fijn zijn om hier een vriend te hebben,' zei ze voorzichtig, wetend dat hij meer wilde. Clive was een goede man, een vriendelijke man. Maar ze kende nu gevoelens van een andere orde; Clive zou nooit genoeg zijn. 'Ik weet niet of Myrtle blijft. Ik durf het haar niet te vragen.'

'Waar is Myrtle vandaag?'

'In het hotel met een verstuikte enkel. Ze is vanmorgen uitgegleden in de keuken. Ze heeft wel vaak ongelukjes.'

'Nou, zeg dat wel. Vorige week nog... Wie is dat?'

Violet draaide zich om en volgde de richting van zijn blik. Haar hart werd warm. Het was Sam, die bij de ingang van het huis stond en de kamer doorzocht met zijn ogen.

'Dat is toch een hotelgast?' vroeg Clive.

Sam vond haar en liep naar haar toe. De mensen weken uiteen, nog altijd dansend maar intussen nieuwsgierig naar hem kijkend. Gefluister ging van mond tot oor. Sam stak zijn hand uit naar Violet, zonder Clive een blik waardig te keuren. 'Mag ik deze dans?'

'Ik...'

Clive verstevigde even zijn greep op haar, zag toen de uitdrukking op Violets gezicht en besefte dat hij verslagen was. Hij liet haar los. 'Als je wilt, Violet. Laat je door mij niet tegenhouden.'

Violet gleed snel in Sams armen, maar de foxtrot duurde nog maar een halve minuut en toen stonden ze daar even, elkaar nog steeds vasthoudend, elkaar nog steeds aanstarend, wachtend op het volgende nummer.

Het was een wals: 'It's Time to Say Goodnight' van Henry Hall. Hij drukte haar tegen zich aan, zijn warme hand laag op haar rug, en ze begonnen te bewegen. Het feest, de mensen, verdwenen in de verte. Er was alleen nog haar lichaam en Sams lichaam, perfect op de maat van de muziek. Dankzij zijn goede opvoeding danste hij fantastisch. Hij draaide haar rond en ving haar op en trok haar dan weer tegen zich aan. Zijn voeten leken wel te zweven. Een groot geluk, een grote lichtheid doorstroomde haar. Uiteindelijk klonk de laatste regel van het lied en werd het stil. De plaat was afgelopen, maar ze dansten verder, met het ritme van de wals vlekkeloos in hun hart en lichaam terwijl ze van de ene kant van de kamer naar de andere dansten en weer terug, terwijl de mensen uit elkaar weken en vanaf de kant naar hen stonden te kijken.

Sam knipperde snel met zijn ogen, alsof hij wakker werd uit zijn slaap, toen hij besefte dat de muziek was afgelopen. Hij liet Violet los, pakte haar hand en kuste die een keer. Hij boog zich dicht naar haar oor, fluisterde twee woorden, draaide zich toen om en liep weg door dezelfde deur als hij gekomen was. Er werd een nieuwe plaat opgezet, en langzaam begonnen de mensen weer naar de dansvloer terug te gaan. Ze stond nog op de plek waar Sam haar had achtergelaten, en verschillende andere meisjes keken haar nieuwsgierig aan, jaloers. Over haar oordelend met hun blik.

Clive kwam bij haar staan. 'Dat is toch Samuel Honeychurch-Black? Ken je hem?'

'Alleen van het serveren van zijn maaltijden,' loog ze.

Clive keek naar de deur, toen weer naar Violet. 'Wat vreemd dat hij hier zomaar opduikt.'

Violet schraapte haar keel en probeerde te verbergen hoezeer ze was aangegrepen door het dansen met Sam. 'Ja. Hij lijkt een beetje vreemd. Maar hij kan heel goed dansen.'

'Pas maar op dat juffrouw Zander hier niet van hoort. Jezelf opdringen aan de gasten is...'

'Strikt verboden. Ja, ik weet het. Maar iedereen heeft gezien dat hij naar mij toekwam. Het was niet beleefd geweest om hem te weigeren, aangezien hij zo'n belangrijke gast is.'

'Dat zal wel.' Clive glimlachte. 'Wil je nog dansen?'

'Ik ben een beetje moe,' zei ze. Dat was waar, maar Violet wist ook dat dansen met iemand anders dan Sam vanaf nu zou voelen als dansen op loden voeten. 'Ik blijf even een paar nummers zitten.'

Ze ging naar de achtertrap en rookte een paar sigaretten. De meisjes buiten hadden Sam niet zien aankomen, dus ze hoefden niet zo nodig met haar over hem te roddelen. Ze hield haar gedachten en gevoelens voor zichzelf. Als de meisjes hadden geweten wat ze van plan was, hadden ze haar voor gek versleten.

Heel laat die avond. Myrtle lag aan de andere kant van de kamer te slapen en snurkte zachtjes. Violet wilde haar vooral niet wakker maken, want Myrtle vermoedde al dat er iets gaande was. Toen Violet terugkwam van het dansen had Myrtle haar ongelovig verteld dat een van de gasten, meneer Honeychurch-Black, haar was komen zoeken. Het was Myrtle die hem naar de dansmiddag had gestuurd.

'Wat moest hij van je?' had Myrtle gevraagd, en Violets ineffectieve pogingen om het weg te wuiven hadden Myrtle alleen maar nieuwsgieriger gemaakt.

Violet stond op en kleedde zich snel aan. Geen tijd voor een onderhemd of lange onderbroek – haar huid prikkelde bij de gedachte. Alleen een slip, een jurk en haar blote voeten op de koude vloer. Ze keek uit het raam door een kier tussen de gordijnen. Maanlicht en bewegende schaduwen in de wind. Violet haalde diep adem, ging zachtjes haar slaapkamer uit en sloot de deur achter zich.

Ze sloop op haar tenen door de gang. Het was bijna één uur 's nachts en iedereen sliep. Maar hij zou op haar wachten.

Kom vannacht. Dat had hij gezegd voordat hij haar bij het dansen alleen had gelaten. Geen macht ter wereld zou haar ervan kunnen weerhouden dit bevel op te volgen. Ergens in haar achterhoofd spookten waarschuwingen rond – over haar ziel, haar lichaam, haar toekomst – maar het verlangen verdronk dat alles in een rivier van gesmolten goud. *Kom vannacht.* Ze kwam.

De tweede trap kraakte onder haar voeten. Ze bleef even staan wachten of er ergens een deur openging, of er vragen zouden komen. Maar de stilte van de slaap werd niet doorbroken en ze liep verder omhoog, voorzichtiger en lichtvoetiger nu.

Door de gang in het donker, deuren tellend, tot ze besefte dat er maar één deur was waar een geel licht onderdoor scheen.

Ze bleef ervoor staan en besefte dat ze de aandacht zou trekken als ze klopte. In plaats daarvan draaide ze aan de knop. Hij had hem open gelaten.

Het tafereel dat ze aantrof was volkomen onverwacht. Volledig gekleed lag hij boven op zijn sprei. Zijn handen lagen om een soort zilveren pijp gevouwen. Een dienblad naast zijn bed stond vol met onbekende metalen instrumenten.

Voor ze dichterbij kon komen werd hij wakker, zag haar, glimlachte. 'Je bent gekomen.'

'Ja.'

Hij legde zijn pijp op het blad. 'Ik viel in slaap tijdens het wachten. Ik zei tegen mezelf dat als ik 's morgens wakker werd met het licht nog aan, dat zou betekenen dat jij niet van me houdt. Kom hier.' Hij spreidde zijn armen, nog altijd liggend op het bed.

Ze snelde naar hem toe, zonk weg in zijn armen, haar lippen hongerig zoekend naar de zijne. Met zijn handen stevig om haar bovenarmen trok hij haar naast zich neer. Zijn haar rook naar melasse en oude stekjes, een bedwelmend exotische geur die ze niet kon plaatsen. Hij kuste haar alsof hij in haar mond wilde kruipen om daar op te lossen, rolde haar toen op haar rug en ging rechtop zitten, met zijn knieën aan weerszijden van haar heupen.

'Doe je jurk uit,' zei hij.

Ze kwam moeizaam half overeind en trok haar jurk bij de zoom omhoog, keerde hem binnenstebuiten en trok hem uit over haar hoofd.

'Trek je slip uit,' zei hij daarna.

Haar lichaam huiverde van genot. Ze trok hem uit en was nu naakt.

'Ga liggen,' zei hij.

Opnieuw deed ze wat hij zei. Ze vouwde haar armen achter haar hoofd en voelde zich bloot en te kijk liggen. 'Ik heb dit nog nooit gedaan,' zei ze.

'Des te beter,' antwoordde hij, terwijl hij zich over haar heen boog en zijn lippen op haar linkerborst legde, zijn mond om haar tepel sloot. Toen ging hij naar de andere kant en zoog aan haar met zoveel kracht dat ze naar adem hapte en heftig kronkelde.

Zijn mond ging naar beneden, over haar ribben en buik, en daarna nog verder naar beneden tot hij haar dijen uit elkaar schoof en zijn mond in de zoete, hete gleuf tussen haar benen begroef. Violet had nog nooit zulke sensaties beleefd. Ze duwde haar heupen omhoog en kreunde, en haar ogen vielen dicht. Het genot was zo intens en verschroeiend dat ze dacht dat ze erin bleef.

Na een tijdje kwam hij overeind en ze kreunde toen de sensaties wegtrokken. Ze deed haar ogen open en zag dat hij zijn kleding uittrok, opstond en zijn broek uitschopte. 'Ik moet je hebben,' zei hij terwijl hij zijn erectie in zijn hand nam. 'Draai je om.'

Ze rolde om en hij kwam achter haar zitten. Hij tilde haar heupen op, zodat haar achterwerk de lucht in stak. Opnieuw had ze het heerlijk ondeugende gevoel dat ze voor hem te kijk lag. Toen ging hij bij haar naar binnen en slaakte ze een kreet van de pijn.

'Het doet maar heel even zeer,' zei hij terwijl hij begon te bewegen en hij had gelijk. Hij hield een hand op elk van haar billen en ze liet het getij van begeerte en genot door haar heen stromen. Toen zijn tempo versnelde, legde hij een van zijn handen onder haar heup zodat hij haar tussen haar benen kon aanraken, op een plek die zo overliep van gevoel dat ze zich afvroeg waarom ze die nooit eerder had gevonden. Na een minuutje stevig wrijven explodeerde ze plotseling in een uiteenspattend genot waardoor ze plat op haar gezicht op bed zou zijn gevallen als hij haar heupen niet hoog had gehouden. Ze schreeuwde het uit en een paar tellen later deed hij dat ook.

Hij legde haar zachtjes op het bed en draaide haar om zodat hij naar haar gezicht kon kijken.

'Dat was ongelofelijk,' hijgde ze.

'Je bent zo mooi,' zei hij. 'Er is niets mooiers op de wereld dan kijken en luisteren naar jouw genot.'

Ze liet haar hoofd achterovervallen en begon te lachen. 'Ik had nooit gedacht...'

Hij streek haar haar uit haar gezicht. 'Ga nooit meer bij me weg.'

'Nooit,' antwoordde ze.

'Ik zal een manier vinden om bij je te blijven.'

'Ik geloof je.'

Ze vielen in slaap met de lamp nog aan, samen opgekruld boven op de sprei.

9

2014

Na acht dagen ochtenddienst achter elkaar keek ik ernaar uit om uit te slapen. De ochtenden werden koeler en donkerder, en ik lag nog in diepe slaap onder de dekens weggekropen toen mijn telefoon ging. Ik schrok wakker en keek op de klok: 04.57. Was dat Tomas? Nee, het was mijn moeder.

'Mam,' zei ik schor in de telefoon. 'Is alles goed met je?'

'Ja, ik dacht dat ik je wel even kon bellen voor je naar je werk ging.'

'Geen werk vandaag,' zei ik, terwijl ik probeerde niet te geïrriteerd te klinken. 'Ik slaap uit. En de hele week daarna heb ik lunchdienst.'

'O jee, het spijt me. Maar je kunt zo weer verder slapen, toch? Ik heb net een kop koffie gezet en dacht: ik ga even zitten om Lauren te bellen. Het is zo fijn om je stem te horen nu je niet hier bent. Het is hier 's morgens een beetje eenzaam.'

Ik ging overeind zitten, wreef de slaap uit mijn ogen en geeuwde. 'Waar is papa dan?'

'Hij is onderweg naar Sydney voor een conferentie. Hij komt de komende week nog wel bij je langs.'

'Zeg dat hij me eerst moet bellen. Voor het geval ik aan het werk ben.'

'Doe ik. Ik hoop dat hij dat vriendje van je kan ontmoeten.'

We waren opeens op onbetrouwbaar terrein. Op neutrale toon zei ik: 'Hmm', en zocht met mijn slaperige hersenen naar een ander onderwerp.

'Lauren? Is dat goed? Je hebt nooit eerder een vriend gehad en we willen weten of...'

'Tomas zit in Denemarken.'

'Is hij naar huis?'

'Tijdelijk.'

'Waarom?'

Liegen. Gewoon liegen. 'Een vroegere vriendin van hem heeft een ongeluk gehad. Ze is ernstig gewond. Hij is naar haar toe.'

'O. Een vriendin? Dan moeten ze wel een heel goede band hebben.'

'Hij belt me elke dag.'

'Maar dan nog...' Ze liet de woorden in de lucht hangen en ze hadden precies de gewenste uitwerking. *Maar dan nog.*

Hij was er niet; hij was daar, bij zijn ex-vrouw. Sabrina had de operatie overleefd en haar toestand was stabiel, maar ze werd nog altijd in een kunstmatige coma gehouden. Tomas had een neef van haar weten op te sporen, die op dit moment een vlucht vanuit Amerika aan het regelen was. Sabrina's beste vriendin uit haar middelbareschooltijd was opgedoken en verschillende collega's liepen in en uit om haar te bezoeken. Het was dus niet zo dat Tomas en Sabrina met zijn tweeën in de ziekenhuiskamer zaten. Maar hij had het nog steeds niet over terugkomen. 'Het waren nog maar een paar dates, mam,' zei ik. 'Misschien wordt het niks.'

'Klinkt alsof hij je aan het lijntje houdt.'

'Dat denk ik niet.'

'Ah, ze zijn toch nooit te vertrouwen. Ze breken je hart. Je bent beter af zonder.'

'Jij bent toch ook met papa getrouwd.'

'Hij is de uitzondering. Ik had mazzel.'

Ik gaf geen antwoord. Het had weinig zin om met haar in discussie te gaan. Mijn moeder kon de wereld alleen zien als een plek waar haar kinderen allerlei slechte dingen te wachten stonden. Ik ging achterover liggen op mijn kussen en draaide me op mijn zij, en mijn oog viel op de foto van Adam en Frogsy, die ik naast mijn wekker had gezet. Hier was het andere gespreksonderwerp waar ik op had gehoopt. 'Hé, mam,' zei ik. 'Heeft Adam het ooit over een vriend gehad die Frogsy heette? Of Drew?'

'Die namen zeggen me niets,' zei ze.

'Van vroeger. Van toen hij hier in de bergen woonde.'

Een korte stilte. Toen: 'Hij had veel vreemde vrienden in die tijd, Lauren. Ik weet niet meer hoe ze heetten.'

'Hoezo vreemd?'

'Gewoon... vreemd. Mensen die hem op het verkeerde pad wilden brengen. Het is me opgevallen dat geen van hen hem is komen opzoeken toen hij ziek was.'

Ik zei maar niet dat zij het bijna onmogelijk had gemaakt om Adam op te zoeken toen hij ziek was, en dat de Blue Mountains heel ver van Tasmanië lagen. Ik pakte de foto en keek ernaar. Die dag, met zonneschijn en wind, was voorbij. De donkere toekomst was gekomen. Elk moment was een moment als dit: met ingehouden adem wachten op wat komen gaat, goed of slecht, volkomen onvoorspelbaar. Ik dacht na over Tomas' ex-vrouw en haar auto-ongeluk, hoe ze het huis had verlaten in de verwachting weer veilig terug te keren. Ik sloot mijn ogen. Geen wonder dat mijn moeder zo overbezorgd was: elk moment zat vol met een miljoen mogelijkheden. Vandaag, alleen thuis, moest ze halfgek zijn van een vormeloze angst. 'Je zult wel eenzaam zijn zonder papa,' zei ik. 'Ik zet even een kop thee en dan kunnen we lekker lang kletsen. Bijna alsof we bij elkaar zijn.'

Ik hoorde haar glimlachen. 'Wat een geweldig idee.'

Ik moest Frogsy en Drew opsporen. Ik moest die 'vreemde' mensen leren kennen die Adams vrienden waren geweest voor hij ziek werd. Ik nam aan dat Frogsy een bijnaamachtige variatie op een achternaam was en zocht in het telefoonboek naar namen die met 'Fro' begonnen. Frockley's en Frohloffs en Frombergs. Ik belde er een paar, legde uit wie ik zocht en kreeg allerlei soorten nee te horen, soms nieuwsgierig, soms vriendelijk, soms onbegrijpend en geïrriteerd tegelijk. Ik probeerde de rijmende achternamen: Boggs en Toggs en Vogs. Loggins en Coggins. Nog steeds niets, en na een halve dag voelde ik me steeds beschaamder en opdringeriger. Ik sloeg Adams boeken een voor een open, op zoek naar meer opdrachten, en schudde ze uit om te kijken of er losse foto's uit zouden vallen, maar vond niets. Ik hing de foto met een magneet op de koelkast zodat ik niet zou vergeten hem morgen mee naar het werk te nemen om het aan Penny te vragen.

Ik begon aan mijn dag, deed de was en de afwas. Op weg naar de afvalcontainers zag ik Lizzie worstelen met haar houtstapel, die aan het grindpad lag waar de containers ook aan stonden.

'Wacht maar even,' riep ik terwijl ik naar haar toe holde.

'Dank je, lieverd. De bezorger is vandaag gekomen en heeft ze te hoog opgestapeld.'

Er rolden steeds blokken van bovenaf naar de grond. Ik raapte ze op, zette de dikkere ronde rechtop en legde de andere stevig achter het draadhek. 'Alsjeblieft,' zei ik terwijl ik mijn handen afveegde aan mijn spijkerbroek.

'Ik denk dat hij me een plezier wilde doen met een paar blokken extra. Wij oude besjes hebben het in de herfst snel koud. Werk je niet vandaag?'

'Vrije dag. Wil je binnenkomen voor een kop thee?'

'Ik zou het heel gemeen van me vinden om jou op je vrije dag thee voor mij te laten maken.'

'Doe niet zo gek. Ik zou het erg leuk vinden.'

'Nou, goed dan.'

Ze liep achter me aan naar mijn appartement en keek rond terwijl ik een pot thee zette. 'Je hebt het hier heel mooi gemaakt,' zei ze.

'Ik heb er eigenlijk niets aan gedaan,' zei ik.

'Licht en lucht en boeken. Meer heb je niet nodig. Het leek hiervoor nogal steriel. Ik had het al ruim een jaar niet meer verhuurd, na die laatste bende.'

'Waarom? Wat hebben die dan gedaan?'

'Ik denk dat het drugsdealers waren. Auto's die bij nacht en ontij kwamen aanrijden. Het is veel fijner om hier een fatsoenlijk meisje te hebben.'

'Nou, veel fatsoenlijker dan ik vind je ze niet gauw. Ga toch zitten.'

Ze ging niet zitten. 'Wat een opmerkelijke verzameling boeken. Zijn ze van je broer?'

'Ja. Hij las van alles. Toen hij ziek was.' Ik keek hoe ze boeken naar voren trok en weer terugzette, en toen kwam ze in de kitchenette staan terwijl ik de thee inschonk.

'Wie zijn die knappe jongens?' vroeg ze, terwijl ze naar de foto op de koelkast keek.

'Dat is Adam, links, en een geheimzinnige vriend. Je kent hem zeker niet? Hij is ongeveer vijftien jaar geleden genomen. Woonde jij hier toen?'

'Ja, ik kwam hier vlak na de dood van mijn moeder. Maar ik herken de vriend niet. Jouw Adam heeft een aardig gezicht.'

'Ik wil graag meer weten over zijn vrienden. Deze heet Frogsy, waarschijnlijk een bijnaam. Hij heeft nog een vriend die Drew heet. Van hem weet ik nog minder.'

'Als ze nog in Evergreen Falls wonen zal iemand ze wel kennen,' zei Lizzie. 'Het is maar een kleine plaats.'

'Ik hoop het. Maar vijftien jaar is best lang.'

'Nee hoor. Die gaan in een oogwenk voorbij.'

Mijn afgelopen vijftien jaar waren niet zozeer een oogwenk als wel een lange, aanhoudende snik.

'Waarom wil je ze vinden?' vroeg Lizzie.

'Alleen om te zien of ze interessante herinneringen aan Adam hebben. Ik was pas vijftien toen hij ziek werd, en dus is mijn indruk van hem beperkt. Mijn moeder zei dat hij hier "vreemde" vrienden had, en dat vind ik interessant. Mijn moeder vindt iets nogal snel vreemd, moet ik erbij zeggen.'

Ik zette de theepot en kopjes op een blad en ging met Lizzie naar de zitkamer. We gingen zitten, schonken thee in en praatten over het weer, maar toen vroeg ze: 'Wat is er met Tomas gebeurd? Ik heb hem al een tijdje niet gezien.'

Ik vertelde haar het hele verhaal, ook hoe ik mijn eerste derde date was misgelopen, en ze luisterde en knikte, haar blauwe ogen fel en scherp. Ik zei niets over de sleutel van de westelijke vleugel en de kamer met de liefdesbrieven, domweg omdat ik niet wilde dat Tomas problemen met de ontwikkelaars zou krijgen. Hij had me gevraagd discreet te zijn bij mijn naspeuringen. De tuinmannen waren de afgelopen week bezig geweest het terrein op te schonen, dus ik had geen kans gehad om nog eens naar binnen te gaan.

'Dus nu,' zei ik, 'weet ik niet wanneer hij terugkomt en of hij nog zin zal hebben om me weer te zien.'

'Waarom denk je dat?' zei Lizzie, terwijl ze zichzelf een tweede kop thee inschonk.

'Nou, hij is bij zijn ex-vrouw geweest. Ik bedoel, mijn moeder zei dat hij niet te vertrouwen is.'

Lizzie fronste haar wenkbrauwen. 'Lieverd, hij is niet naar haar teruggegaan om met haar te sjansen. Ze is ernstig gewond. Wat een geweldige man is hij, om alle moeilijkheden tussen hen terzijde te schuiven, net als zijn zorgen over wat kleingeestige mensen van zijn terugkeer kunnen denken, en gewoon het goede te doen. Lauren, dat is geen man om te wantrouwen; dat is een man om je leven aan toe te vertrouwen.'

Haar visie, zo anders dan die van mijn moeder, maakte de hele kamer lichter. Ze had gelijk. Ze had gelijk en mama had ongelijk, omdat mama alleen door de bril van haar bezorgdheid kon kijken.

'Laat me je over mijn vader vertellen,' zei ze. 'Hij was de betrouwbaarste, loyaalste, beste man die je je kunt voorstellen.' Haar stem bezweek voor de tranen en ze moest even op adem komen. 'Maar...' Ze viel stil, zwaaiend met een hand. 'Elke familie heeft geheimen, neem ik aan. Het heeft geen zin om ze te onthullen. Het zal je toch niet interesseren.'

Het interesseerde me juist zeer. Maar mijn nieuwsgierigheid gold vooral de sappige details, en het was niet eerlijk om die uit Lizzie te trekken als ze zich daar niet prettig bij voelde.

'Ik was dol op mijn papa,' ging ze verder. 'Hij heeft me nooit teleurgesteld. Niet een keer, tot de dag dat hij stierf. Hij zou me komen afhalen van de trein en hij kwam niet. Ik was met een vriendin op stap geweest, en de familie van mijn vriendin kwam haar halen en bood me een lift aan, maar ik zei, nee, mijn vader komt zo...' Weer de tranen. 'Goh, je zult me wel een dwaas besje vinden, de hele tijd in tranen.'

'Helemaal niet. Ik haal de zakdoekjes wel.'

'Ach nee, ik heb altijd een *bumfle*,' zei ze terwijl ze een zakdoek uit haar mouw haalde.

'Een bumfle?'

'Dat is een oud woord voor de bult die je zakdoek in je mouw maakt,' zei ze, nu lachend. 'Heb je het nooit gehoord?'

'Nee, nooit. Maar ik zal het vanaf nu vaak gebruiken.'

Ze glimlachte en leek haar zelfbeheersing weer terug te hebben, dus waagde ik een vraag. 'Hoe oud was je toen hij stierf?'

'Vijfentwintig. Mijn moeder heeft hem ruim veertig jaar overleefd, maar ze is nooit hertrouwd. Een man van zijn kaliber had ze ook nooit meer kunnen vinden. Niet lang daarna leerde ik mijn man kennen en hij deed zijn uiterste best om zich te kunnen meten met mijn vader. Het was een beetje een ramp. Toen de kinderen het huis uit waren, scheidden we direct. Weer iets wat mijn moeder kon afkeuren. De schande.'

'Dat is toch geen schande.'

Ze glimlachte naar me. 'Je bent een lieve meid. Maar ik moet weer verder, en jij ook.'

Ik liet haar uit en toen ik weer binnen was bleef ik lange tijd naar de foto staan staren. Vijftien jaar, in een oogwenk voorbij. Waar waren Frogsy en Drew nu?

Mijn volgende dienst was een lunchdienst, en terwijl ik borden afruimde zag ik dat de grote industriële container bij de westvleugel weg was. 'Zijn de tuinmannen klaar?' vroeg ik Penny.

Ze keek uit het raam. 'Kennelijk. Ik vond het al zo stil.'

In mijn pauze ging ik naar buiten en liep langs de westvleugel door de nu opgeschoonde tuin. Ze hadden takken van dennenbomen afgehakt en afgevallen naalden en bladeren van tientallen jaren opgeruimd. De bloembedden waren gewied en de tegels waren met de hogedrukspuit gereinigd. Aan de rand die het dichtst bij de weg lag hadden ze nieuwe aarde gestort, en een geel-zwart waarschuwingslint hield de voetgangers ervan af, zodat de aarde kon inklinken.

Ik liep langs dezelfde route terug en keek naar de deur van de westvleugel. Ze hadden ook het waarschuwingslint bij de ingang vernieuwd. De tegels tussen de twee dennenbomen waren uitgegraven tot op de kleilaag, waarschijnlijk om bij de boomwortels te komen.

Maar de tuinmannen waren weg, en dat betekende dat ik vanavond, na mijn dienst, weer naar binnen kon gaan.

Het was druk in het café voor een dinsdagavond. Schoolkinderen en hun moeders schoven tafels tegen elkaar aan om grote groepen te vormen die onmogelijk te onthouden bestellingen plaatsten: soja lattes met twee shots koffie; aardbeienmilkshake in twee plastic bekertjes met rietjes; warme chocolademelk die vooral niet te warm mocht zijn. Ik rende de benen uit mijn lijf, maar toch hoorde ik het.

Terwijl ik langs een jonge vrouw liep – met te licht gebleekt haar, neusring, lief gezicht onder al die eyeliner – hoorde ik toevallig een flard van het gesprek dat ze via haar mobieltje voerde. 'Ja, tuurlijk. Is tante Drew dan al terug?'

Tante Drew. Mijn bewegingen werden trager terwijl mijn hersenen op topsnelheid werken. Ik had aangenomen dat Drew, Adams vriend, een man was. Maar Drew was natuurlijk ook een vrouwennaam. Ik probeerde in de buurt te blijven om meer van het gesprek op te vangen, maar precies op dat moment gooide een jongetje zijn milkshake over zijn schooluniform en moest ik me haasten om het op te ruimen.

Ik zette net de mop weg toen ik de jonge vrouw zag opstaan en naar de deur zag lopen. Voor ik besefte wat ik deed rende ik achter haar aan en haalde haar in vlak voordat ze de straat op liep.

'Neem me niet kwalijk,' zei ik.

Ze draaide zich om en hield nieuwsgierig haar hoofd scheef.

'Oké, het spijt me als dit... eng klinkt. Maar ik hoorde je over iemand praten die Drew heet.'

Ze kneep haar ogen een beetje dicht. Ja, ik klonk als een gestoorde. Dat kwam ervan als je zo lang Frombergen en Boggsen zat te bellen.

'Luister je altijd de privégesprekken van je klanten af?' vroeg ze.

Ik stak mijn handen in de lucht. 'Ik weet hoe het klinkt, maar mijn broer kende iemand die Drew heette, vijftien jaar geleden hier in de bergen. Ik probeer iedereen te vinden die hem toen kende. Wil jij het voor me vragen? Of ze iemand kende die Adam Beck heette? En als dat zo is, en als ze in de stad is...'

'Ze zit in Londen,' zei het meisje. 'Komt pas eind dit jaar terug. Maar ze woonde vijftien jaar geleden inderdaad hier.'

'Wil je het vragen? Als ze hem kende, kun je me dan een nummer geven waar ik haar kan bellen?'

'Adam Brett,' zei het meisje.

'Nee, Beck. Adam Beck. Hier...' Ik haalde mijn bestellingenblokje uit mijn schort en schreef de naam op, gaf die aan haar.

'Ik snap het.'

Ik keek haar na en vroeg me af of ik haar ooit nog zou zien.

Ik bleef die middag lang op mijn werk en hielp Penny de voorraad voor de volgende dag aanvullen. Ze wilde snel weg, naar een date met een nieuwe man. Ik bood aan om de bekerhouders en de bakken met plastic lepels bij te vullen en de vaatwasser leeg te ruimen zodat alles klaarstond voor het ontbijt.

Het was bijna zeven uur toen ik afsloot, kauwend op een overgebleven stuk bananenbrood dat ik had uitgeroepen tot een voedzaam avondmaal. Mijn benen waren vermoeid van de lange, zware dienst, maar het was een aangename pijn die me zei dat ik nuttig en productief voor de wereld was geweest. Het regende zachtjes en de druppels lichtten goud en zilver op in de stralen van de lamp boven de deur van het café. Met gebogen hoofd liep ik regelrecht naar de ingang van de westvleugel en dook onder het waarschuwingslint door. De kale aarde bij de ingang was veranderd in modder. Ik zocht in mijn handtas naar mijn zaklamp en scheen die op mijn voeten, zodat ik nergens over struikelde terwijl ik naar de deur liep.

Toen ik de deur achter me sloot ging het harder regenen. Het gutste neer op de ramen en het dak. Met mijn zaklamp om me bij te lichten liep ik naar de opslagkamer, die ik van Tomas mocht onderzoeken. Het rook er schimmelig en vochtig, en ik dacht dat ik ergens op de trappen iets hoorde druipen.

Ik stond in de deuropening en scheen mijn lichtstraal langzaam van links naar rechts, me afvragend waar ik moest beginnen. Me afvragend óf ik moest beginnen.

Ik begon met alles van de tafel te halen en de spullen netjes in de gang te zetten. Toen maakte ik de dozen en kratten een voor een open, met een krankzinnig kriebelende neus van het stof. Oude theepotten en koekenpannen en roestend keukengerei en gebroken kaarsenstandaards. Geen brieven meer. Als ik de bodem van een doos bereikte pakte ik alles weer netjes in en zette de doos tegen de muur om ruimte te maken voor de volgende.

Toen ik klaar was met wat op de tafel stond, begon ik aan de dingen eronder. Ik trok mijn schouders bijna uit de kom toen ik iets probeerde op te tillen wat een oude Singer-naaimachine in een houten kist bleek te zijn. Nog meer dozen en kratten. Deze keer vond ik een stapel ansichtkaarten – zwart-witfoto's van het hotel en de tuinen – en mijn hart maakte een sprongetje, maar ze waren niet beschreven. Ik zocht door, maar vond niets.

De regen viel nog steeds toen ik er genoeg van begon te krijgen om in de krappe gang dozen te doorzoeken. Terwijl ik opstond en me uitrekte – mijn rug deed pijn van het kromgebogen zitten – werd het druppelgeluid duidelijker. Met de straal van mijn zaklamp voor me gericht liep ik om de opslagkamer heen en bleef onder aan de trap staan. Ik scheen omhoog. Niets.

Ik zette voorzichtig mijn voet op de eerste trede en zei toen dat ik me niet moest aanstellen: het gebouw stond hier al ruim honderd jaar, het moest wel stevig zijn. Evengoed hield ik me stevig vast aan de verweerde koperen leuning terwijl ik naar de eerste verdieping liep.

Ik kwam uit aan het begin van een lange gang. Kale plankenvloer. Deuren aan weerszijden. Dit moest ooit een gastenvleugel zijn geweest. Ik liet de lichtstraal over het plafond gaan, maar kon de lekkage niet vinden. Ik sloot mijn ogen en luisterde. Het leek uit de eerste kamer links te komen.

Ik probeerde de deur en die ging direct open. Ik stond in een schimmelige badkamer. De regen vond in een hoekje een weg naar binnen, stroomde een stukje langs het plafond en drupte daarna op de tegels. Er had zich een grote plas gevormd. Ik haalde mijn telefoon tevoorschijn en maakte een foto om aan Tomas te sturen. Toen keek ik de badkamer rond. Die was groot. Drie treden leidden naar een verhoging waarop ooit een bad moest hebben gestaan. Al het sanitair was verwijderd, maar aan de muren was te zien waar alles had gestaan en ik probeerde me de wastafel voor te stellen, de toilettafel, de kasten, de spiegel.

Ik ging terug naar de gang, benieuwd of de kamers ook niet op slot zaten. Ik probeerde alle deuren, maar geen ervan ging open. Ik probeerde mijn sleutel, maar die deed het niet. Ik zou makkelijk een slot kunnen openprutsen of een deur forceren, maar dat wilde ik niet. Tomas had trouwens toch al gezegd dat ze helemaal leeg waren gehaald.

Maar nu stond ik aan het einde van de gang voor een ruimte achter Franse deuren, met afbladderende verf. Ik scheen met mijn zaklamp naar binnen en zag boeken, kasten en kasten vol boeken. Ik probeerde de deur en die zat op slot. Ik rammelde aan de deur en die bewoog alarmerend gemakkelijk. Ik keek wat beter en zag dat de scharnieren aan één kant helemaal uit de deursponning hingen. Het enige wat de deur nog overeind hield was de tong van het slot. Voorzichtig trok ik de zijkant van de deur uit het kozijn, glipte erdoor en zette hem toen weer op zijn plaats.

Ik stond in een bibliotheek in een hoek van het gebouw. De dichtgespijkerde ramen besloegen twee wanden en ik stelde me voor hoe geweldig de ruimte eruit moest hebben gezien met zoveel daglicht en uitzicht op de bomen en tuinen. Wat een fantastische plek om te lezen.

De boekenplanken achter de glazen deuren stonden vol, en hier en daar stak een plastic kaartje tussen de boeken uit. Drie bureaus – eiken, zo te zien, met groenlederen inlegwerk – stonden in de ruimte, en op een ervan lag een dikke, modern uitziende klapper. Ik ging op het bureau zitten en pakte het op. Op een visitekaartje voorop de map stond: GERALD MAKEPEACE, BOEKHISTORICUS. BIBLIOTHEEK-, COLLECTIE- EN DOCUMENTTAXATIE.

Ik sloeg de map open. In grote hoofdletters stond op de eerste pagina: RAPPORT EN TAXATIE BIBLIOTHEEK HOTEL EVERGREEN FALLS. De datum op het rapport was maar vier maanden geleden. Toen ik het doorbladerde begreep ik dat de ontwikkelaar niet had geweten wat hij aanmoest met de uitgebreide bibliotheek toen hij het hotel kocht. De boeken verkopen of weggooien waren allebei geen optie, dus had hij de boekhistoricus in de arm genomen. Het rapport raadde de ontwikkelaar aan om de boeken te houden, als een belangrijke erfgoedcollectie, omdat die moeilijk te verkopen was en waardevoller was als een 'onderscheidend en integraal kenmerk van dit historische gebouw'. Wat volgde waren bladzijden vol kolommen met lijsten van de boeken en aantekeningen erover. De plastic kaartjes bleken een middel om bepaalde boeken te kunnen terugvinden nu de geschiedkundige ze had gereorganiseerd.

Ik bladerde een paar bladzijden door tot mijn oog op een tussenkop viel.

Gastenregisters.

Ik liet mijn vinger over de kolom glijden en mijn hart begon sneller te slaan. Alleen 1912 en 1924 ontbraken. Dat betekende dat 1926 er zou zijn – volgens de tabel in *onderla 5A*. Ik scheen met mijn zaklamp over de boeken, en toen naar beneden. Onder in elke boekenkast zaten diepe laden. De plastic kaartjes gaven aan welke de onderste van 5A was. Ik trok de la open en pakte het register.

Ik ging op mijn hurken zitten en sloeg het open. Met de hand stonden de namen van de gasten erin geschreven. De inkt was verbleekt en het handschrift was dicht opeen en klein. Het zou me mijn ogen kosten als ik dit bij het schijnsel van een zaklamp probeerde te lezen, dus deed ik iets wat misschien niet Tomas' bedoeling was geweest: ik stak het register van 1926 en het bibliotheekrapport onder mijn arm en nam ze mee naar huis.

Godzijdank bestaat er elektrisch licht. Ik zat tot diep in de nacht op de bank terwijl de regen boven mijn hoofd langzaam wegtrok, en las de lijsten met namen en data door – honderden en honderden namen. Aangezien het handschrift bijna niet te lezen was, ging mijn hoofd pijn doen en begonnen mijn ogen te tranen. Ik sloot mijn ogen en leunde mijn hoofd achterover, heel even maar.

Toen ik wakker werd regende het weer, was het licht nog aan in mijn zitkamer en had ik een stijve nek van de rare hoek waarin hij tijdens het slapen had gelegen. Het register was van mijn schoot op de vloer gegleden, waar het nu dichtgevallen lag. Ik had niet gemarkeerd tot waar ik was gekomen, dus ik vloekte zachtjes in mezelf.

Ik boog me voorover om het op te rapen, opende het precies in het midden en keek langs de namen om te zien of er bekende tussen zaten zodat ik niet alles opnieuw zou hoeven lezen.

Boven aan de bladzijde zag ik zijn naam staan.

De heer Samuel Honeychurch-Black.

SHB. Hij moest het zijn. Alsof het ter bevestiging bedoeld was stond er direct onder zijn naam: *Juffrouw Flora Honeychurch-Black.* Zijn zus, die hij genoemd had in zijn brieven. Ik kon mijn glimlach niet bedwingen – niet alleen had ik hem gevonden, ik wist ook in welke kamer hij had geslapen, want dat stond hier zwart op wit onder mijn ogen.

Maar het was al laat, en veel te nat om weer naar buiten te gaan. Ik plakte een Post-it op de bladzijde en ging naar bed. Ik stuurde Tomas een berichtje, dat hij een minuutje later al beantwoordde.

Goed gedaan! Nu moeten we haar nog vinden.

Haar. Samuel Honeychurch-Blacks minnares. Was zij ook een hotelgast? Ik had geen initialen, maar ik kon wel een lijst opstellen van de vrouwen die tegelijk met hem in het hotel hadden gelogeerd. Al die gedachten tuimelden door elkaar in mijn hoofd terwijl ik ging liggen om te slapen. Dat lukte me pas tegen de dageraad.

10

Omdat ik nog nooit een baan had gehad, had ik me ook nog nooit ziek gemeld. Ik kende het principe wel, had het vaak genoeg op tv gezien. Maar ik was er niet op voorbereid dat ik me zo schuldig zou voelen, ook al was ik echt ziek. Het slaapgebrek had me een bonkende hoofdpijn bezorgd en ik was echt niet opgewassen tegen nog zo'n middagdienst als gisteren.

Penny was lief en bezorgd en bood aan om me die avond eten te komen brengen, maar ik zei dat ze geen moeite hoefde te doen – ik was bang dat ik niet ziek genoeg zou lijken als ze kwam.

Nadat ik had gebeld ging ik nog een paar uur slapen, en zo gebeurde het dat ik om tien uur 's morgens nog in mijn pyjama lummelde en net overwoog om een kom muesli te pakken en die op te eten op de bank, toen er op mijn deur werd geklopt.

Ik zette het melkpak weg om de deur open te doen en hield mezelf voor dat ik er zwak en bleek moest uitzien voor het geval dat het Penny was.

'Pap!'

'Hallo, lieverd,' zei hij en hij omhelsde me. Er was niet veel vader: hij was slank en had smalle schouders, een volle kop grijs haar en een grijze baard die elke keer dat ik hem zag spichtiger werd. Hij droeg zijn vertrouwde bruine ribjasje en een broek die om hem heen slobberde.

Ik stapte opzij om hem binnen te laten. 'Mam had tegen je moeten zeggen dat je eerst moest bellen. Misschien was ik wel niet thuis.'

'Ze zei dat ze het aan je door zou geven. Kijk eens op je telefoon. Misschien heeft ze een bericht gestuurd.'

Mijn vader had fikse telefoonangst en ik wist al hoe het was gegaan. Het was mijn moeders *bedoeling* geweest dat hij me zou verrassen. Het was haar manier om me te controleren, om te achterhalen of ik dingen deed die ik niet zou moeten doen. Ze wist dat ik deze week 's morgens niet werkte, dus had ze tegen hem gezegd dat hij voor elf uur moest komen. Maar dat ging allemaal niet bewust. Ze dacht nooit aan privacy, vooral als het om mij ging. Ze had alleen een primitieve drang om mij te beschermen, en als dat betekende dat ze mijn vader onaangekondigd langs moest sturen om te checken of ik niet blowend op een ladder met messen stond te jongleren, dan deed ze dat.

'Ga zitten. Zal ik een kop koffie of thee voor je zetten?'

'Nee, alleen je gezelschap, lieverd. Hang daar niet zo. Kom bij me zitten. Ik moet je een paar dingen vertellen.'

Ik ging op de armleuning van de bank zitten met mijn voeten op de zitting en keek hem aan. 'Dat klinkt onheilspellend.'

Hij glimlachte en diepe lijnen doorkruisten zijn gezicht. Ik vond het fijn als mijn vader glimlachte, deels omdat hij dat tijdens die akelige jaren van Adams ziekte zo weinig deed. Ik heb hem ook bijna nooit zien huilen. Maar één keer, op de begrafenis, alsof al die jaren van verdriet er eindelijk uit mochten. De gedachte stak me onverwachts en ik liet me naast hem op de bank zakken om hem nog eens te omhelzen.

'Je ziet er goed uit,' zei hij. 'Het leven hier bevalt je goed, zeker?'

'Ik heb een baan,' zei ik. 'Dat is iets nieuws.'

Hij gaf een klopje op mijn knie. 'Wat fijn voor je.'

'Maar vandaag heb ik me ziek gemeld. Ik had een ellendige nacht en werd wakker met hoofdpijn.'

'Ik heb wel aspirines bij me, als je die wilt,' zei hij.

Ik wuifde zijn aanbod weg. 'Ik heb al iets genomen. Je zei dat je me een paar dingen moest vertellen. Voor de draad ermee.'

'Ah. Je hoeft niet bezorgd te zijn, want het is nu allemaal in orde.'

Ik fronste. 'Oké.'

'Maar ik heb wel even schrik gehad. Voor...' Hij schraapte zijn keel. 'Voor kanker.'

'O, pap!'

Zijn beide handen gingen omhoog. 'Geen zorgen, geen zorgen. De biopsie bleek schoon en... het is allemaal een beetje gênant. Je weet wel. In het afwateringssysteem.'

'Ik zal verder geen vragen stellen,' zei ik. 'Behalve deze: is echt alles goed met je?'

'Absoluut.'

'Mam was vast in alle staten.'

'Ze wist het niet.'

'Meen je dat nou?'

'Hoe kon ik het haar vertellen, Lauren? Ze zou gestorven zijn van angst. Je weet hoe ze is.'

'Zij kan er niets aan doen. Ze is zo geworden door Adams ziekte.'

Zijn lippen plooiden zich in een weemoedige glimlach. 'Eerlijk gezegd was ze altijd al een beetje zo, al zul jij je dat misschien niet herinneren. Ze had altijd ruzie met Adam. Ze vond dat hij zijn leven op een bepaalde manier moest inrichten, en hij was het daar niet altijd mee eens.'

'Maar ik kan niet geloven dat je het voor haar verborgen hebt gehouden. Dat moet nogal wat organisatie hebben gekost.'

'Ja, ik heb het allemaal buiten haar om geregeld. Specialisten, medische procedures, alles onder het mom van werk, conferenties enzovoort. Geloof me, ik zou met gemak een affaire kunnen hebben zonder dat zij het zou merken.' Hij lachte om zijn eigen grap, maar het was een bittere lach.

Ik legde mijn hand op zijn arm. 'Wat naar dat je er alleen doorheen moest. Je had het mij moeten vertellen.'

'Ik zou het jou nog *minder* snel vertellen, lieverd. Jij moet je eigen leven leiden. Ik besef heel goed dat je lang hebt moeten wachten op je vrijheid. En daarom... Je weet dat ik niet graag aan de telefoon praat. Ik kan niet tegen de stiltes. Je moeder luistert altijd mee. Ik wilde hiernaartoe komen en jou alleen spreken. Wanneer zijn wij ooit alleen geweest?'

Ik haalde mijn schouders op. 'Bijna nooit.' Toen Adam ziek was, had mijn vader altijd meer als bijwagen van mijn moeder gefunctioneerd dan als zelfstandig persoon. Vanaf mijn vijftiende had ik de herinneringen aan een vader zoals andere mensen die hebben niet meer. Ik had ze wel van toen ik jonger was – dat we samen boodschappen gingen doen, of dat hij me de tijd liet opnemen terwijl hij een heuvel bij ons huis op rende, of me beignetbeslag leerde maken, waar altijd flink wat bier in ging onder de theatrale waarschuwing dat ik het niet tegen mijn moeder mocht zeggen.

'Precies. Tijdens die onderzoeken, Lauren, toen ik het ergste vreesde, kreeg ik een inzicht. Als ik ziek zou worden en sterven zou je moeder je dwingen om terug te komen. Ze zou niet rusten tot je weer thuis was, en daarna zou je nooit meer weg kunnen. De gedachte teisterde me, bijna nog meer dan de angst voor mijn eigen dood. Mijn Lauren, die nu net pas, veel te laat, tot bloei begon te komen. Ze zou het je allemaal afpakken en ze zou zich niet eens realiseren dat ze iets verkeerd deed; en jij zou doen wat ze zei omdat je zo'n lieve meid bent. Zo'n lieve meid.' Hij boog zijn hoofd en kneep in zijn neusbrug, een gebaar dat me heel vertrouwd was. Toen ademde hij diep in, hief zijn hoofd op en ging verder. 'Beloof me dat je *nooit* weer naar huis gaat, wat er ook gebeurt.'

'Maar pap...'

'Je kunt natuurlijk op bezoek komen. Je bent altijd welkom, maar als je komt, logeer dan in een hotel. Ga niet weer in Tasmanië wonen en verhuis *nooit* meer terug naar dat huis van je moeder. Wat er ook gebeurt.'

Wat een merkwaardig gevoel had ik toen: ik werd vrijgelaten. Mijn verhuizing naar de Blue Mountains had altijd verboden gevoeld, als iets wat ik uit mijn systeem moest krijgen zodat ik daarna weer bij mijn moeder kon wonen. Maar nu, met mijn vaders zegen, leek de wereld plotseling lichter, groter.

'Dank je, pap,' zei ik met een kus op zijn wang. 'Dat beloof ik.'

'Goed. Nou, ik moet laat in de middag weg om mijn vlucht naar huis te halen, maar ik dacht dat we vandaag misschien op stap konden. Je kunt me Evergreen Falls laten zien.'

'O... dat voelt niet zo goed. Ik hoor eigenlijk ziek thuis zitten. Als Penny me ziet...'

'En als ik je nu eens meesmokkel in mijn huurauto, en we via de bergen teruggaan naar Leura?'

'Goed plan,' zei ik. 'Ik ga me even aankleden.'

Mijn vader zette me rond vier uur thuis af en reed door naar Sydney. Mijn hoofdpijn was weggetrokken en ik dook het oude gastenregister weer in om het verblijf van de Honeychurch-Blacks in Evergreen Spa in 1926 na te trekken. Tot mijn verrassing waren ze maandenlang gebleven. Bladzijde na bladzijde van het register bevatte hun namen, naast dezelfde kamernummers, en allemaal geschreven in hetzelfde dunne, scherpe handschrift. Samuel en Flora. Het register gaf verder geen informatie, dus pakte ik de telefoon.

Googelen op Samuel en Flora leverde niets op, maar de familie Honeychurch-Black vond ik wel. Oud, oud, oud geld. Op een bepaald moment bezaten ze zo veel land in New South Wales dat ze zichzelf wel tot koningshuis hadden kunnen uitroepen. Er waren nog altijd Honeychurch-Blacks in Australië en ze waren nog altijd heel erg rijk. Terwijl ik een paar namen opschreef bliepte mijn telefoon. Een berichtje van Penny.

Kom eraan met kliekjes. Ik accepteer geen nee.

Ik glimlachte. Mijn maag rammelde. Ik hoopte dat ze bananenbrood had.

'Hé, ziek vogeltje,' zei Penny toen ik tien minuten later de deur voor haar opendeed. 'Ik heb tabouleh, een broodje kalkoen met cranberry's en bananenbrood voor je.'

Ik nam de plastic tas van haar aan. 'Dank je wel. Wil je binnenkomen?'

'Nee, ik ben op weg naar de sportschool. Maar...' Ze haalde een stukje papier uit haar zak, een velletje uit een bestelblokje van op het werk. 'Er is vandaag een meisje voor je geweest. Dat meisje achter wie je een keer aan bent gerend. Ze vroeg of ik je dit wilde doorgeven.'

Ik vouwde het open. Het was het blaadje waarop ik Adams naam had geschreven, en eronder stonden de woorden *Drew Amherst* en een telefoonnummer in Engeland. 'O, geweldig. Dank je.' Zij was het. Zij was dé Drew die de foto aan Adam had gegeven.

'Voel je je al beter?'

'Ja. De hoofdpijn is weg. Sorry dat ik je zo in de steek heb gelaten.'

'Geen probleem. Susie heeft je dienst overgenomen. Het was trouwens toch best rustig.' Penny gaf me een snelle kus op de wang. 'Zie ik je morgen, dan?'

'Absoluut.'

Ik deed de deur achter haar dicht en bracht het eten naar de keuken. De salade en het broodje gingen de koelkast in voor later, maar ik knabbelde aan het bananenbrood terwijl ik thee zette. Mijn telefoon zei dat het in Londen een fatsoenlijk tijdstip in de ochtend was, dus kon ik Drew Amherst best bellen. Ik toetste het nummer in en wachtte, terwijl ik mijn wiebelende benen stil probeerde te houden.

'Hallo?' Een zachte, lieve stem.

'Hallo, kan ik Drew even spreken?'

'Daar spreekt u mee.'

'Drew, met Lauren Beck. Ik bel uit Australië. Ik geloof dat je nichtje het al over me heeft gehad.'

'Ah, ja. Ze zei dat je Adams zusje was? Klopt dat? Ik heb Adam al eeuwen niet gezien. Hoe is het met hem?'

'Hij is... eh... Adam is vorig jaar overleden.' Ik stond op en begon rond te lopen.

Een geschokte stilte. Toen zei ze: 'Wat naar om te horen. Was het een ongeluk?'

'Nee, een ziekte. Hij was heel lang ziek. En nu heb ik zijn boeken geërfd en in een ervan heb ik een foto van hem gevonden, die hier in de Blue Mountains is genomen. Jij hebt iets op de achterkant geschreven. Ik weet niets over zijn tijd hier en vroeg me af of jij er wel iets van weet.'

'Nee, het spijt me. Ik kende Adam niet zo goed. We hebben hier één waanzinnige zomer gehad, met een man of zeven. We logeerden allemaal in het huis van mijn opa. Opa zat in Perth en iedereen kwam zomaar aanwaaien, sliep op de vloer, je weet wel. We waren helemaal losgeslagen, aten alleen maar tosti's en gingen elke middag uren zwemmen bij de watervallen. Het was een waanzinnige tijd, maar toen kwam opa terug en kreeg ik werk in Sydney en daarna heb ik al die mensen eigenlijk niet meer gezien.'

Ik bleef stilstaan voor de koelkast, voor de foto. Misschien bedoelde mijn moeder dat met 'vreemde' mensen. 'Er staat nog een jongen bij hem op de foto. Achterop staat dat hij Frogsy heet.'

'Ja, die herinner ik me nog. Zo heette hij niet echt. Wat was zijn naam ook weer? Sorry, mijn geheugen is niet zo goed. Hij had een Franse naam en daarom noemden we hem Frogsy. Hij en je broer waren onafscheidelijk. Ik durf te wedden dat hij betere herinneringen met je kan delen, als je hem vindt.'

Frans. Moest ik nu het telefoonboek doorlezen op zoek naar alle Franse achternamen die ik kon vinden?

'Anton!' zei ze plotseling. 'Anton-iets-met-een-F. Fourtier, misschien? Als je me je telefoonnummer geeft kan ik mijn gedachten er een paar dagen over laten gaan. Misschien komt het weer bij me boven.'

Ik had het telefoonboek al open bij de F, en mijn vinger gleed over de bladzijde. 'Fournier?' vroeg ik. *A. G. Fournier. Fallview Road 78.*

'Ja, dat is het,' zei ze. 'Goed gevonden. Anton Fournier. Frogsy. Hij en Adam deden alles samen.'

'Ik heb het telefoonboek hier voor me. Hij woont nog steeds in Evergreen Falls.'

'Bel je daarvandaan? Evergreen Falls?'

'Ja. Ik ben hiernaartoe gegaan omdat... het de laatste plek is waar Adam gelukkig is geweest voor hij ziek werd.'

Haar stem klonk vriendelijk. 'Nou, als je Frogsy kunt vinden, zal hij je zeker kunnen vertellen wat je broer zo gelukkig heeft gemaakt.'

Ik bedankte haar en hing op, en belde daarna meteen Anton Fournier. De telefoon bleef eindeloos overgaan, tot lang nadat een antwoordapparaat had kunnen opnemen. Uiteindelijk gaf ik het op en nam me voor om het morgen nog eens te proberen.

De volgende dag na het werk, met mijn vuile schort in mijn tas gepropt, ging ik de westvleugel binnen en liep dapper de twee trappen op naar de kamer waar Samuel Honeychurch-Black ooit had gelogeerd. De deur zat op slot, dus rammelde ik er eens stevig aan. Hij was oud en hing half los, maar ik was niet sterk genoeg om hem open te trekken. Maar daarom had ik dan ook een schroevendraaier van thuis meegenomen.

Ik hield mijn zaklamp tussen mijn tanden en voelde me net een spion terwijl ik neerhurkte om de schroevendraaier in het sleutelgat te steken. Ik wist niet precies wat ik nu moest doen, maar ik wrikte hem met al mijn kracht heen en weer, en tot mijn schrik plofte de deurklink ineens op de grond en rolde een stukje over de houten vloer.

Nu hoefde ik alleen nog de schroevendraaier op de plek te steken waar de deurklink had gezeten, de tong van het slot een duwtje te geven en... *klik*. De deur was open. Ik besefte dat ik van binnensluipen was overgegaan op dingen stelen en dingen kapotmaken, en het verraste me dat ik er zo weinig schuldgevoel over had. Terwijl ik de kamer binnen stapte, bedacht ik dat het maar goed was dat Tomas ver weg in Denemarken zat, zodat hij niet medeplichtig zou zijn als iemand me betrapte.

Natuurlijk besefte ik dat het geen zin had om hier te komen zodra ik in de kamer stond. Er waren vele tientallen jaren verstreken; alle meubels waren uit de kamer gehaald en nu was het precies zo'n lege kamer als alle andere. Ik liep voorzichtig over de plankenvloer naar de andere kant van de kamer en voelde met de punten van mijn sneakers of er losse planken waren waar liefdesbrieven onder konden liggen. Ik ging met mijn zaklantaarn en mijn vingers over de raamkozijnen, op zoek naar gekraste initialen en hartjes. Ik zag een loshangend stukje behang en trok het eraf, op zoek naar op de muur gekrabbelde liefdesbetuigingen. Ik ging zelfs met mijn ogen dicht midden in de kamer staan en probeerde de geheimen uit de muren te *denken*, maar natuurlijk leverde dat ook niets op.

Ik voelde me ontgoocheld en een beetje dwaas, en daarbovenop nog schuldig omdat ik zonder goede reden het slot kapot had gemaakt. Ik deed de deur achter me dicht, ging de trap af en liep naar buiten, de zachte avondlucht in. Het was gaan waaien en de wind suisde door de dennenbomen. Zo te ruiken kwam er weer regen aan en de lucht was koud. Ik stak mijn handen in mijn zakken voor de warmte en liep naar huis om het register nog eens door te kijken. Ik probeerde me niet af te vragen waarom ik per se wilde weten wie de minnares van Samuel Honeychurch-Black was. Leefde ik indirect via hen? Voor mij had niemand ooit zoiets gevoeld als de krankzinnige passie die uit die brieven sprak, en ik wilde weten wat voor soort vrouw zulke gevoelens opriep. Zou Tomas ooit zoiets voor mij kunnen voelen? Ik kon het me niet voorstellen. Hij had geen liefdesbrieven gestuurd, al hadden we een paar lange gesprekken over de app gehad. Hij belde me zelden op, en ik vroeg me bezorgd af of mijn conversatie hem soms niet kon boeien. Maar toen bedacht ik weer dat hij een groot deel van zijn tijd naast het ziekenhuisbed van zijn ex-vrouw zat en waarschijnlijk niet wilde dat iemand meeluisterde.

Tomas bewees mijn ongelijk door me precies te bellen toen ik naar bed ging, en ik vertelde hem alles (behalve het openbreken van het slot) over mijn zinloze bezoekje aan Samuels kamer.

'Zijn er voor de hand liggende kandidaten voor de geliefde?' vroeg hij.

Ik trok mijn schrijfblok naar me toe om mijn aantekeningen te raadplegen. 'Er waren heel veel andere gasten op dat moment, maar slechts een handjevol vrouwen bleef er de hele winter, net zoals hij. Ik heb ze nagetrokken. Lady Powell was er, met haar man. Ze is een bekende schrijfster en ze was destijds in de zestig, dus ik kan me niet echt voorstellen dat ze een vurige affaire had met Samuel Honeychurch-Black.'

'Je weet het nooit. Onderschat die grijze cougars niet.'

'Dat doe ik niet. Alleen schrijft Samuel in een van die brieven dat zijn zus denkt dat hij "veel te jong" is om te weten wat liefde is. Daarom denk ik dat hij nog een tiener was, of voor in de twintig. Dat past niet echt. Dat geldt ook voor de operazangeres, Cordelia Wright, die volgens Wikipedia in 1868 geboren is. Miss Sydney is er ook, maar hij noemt haar in de derde persoon in zijn brieven, dus ze kunnen niet aan haar gericht zijn. Dan is er nog zijn zus. Zij was het duidelijk niet. De andere gasten die de hele winter bleven waren mannen, en... je hebt de anatomisch correcte beschrijvingen van wat ze deden zelf gelezen. Zijn geliefde was geen man.'

'Niet eens een man met rozige tepels,' grapte Tomas.

'Het had iemand kunnen zijn die er niet de hele winter was, maar dat is onwaarschijnlijk. Ze hadden tijd nodig om verliefd te worden. Zoals ik het begrijp doken de mensen in de jaren twintig niet zo makkelijk met elkaar het bed in als...' Ik viel stil, een beetje ongemakkelijk.

Tomas leek het niet te merken. 'Misschien was ze geen gast. Misschien was hun liefde daarom verboden. Misschien was hij verliefd op iemand van het personeel. Zijn er personeelsgegevens in de bibliotheek?'

Ik loerde naar de map op het aanrecht. 'Misschien. Daar moet ik het bibliotheekrapport voor doornemen.' Ik geeuwde. 'Ik weet nog dat ik vroeger klaagde dat ik 's avonds niet genoeg te doen had.'

'Ik laat je naar bed gaan.'

'Wacht. Hoe gaat het met Sabrina?'

'Geen veranderingen.'

Ik wist niet wat ik moest zeggen, dus zei ik: 'Wat erg.' Toen herinnerde ik me wat Lizzie had gezegd en voegde eraan toe: 'Je bent een goed mens. Niet veel mannen zouden doen wat jij doet.'

'Wat aardig dat je dat zegt, Lauren. Ik heb mijn redenen om hier te zijn, en voor mij zijn die logisch. Ik kan me niet druk maken over wat anderen ervan vinden.'

Ik wilde hem naar die redenen vragen, maar ik wilde niet opdringerig of jaloers klinken. Dus wensten we elkaar goedenacht en ging ik naar bed, het bibliotheekrapport meenemend.

Het ging pagina's lang door, en ik zag nergens iets over personeelsgegevens. Ik werd steeds gefrustreerder, tot mijn oog op een vette kop boven aan de bladzijde viel. *Kaartencollectie Honeychurch-Black*.

Ik liet mijn vingers over de bladzijde gaan. Flora Honeychurch-Black had blijkbaar in 1926 een collectie van twintig folioboeken en kaarten in de bibliotheek ondergebracht, als geschenk aan de Evergreen Spa. Kaarten?

Ik kon niet wachten tot ik weer in de bibliotheek was om ze te bekijken.

Ik belde Anton Fourniers nummer zo vaak dat ik het uiteindelijk uit mijn hoofd kende. Hij nam nooit op en ik begon me af te vragen of hij soms weg was. Fallview Road lag maar twee straten bij me vandaan, dus de volgende middag na het werk liep ik erheen.

Zijn huis lag een flink eind van de weg af en was een hoog pronkstuk van glas en hout. De ligging zei me dat Anton Fournier een onbelemmerd uitzicht op de watervallen, de kliffen en de vallei had, en dat hij waarschijnlijk veel geld had.

Ik weet niet precies waarom ik besloot aan te kloppen, maar misschien kwam het door de twee gevlekte whippets die achter het huis vandaan kwamen om vrolijk in de voortuin te gaan spelen, waaruit ik opmaakte dat er iemand thuis was.

De honden sprongen tegen me op, vrolijk blaffend, en hij deed de deur al open voor ik aan kon bellen.

'Kan ik je helpen?' vroeg hij. Ik herkende hem van de foto, de fraaie lijn van zijn neus. Hij had een paar strepen grijs in zijn donkere haar en stond zijn handen af te vegen aan een theedoek. De honden blaften zo hard dat ze mijn eerste poging om iets te zeggen overstemden en hij riep: 'Romeo, Juliet, af!'

De honden gingen liggen, een beetje beschaamd.

'Sorry dat ik zomaar langskom,' zei ik terwijl ik de drie treden naar de veranda op liep. 'Ik heb geprobeerd om te bellen, maar...'

'Naar de vaste lijn? Die heb ik al eeuwen niet gebruikt. Sorry, wie ben je?'

'Ik heet Lauren. Drew Amherst heeft me je naam gegeven. Je hebt Adam gekend. Adam Beck.'

Zijn gezicht werd zachter en zijn wenkbrauwen trokken bijna onmerkbaar samen. 'Adam? Dat is een naam die ik al... Hij is gestorven, klopt dat?'

'Ja, vorig jaar.'

Hij ademde zachtjes uit.

'Ik ben Adams zus en ik...'

'Wacht. Jij bent zijn zus?'

'Ja, en...'

Zijn hele houding veranderde. Zijn bruine ogen werden hard en zijn lichaam verstrakte. 'Ik heb niets te zeggen tegen jou of iemand uit jouw familie.'

'Pardon?'

'Ga weg. Ga mijn tuin uit.' Hij trok zich terug in het huis. 'Ga weg. Weg.' Toen sloeg hij de deur dicht en liet me achter op de veranda, waar ik me stond af te vragen wat er in hemelsnaam net gebeurd was.

11

Die nacht was er door de vorst rijp ontstaan, die de afgevallen bladeren zilver kleurde en het gras deed glinsteren. Violet liep voorzichtig naar het postkantoor. Haar adem dampte in de koude ochtendlucht en ze probeerde steeds in de vlekken zonlicht te blijven die over de weg verspreid lagen. Haar ogen voelden droog van het slaapgebrek. Sam had haar om vier uur 's nachts wakker gemaakt en gezegd dat ze naar haar eigen kamer terug moest, maar ze was te onrustig om te kunnen slapen. Steeds opnieuw speelde ze hun samenzijn in haar verbeelding af. Wat verlangde ze ernaar om het nog eens te doen. De tijd tussen nu en het moment waarop ze hem misschien weer zou zien, zou vasthouden, leek eindeloos lang.

Het postkantoor was een klein, stenen gebouw aan de hoofdstraat en Violet ging in de rij staan om haar moeder braaf een korte brief en wat geld te sturen. Het verbaasde haar dat ze nog niets van mama had gehoord en hoopte maar dat haar eigen brieven goed aankwamen. Ze hoopte ook dat mama haar niet thuis verwachtte voor de winter.

'Koud vanochtend, hè?' zei de zilverharige vrouw achter de balie, terwijl ze naar Violets sjaal keek. 'Je zult binnenkort wel iets warmers nodig hebben. Je eerste winter hier, zeker?'

'Ja. Dit is de dikste sjaal die ik heb.'

'Dan mag je wel gaan breien, lieverd. Ze zeggen dat het een van de koudste winters wordt die ooit gemeten zijn.'

Violet werd opgewonden. 'Gaat het sneeuwen?'

'Bijna zeker. Vorig jaar hadden we alleen ijzel. We zijn wel toe aan een flinke portie sneeuw.' De vrouw gaf Violet haar wisselgeld voor de postzegels en Violet knipte haar portemonnee dicht en ging de straat op.

Ze had een nieuwe jas nodig. Een nieuwe sjaal. Handschoenen. Een hoed. Ze controleerde haar spaargeld en herzag haar verlanglijstje. Haar oude jas was niet mooi, maar zou warm genoeg zijn; en niets ter wereld was warmer dan haar met bont gevoerde cloche. Maar ze kon absoluut niet zonder sjaal en handschoenen. Misschien zelfs laarzen. Ze liep de hoofdstraat door en ging winkel in, winkel uit om overal rond te kijken, te dagdromen en een beetje geld uit te geven. Overal hadden de mensen het over de vorst, over de plotselinge kou na het ongewoon warme begin van de winter, over hoe vaak en hoe dicht het had gesneeuwd toen de omstandigheden de vorige keer zo waren geweest in juli. Violet had nog nooit sneeuw gezien en haar hart werd warm bij de gedachte dat ze deze hele winter een goede baan in een besneeuwd dorp zou hebben, met Sam om haar warm te houden. Ze kon zich niet herinneren dat ze ooit zo gelukkig was geweest. Ze kocht laarzen, al kon ze zich die nauwelijks veroorloven. Misschien zouden Sam en zij de volgende winter al getrouwd zijn. Dan kon ze zoveel nieuwe laarzen kopen als ze wilde. Schuldbewust duwde ze de gedachte weg.

Toen ze terugkwam op haar kamer vond ze een brief die Sam onder haar kussen had achtergelaten. Ze vouwde hem gretig open en las hem met gloeiende wangen. Hij beschreef tot in detail wat hij die nacht allemaal met haar had gedaan, en wat hij vannacht met haar ging doen als ze naar hem toe kwam – één uur 's nachts was de afgesproken tijd – en sprak een liefde voor haar uit die zwaarder woog dan de maan. Violet vouwde de brief zorgvuldig op, stak hem weer in de envelop en deed die achter in haar grammofoon. Ze kon zich het schandaal al voorstellen als Myrtle hem per ongeluk las.

Op een of andere manier wist ze, ondanks haar vermoeidheid, haar diensten door te komen. Sams zus was bij het diner, maar Sam niet. Violet vond het niet erg. Ze zou hem gauw weer voor zichzelf alleen hebben. Ze liet zich om tien uur in bed vallen en beloofde zichzelf dat ze om één uur wakker zou worden.

Om twee uur schrok ze wakker, kleedde zich aan in stille paniek en rende naar boven om hem te zien.

Hij zat op het bed toen ze de deur opende. Die zoete geur die ze met hem was gaan associëren vulde de kamer. Hij trok aan een lange, zilveren pijp.

Violet sloot de deur snel achter zich.

Sam blies de rook uit, langzaam. Zijn ogen waren halfdicht. 'Ik heb gewacht,' zei hij met dikke stem. 'Zolang als ik kon.'

'Het spijt me zo,' zei ze. 'Ik was nog moe van gisteravond, van een dag werken. Ik heb te lang geslapen.' Ze liet zich naast hem neerzakken en zijn vrije hand ging naar haar jurk om die open te knopen.

'Is dat tabak, wat ik ruik?' vroeg ze.

'Trek alles uit, behalve je onderbroek,' zei hij.

'Het is wel heel zoete tabak.' Ze liet haar jurk over haar hoofd glijden en trok haar onderhemd uit.

'Ga liggen,' zei hij, terwijl hij een laatste trek van zijn pijp nam en hem weglegde.

Haar huid sidderde. Hij bleef volledig aangekleed, zijn ogen dromerig en ver weg. Hij nam haar polsen en legde haar armen boven haar hoofd op het kussen, ging toen bij haar oksel liggen, met zijn gezicht tegen haar linkerborst genesteld. Zijn warme adem op haar naakte huid was bedwelmend. Zijn luie vingers gingen langzaam over haar tepels heen en weer, verloren in een eigen ritme. Hij kuste de zijkant van haar borst en zijn adem werd zo traag dat ze gedacht zou hebben dat hij sliep als zijn hand niet had bewogen, elke ronding en piek van haar borsten strelend. Ze probeerde zich naar hem toe te rollen om hem in haar armen te nemen, maar hij duwde haar terug, hield haar armen stevig vast boven haar hoofd en ging met zijn mond over haar borsten. Ze dacht dat ze zou doodgaan van genot.

'Trek je kleren uit,' hijgde ze.

'Daar ben ik te moe voor,' zei hij terwijl zijn hand naar de zoom van haar onderbroek kroop. 'Moe van achter de draak aan jagen.' Hij liet zijn vingers in haar ondergoed glijden en ze sloot haar ogen terwijl hij haar streelde en wreef tot hij haar tot een hoogtepunt bracht, met zijn mond op de hare gedrukt om haar kreten van genot te stillen.

Na afloop lag ze stilletjes naar hem te kijken van onder haar half-geloken oogleden terwijl hij bij haar weg rolde en nog een pijp klaar-maakte. Tijdens het roken zakte hij steeds dieper weg in een wazige apathie. Violet wist dat het geen tabak was, en ze wist nu ook wat hij bedoelde met het najagen van de draak en het vereren van de papa-vergod. Wat moest ze doen? Moest ze vragen of zij ook wat mocht? Ze wilde niet dat hij haar laf zou vinden.

'Mag ik het ook eens proberen?' vroeg ze, aarzelend, maar hij schudde zijn hoofd al voordat haar zin af was.

'Nee. Nooit.'

'Waarom niet?'

Hij rolde zich op zijn zij naar haar toe, met glazige ogen, en zei met een klein stemmetje: 'Het maakt me kapot.'

'Waarom rook je het dan?'

'Omdat ik ervan hou. Ik stop nooit met iets waarvan ik hou.'

Ze lagen lange tijd knie tegen knie, voorhoofd tegen voorhoofd. Ze had gedacht dat opiumrokers vuile mensen waren, of leden van straatbendes, geen engelen met felle ogen zoals Sam. Een klein slier-tje bezorgdheid, als het uiteinde van een losse draad, was in haar buik opgekomen, maar ze besloot het te negeren uit angst dat het dit volkomen volmaakte moment zou bederven. De zoete geur en het geluid van zijn ademhaling kalmeerden haar en ze was al bijna in slaap gevallen toen hij zei: 'Je moet hier niet slapen, Violet.'

Ze ging overeind zitten. 'Waarom niet?'

'Omdat we op een dag zullen vergeten om wakker te worden en dan worden we betrapt. Mijn zus... zou ons geluk kapotmaken.'

'Zou ze dat doen?' Flora Honeychurch-Black had Violet altijd een vriendelijke vrouw geleken.

'Ze zal mijn vader leugens over je vertellen. Alles om ons uit elkaar te drijven. Ik ben een volwassen man en ik kan zelf wel uitmaken bij wie ik wil zijn, maar zij kan het idee niet verdragen dat ik gelukkig ben.' Zijn wenkbrauwen fronsten en zijn woorden ratelden met felle passie uit zijn mond. 'Ze zal me dat geluk afnemen. Ze zal zeggen dat je een dief of een prostituee bent en vader zal me niet toestaan bij je te zijn.'

Violet werd kwaad bij het idee dat ze een dief of prostituee genoemd zou worden.

'Daarom moeten we onze liefde geheimhouden voor haar, begrijp je? Tot ik vader ervan kan overtuigen dat jij en ik voor elkaar bestemd zijn. Dan...' Nu werd zijn voorhoofd weer glad en de dromerige blik kwam weer terug in zijn ogen. 'Dan zullen we elke dag tot drie uur in bed liggen. Bedienden brengen ons mandjes fruit om elkaar te voeren en er zal altijd ergens een orkest staan te spelen.' Hij bewoog zijn vingers alsof hij een deuntje speelde. 'Maar tot die dag moet het lijken alsof ik me gedraag.'

Violet kuste hem. 'Ik hou van je.'

'En ik van jou. Dat is het enige wat ertoe doet.'

Na vier nachten achter elkaar naar Sam gaan was Violet vermoeider dan ze voor mogelijk had gehouden. Haar onderbroken slaap eiste zijn tol: ze werd onhandig en snel geïrriteerd, vergeetachtig en traag. Hansel schreeuwde op woensdagavond twee keer tegen haar, en toen ze daarna weer een bestelling door de war haalde nam hij voor het eerst de strafmaatregel dat zij moest afwassen.

Toen het andere bedienend personeel allang naar bed was gegaan stond zij nog borden af te wassen en op te stapelen in de galmende keuken, terwijl het keukenhulpje achter haar op de trap een appel zat te eten. Eindelijk kwam Hansel naar haar toe en zei dat ze mocht gaan. Ze veegde haar ruwe handen af aan haar schort en liep de keuken door.

Juffrouw Zander versperde haar de weg.

'O,' zei Violet.

'Hansel zei dat hij problemen met je heeft.' Ze nam Violets kin in haar zachte, elegante hand en draaide hem van links naar rechts. 'Je ziet bleek en moe. Ben je ziek?'

'Ik... eh... Ik voel me de laatste tijd niet zo best.' Behalve tussen één en drie uur 's nachts, als de hele wereld sliep en zij en Sam elkaar uitkleedden en pijnlijk zoet de liefde bedreven.

Juffrouw Zander liet haar hand vallen, nam Violet bij de elleboog en trok haar tegen haar zij. 'Hansel! Dit is onacceptabel. Het meisje is niet lui, ze is ziek. Ze moet de rest van de week vrij hebben.'

Hansel zei iets in het Duits wat juffrouw Zander wegwuifde. 'Ik wil weer wat kleur op je wangen zien,' zei ze tegen Violet. 'Ga naar bed en *blijf* daar. Begrepen?'

Blijf daar. Maar Sam verwachtte haar om één uur.

Sam, die de hele dag kon slapen als hij wilde. Ze was gewoon te uitgeput. Als ze niet kwam, zou hij zijn pijp roken en wegdrijven in die dromerige wereld waar hij zoveel van hield. 'Ja, juffrouw Zander,' zei ze. 'Dat zal ik doen.'

Later die nacht, diep in het donker, werd Violet wakker van een warme adem op haar gezicht. Sams hand lag al op haar mond zodat ze niet kon schreeuwen en Myrtle wakker maken, die gewoon doorsliep in het bed aan de andere kant van de kamer.

Zijn lippen gingen naar haar oor. 'Je bent niet gekomen.'

'Ik ben uitgeput,' fluisterde ze tussen zijn vingers door.

Hij liet zich onder de dekens glijden, trok haar nachtpon omhoog en rolde haar op haar zij. Zonder enige voorbereiding of waarschuwing glipte hij uit zijn broek en drong in haar, met zijn hand nog op haar mond. Haar hart klopte als een bezetene. Het was opwindend en gênant tegelijk. Als Myrtle wakker werd, zou Violet het besterven van schaamte. Maar Sam was snel klaar en zonder een woord te zeggen kuste hij haar wang en ging weg. Violet lag nog lang naar het donkere plafond te staren voor ze eindelijk weer in slaap viel.

De brief kwam de volgende ochtend. Myrtle bracht hem Violet op bed, samen met een kop thee en een handvol aardbeien.

'Post voor je,' zei Myrtle met een lieve glimlach. Ze liet op geen enkele manier merken of ze wist dat Sam in het holst van de nacht in hun kamer was geweest, maar toch vond Violet het moeilijk om haar recht in de ogen te kijken. In plaats daarvan concentreerde ze zich op de envelop, op het handschrift dat ze direct herkende. De brief kwam van haar moeder.

'Goed,' zei Myrtle, terwijl ze op de rand van het bed ging zitten. 'Ik moet je iets vragen. Ik wil dat je eerlijk antwoord geeft, maar ik beloof dat ik niemand iets zal vertellen.'

Violet hield haar adem in.

'Heeft juffrouw Zander je gevraagd om deze winter door te werken?'
Ze knikte en liet haar adem los.

Myrtle trok haar mond tot een streep. 'Ik weet dat het niet jouw schuld is, Violet, maar het is erg oneerlijk. Ze heeft mij niet gevraagd en een heleboel anderen die hier al jaren werken ook niet. Ze trekt jou voor.'

'O ja?' Violet beet in haar eerste aardbei. Hij was zoet en sappig.

'Ze is heel moeilijk tevreden te stellen, ze maakt zoveel mensen het leven zuur. Maar...' Myrtle zwaaide met haar hand om aan te geven dat Violet in bed lag in plaats van de ochtenddienst te draaien. 'Ze geeft jou een halve week vrij!'

'Ik ben ziek.' Haar schuldgevoel stak haar, maar het was waar dat ze rust nodig had.

Myrtle snoof. 'Niet echt. Ik heb je niet eens horen niezen, laat staan eens goed horen overgeven.'

'Ik weet ook niet waarom ze me graag mag.'

'Omdat je knap bent. Juffrouw Zander is altijd dol geweest op knappe meisjes.' Myrtle schudde haar hoofd. 'Goed. Ik kan niets veranderen aan de manier waarop ik geschapen ben. Maar ik werk hard en ik had het geld deze winter goed kunnen gebruiken.'

'Het spijt me,' zei Violet. En het speet haar ook echt: Myrtle was een lieve vriendin geweest.

Myrtle klopte door de dekens heen op haar knieën. 'Zoals ik al zei, het is niet jouw schuld. Geniet van je aardbeien. Ze zijn vanochtend met de berglift gekomen. Ik heb ze gejat voordat de Oostenrijker ze kon snijden en suikeren. Ik heb ze altijd het lekkerst gevonden op de manier waarop de natuur ze heeft bedoeld.'

Myrtle vertrok en deed de deur achter zich dicht. Violet richtte zich op haar brief.

Lieve Violet,

Je moet naar huis komen. Mijn vingers zijn te traag geworden, zoals ik altijd al heb voorzien, en de Ramseys zeggen dat er geen werk meer voor me is. Ik heb ze gezegd dat jij voor de winter net

een goedbetaalde baan in de bergen aangeboden hebt gekregen, dus
hebben ze beloofd me tot eind augustus aan te houden, maar
daarna, lieverd, moet je terugkomen naar Sydney. Het leven is heel
oneerlijk, dat weet ik, maar ik kan het alleen ronduit aan je
schrijven. Het is tijd dat je me geeft wat ik jou heb gegeven
– helemaal alleen, zonder steun van een echtgenoot – in de eerste
veertien jaar van je leven: een plek om te wonen en eten op mijn
bord.

Lieverd, ik zou werken als ik kon, maar mijn handen zijn
keiharde knopen geworden. Het zijn dezelfde handen die jou
's avonds in slaap susten toen jij klein was. Ik weet dat dat iets voor
je betekent, want je hebt een goed hart.

Liefs,
Je moeder

Met trillende handen legde Violet de brief weg. Ze wilde niet terug
naar Sydney om met haar moeder een sjofel flatje te huren. Ze wilde
niet weg van haar baan hier in de bergen, in een verfijnd hotel met
nog verfijndere gasten. Ze wilde niet weg bij Sam.

Ze haalde diep adem en vocht tegen haar tranen. Sam zou haar
redden. Ze moest terugdenken aan de fantasie die Sam had opgeroepen – bedienden met mandjes fruit en een orkest – en probeerde zich
voor te stellen waar haar moeder in dat plaatje paste. Ze moest Sam
ronduit vragen zijn bedoelingen met haar duidelijk te maken. Als hij
echt van haar hield, als hij echt tegen zijn vader ging zeggen dat hij
voor haar had gekozen, met haar ging trouwen, dan zou alles goed
zijn. Maar dat moest dan allemaal voor eind augustus gebeuren en ze
vroeg zich af hoe moeilijk zijn vader te overtuigen zou zijn.

Het raam van Flora's slaapkamer – waar ze een groot deel van haar
tijd doorbracht, opgekruld in een stoel, met een opengeslagen maar
ongelezen boek op schoot – keek uit over de blauwe nevelen en bewegende schaduwen van de groene vallei en de met sedimentlijnen
doorsneden kliffen. Vanuit het zijraam kon ze de tennisbaan zien en

deze ochtend zag ze Tony, Karl, Sweetie en Vincent een dubbelwedstrijd spelen. Harry was deze week naar Sydney gegaan en Karl, de Zwitserse medisch functionaris van het hotel, had maar al te graag zijn plek in Tony's gevolg overgenomen. Tony had een bepaalde macht over andere mannen, een macht die Flora nooit precies begreep maar beschouwde als iets wat je moest waarderen. Een leider. Een man om te bewonderen.

Ze stond nog beurtelings naar het uitzicht en het tennis te kijken toen een van de piccolo's in volle vaart de tennisbaan op rende en het spel onderbrak. Tony berispte hem – ze kon hem niet verstaan, maar zijn handbewegingen waren duidelijk genoeg – maar de piccolo sloeg er geen acht op en greep Karl bij de hand, met zichtbare spanning in zijn lijf. Ook Karl was ineens gespannen en ze haastten zich samen de tennisbaan af. Flora fronste haar wenkbrauwen. De schrik sloeg haar om het hart. Sam?

Ze rende naar haar deur en trok die open, net op tijd om stampende voetstappen op de trap naar de mannenverdieping te horen. Ze ging snel achter hen aan en bleef aan het einde van de gang stilstaan. Links en rechts gingen deuren open en kwamen mannen naar buiten om de commotie te aanschouwen, en daar stond Sam, levend en wel, in zijn deuropening met zijn rug naar haar toe naar de badkamer aan het einde van de gang te kijken, waar Karl net naar binnen was gegaan. Flora riep hem niet, wilde geen aandacht trekken tussen zoveel mannen, sommige alleen gekleed in onderhemd en lange onderbroek. Ze liep de trap weer af en haar hartslag hernam zijn normale ritme. Haar gezicht voelde warm, dus in plaats van weer naar haar kamer te gaan daalde ze de trap af en liep door de foyer naar de voordeur. Buiten wandelde ze tussen de dennenbomen om de koude lucht haar bloed te laten verkoelen.

Want op een dag zou het Sam zijn, nietwaar?

Nee, dat was allerminst zeker. Hij rookte nog altijd opium, maar niet zo veel. Daar was ze tamelijk zeker van. Ze stak het gazon over en ging op een stenen bankje in een rozenperk zitten. Het zwakke namiddaglicht speelde over de kale eikentakken. Het was koud; te koud om buiten te zijn. Maar toch bleef ze zitten, want ze wilde niet terug naar het hotel waar zich een of ander vreselijk drama ontvouwde. Ze ademde, en de minuten tikten weg.

Haar oren vingen het motorgeronk van een automobiel op en toen ze opkeek zag ze Will Dalloways auto over de halfronde oprit hobbelen en vlak bij de ingang tot stilstand komen. Hij pakte een zwarte tas van de voorbank, drukte zijn hoed stevig op zijn kastanjebruine haar en rende naar de voordeur.

Nu stond Flora op. Ze ging achter hem aan naar binnen, maar hij was de trappen al op gerend en zij bleef staan, onzeker, midden in de foyer.

Juffrouw Zander liep soepel naar haar toe, een en al glanzende parels en lavendel. 'Juffrouw Honeychurch-Black? Kan ik u helpen?'

'Wat is er aan de hand?' Flora zag dat andere gasten zich onder aan de trap hadden verzameld en onderling fluisterden.

'Een van onze gasten is onwel geworden.'

'Heeft zichzelf verdronken in bad, hoorde ik,' zei een man bij de trap hooghartig. 'Als u dat "onwel" wilt noemen.'

Juffrouw Zander knipperde niet eens met haar ogen. 'Ik hou de privacy van onze gasten altijd in ere, ongeacht de omstandigheden. Desalniettemin, juffrouw Honeychurch-Black, is er niets waar u zich – of *u allen*,' zei ze met een blik op de gasten, 'zorgen over hoeft te maken. Gaat u alstublieft naar de eetzaal. Het hotel biedt u daar een middagthee aan.'

Flora liet zich met de stroom gasten – al met al een stuk of tien – naar de eetzaal meevoeren. Juffrouw Zander had op de een of andere manier naadloos en snel komkommersandwiches en thee weten te regelen, en het personeel diende het met een geforceerde glimlach rond. Flora nam aan dat er in de keuken veel geschreeuwd en gehaast werd, maar hier in de eetzaal zou het bijna gezellig zijn als er aan alle tafels niet luidkeels over de verdronken gast werd gespeculeerd.

'Hij was verliefd, en zij heeft hem afgewezen.'

'Zijn vrouw was een zeurkous en hij deed het om haar te laten boeten.'

'Ik heb gehoord dat hij al zijn geld is kwijtgeraakt bij een schimmige zakendeal.'

'Hij was altijd al een ongelukkig stuk vreten.'

Flora probeerde niet te luisteren. Ze nipte van haar thee en keek naar het personeel. De jonge Violet, Sams laatste bevlieging, was er niet bij. Flora had haar al een paar dagen niet gezien en begon te hopen dat ze weg was en dat die ramp was afgewend.

Cordelia Wright, de operazangeres, vond haar. 'Wat een akelig gedoe. Ze zitten allemaal als schoolkinderen te speculeren. Fijn je te zien, juffrouw Honeychurch-Black.'

Flora glimlachte. Ze mocht Cordelia graag. 'Ja, het is heel akelig. De arme man.'

'Zeker. Niemand pleegt zelfmoord als hij niet al verschrikkelijk ongelukkig is, en dat is de echte tragedie. Zo ongelukkig zijn en niemand hebben om mee te praten.'

Flora hield een glimlach op haar gezicht geplakt terwijl ze nadacht over wat Will had gezegd, over opiumverslaafden en zelfmoord, maar ze had niet veel tijd voor contemplatie en bezorgdheid, want Cordelia vuurde een lange reeks gespreksonderhoudende vragen op haar af over het weer en haar jurken en Flora's plannen voor de winter, en Flora was blij met haar gezelschap.

Na ongeveer een halfuur ging de deur van de eetzaal open en verscheen Will. Zijn ogen keken de zaal rond en kwamen tot stilstand toen ze juffrouw Zander vonden.

Terwijl juffrouw Zander snel de zaal uit liep werd Flora overmand door een sterk verlangen om Will te zien, om met hem te praten. Ze excuseerde zich en liep de hal en de foyer door, maar Will en juffrouw Zander waren nergens te bekennen. Zonder erover na te denken haastte ze zich weer de koude wintermiddag in en liep naar Wills auto, waar ze op de treeplank aan de bestuurderskant op hem ging zitten wachten.

De tijd verstreek maar traag in de kille lucht en de namiddagschaduwen om haar heen werden steeds langer. Maar ze bleef wachten, zonder zich erom te bekommeren dat Sam haar misschien zocht, of Tony, en dat haar vingertoppen ijskoud werden. Ze wilde Will zien, en ook al wist ze niet waarom dat zo belangrijk leek, ze veranderde niet van gedachten. Ze was er de vrouw niet naar om van gedachten te veranderen.

Eindelijk kwam hij. Hij zag haar zodra de deuren achter hem dicht vielen, stak zijn hand op en glimlachte half. Ze stond op en streek haar rok glad terwijl hij naar haar toe liep.

Hij bleef voor haar staan, misschien iets dichterbij dan hij gedaan zou hebben als ze elkaar niet eerder hadden ontmoet. Ze was zich bewust van zijn lichaam in die licht vertrouwde ruimte.

'Is het waar? Heeft hij zichzelf verdronken?'

'Daar lijkt het wel op.'

'Is dat niet verschrikkelijk tragisch?'

Will deed zijn portier open en zette zijn tas op de voorbank. Hij nam zijn bril af en legde hem opgevouwen op het dashboard. 'Ja, het is tragisch.'

'Was hij nog jong?'

'Nee. In de veertig.'

'Weet je waarom hij het heeft gedaan?'

'Er was geen briefje, geen verklaring. Ik neem aan dat zijn dierbaren, als we die vinden, het wel zullen weten.'

'Wat gebeurt er nu?'

'We hebben hem naar zijn kamer gebracht en de begrafenisondernemer is onderweg. Juffrouw Zander gaat er fantastisch mee om, moet ik zeggen. Ze zegt dat er hier nog nooit een sterfgeval is geweest, maar ze draait er haar hand niet voor om.'

Flora keek naar het hotel, toen weer naar Will. Een straal oranje zonlicht scheen laag door de bomen en raakte hen in het gezicht, en hij stak zijn hand uit om zijn ogen af te schermen. In het zonlicht leken zijn ogen erg groen. Toen bewogen de takken in de wind en was de zonnestraal weg. Maar het beeld bleef haar bij, het amberen licht op zijn gezicht, zijn glanzende ogen.

'Wat naar voor je om zoiets akeligs af te moeten handelen,' zei ze.

Hij glimlachte, die warme glimlach die onder haar afweer kroop. 'Je bent te vriendelijk, Flora. Hoe gaat het met je broer?'

'Iets beter, geloof ik.'

'Dat is goed nieuws.'

Stilte strekte zich uit. 'Goed,' zei hij. 'Ik moet gaan.'

Flora stapte opzij en hij slingerde zijn auto aan, stapte in en reed weg. Pas toen draaide ze zich om en ging weer naar binnen, waar het warm was.

Tegen etenstijd die avond was het nieuws van de tragedie tot alle hotelgasten doorgedrongen. In plaats van een nuchtere en nadenkende stemming op te roepen leken de ongelukkige gebeurtenissen een feeststemming opgeroepen te hebben. De gasten aten en dronken en dansten alsof ze hun eigen sterfelijkheid op afstand wilden houden. Zelfs het orkest speelde met ongebruikelijke overtuiging.

Flora zat dicht bij Tony, maar die zat het grootste deel van de avond met zijn rug naar haar toe te praten en schonk haar weinig troost. Sam daarentegen besteedde juist veel aandacht aan haar en leek alle details bijna met gretigheid nog eens op te willen roepen.

'Moet je nagaan, Sissy, dat is hetzelfde bad dat ik weleens gebruik.'

'Niet doen, Sam, je bezorgt me de kriebels.'

'Hij ging in bad, liet het vollopen, precies zoals ik dat zou doen... maar toen...'

'Niet doen. Wat moet hij ongelukkig zijn geweest.'

'Ik zag hem toen ze hem eruit haalden, helemaal in handdoeken gewikkeld als een Egyptische mummie. Maar een van zijn handen was eruit gevallen en sleepte over de vloer. Hij was helemaal blauw en gerimpeld.'

Flora gaf hem een duw tegen zijn schouder. 'Ik zei: niet doen!'

'Rustig maar. Je hoeft niet gewelddadig te worden.' Toen werd zijn blik de zaal in getrokken en Flora kreunde inwendig toen ze zag dat de mooie serveerster er weer was.

'Ze is niet voor jou, Sam,' zei ze zacht.

Sam draaide zich om en gaf haar een stralende glimlach. 'Weet je, volgens mij heb je gelijk.'

Violet stond te bedienen aan een andere tafel en keek niet één keer in Sams richting. Flora observeerde haar onopvallend. Hadden ze ruzie gehad? Misschien was er nooit iets tussen hen gebeurd. Misschien had Sam zich deze ene keer weten in te houden.

Later op de avond gaf Tony haar iets meer aandacht. Vincent zat hardop naar Eliza te smachten en liet een foto rondgaan van haar in een badpak dat weinig aan de verbeelding overliet. Sweetie debiteerde de gebruikelijke flauwekul en maakte schuine grappen over de foto. Cordelia Wright en Lady Powell zaten samen aan de andere kant van de tafel, zich niet bewust van wie dan ook behalve elkaar. Het stak Flora en ineens miste ze haar goede vriendin Liberty, die zo ver weg was.

Ze schrok op omdat er iets tegen de achterkant van haar stoel aan kwam en keek net op tijd op om te zien dat Violet in een onhandige hoek naar de tafel naast hen overgebogen stond – en dat Sam de achterkant van zijn elleboog over haar billen haalde. Een vonk van woede ontstak in haar. Ze sloeg Sam op zijn schouder.

'Au. Waarom ben je zo ruw vanavond, Sissy?'

'Ik zag wel wat je deed,' siste ze in zijn oor.

'Ik deed niks!' protesteerde hij.

'Je zat aan haar billen.'

'Onzin. Ik kan het toch niet helpen dat de jongedame een beetje onhandig is?'

'Je doet het expres. Jullie allebei. Ik denk dat ik maar eens met juffrouw Zander over haar moet praten.'

'Waarom zou je dat doen? Vanwege een ingebeelde streling? Heb je zo weinig vertrouwen in me, Flora?'

Flora had minder dan weinig vertrouwen in Sam; ze had helemaal geen vertrouwen in hem. Maar hij bleef zijn onschuld betuigen, met wijd open ogen en gespreide handen, tot Flora gedwongen was om toe te geven. Ze excuseerde zich om haar neus te gaan poederen.

Toen ze terugkwam botste ze bijna tegen Violet aan, die een stapel borden naar de keuken droeg.

'O, het spijt me, mevrouw,' zei Violet met een nederig knikje en ze wilde verder lopen.

'Wacht,' zei Flora terwijl ze haar arm vastpakte en haar staande hield. 'Jij bent toch Violet?'

'Ja.' Onder haar zwarte wimpers hadden haar ogen een heel bijzondere kleur: ergens tussen blauw en violet, en Flora vroeg zich onwillekeurig af of ze naar die kleur was vernoemd.

'Ik ben Flora. Sams zuster. Je kent Sam toch?'

Violet knikte. 'Ik ken u allebei. U logeert hier al zolang als ik hier ben. Ik ken veel gasten.'

'Ik weet waar je mee bezig bent.'

Violet keek neer op Flora's hand, die stevig om haar bovenarm lag. 'Waar ben ik dan mee bezig?'

Flora liet haar arm los. 'Je flirt met hem.'

'Ik verzeker u, mevrouw, ik...'

'Jullie denken dat ik een idioot ben. Maar ik zie met mijn eigen ogen dat er iets gaande is tussen jullie. Romantische flauwekul.'

Violet deed een stap achteruit en richtte zich kaarsrecht op. 'Met alle respect, mevrouw, u weet niets over mij en u zou niet over me hoeven oordelen.'

'Ik oordeel niet. Ik probeer je te waarschuwen.'

Violet draaide zich om en beende terug naar de keuken, en ze liet Flora ongemakkelijk achter tussen de tafels en de toiletten.

Toen stond Tony naast haar. 'Zo, dat ging niet best,' zei hij.

'Heb je het gehoord?'

'Nee, alleen gezien. Laat ze maar, Florrie. Het is het niet waard.'

Ze legde haar hoofd op zijn schouder. 'Wat is het een rare dag geweest.'

'Kom mee dansen, lieverd. Dat zal je gedachten afleiden van de schaduwen.'

Die nacht, in Sams kamer, zat Violet naakt op de rand van zijn bed te lachen om Flora.

'En toen ging ze uit de hoogte doen en zei ze: "Ik weet waar jullie mee bezig zijn..."'

'Ik zei het toch. Ik zei dat ze zou proberen ons geluk kapot te maken.'

'"Ik probeer je te waarschuwen," zei ze. Me te waarschuwen! Wat een giller. Allemaal omdat jij, stoute jongen, niet met je handen van mijn billen af kon blijven.'

'Het zijn ook zulke mooie billen, Violet. Helemaal blank en rond. Ik wil ze overal kussen.'

Ze boog zich naar hem toe en kroop tegen zijn borstkas aan. 'Me waarschuwen,' zei ze nog eens. 'Waarvoor, vraag ik me af? Je bent toch niet gevaarlijk, lieverd?'

'Helemaal niet.'

'Dan komt alles goed.'

'Ja,' zei hij. 'Dat zul je zien.'

Ze aarzelde en zei toen: 'Sam, zullen we ooit echt samen zijn?'

'Dat weet ik zeker. Het staat in de sterren geschreven.'

'Nee, niet in de sterren, niet in onze dromen. In het echt. Blijf je bij me? Gaan we ons leven samen delen? Zul je voor me zorgen als ik oud word?'

'Natuurlijk,' zei hij. 'Je zult nooit iets tekortkomen.'

Ze glimlachte en aarzelde toen voor ze weer iets zei. 'Mijn moeder kan niet meer werken.'

'Dat hoeft ze ook niet. Ik koop een huis voor haar naast het onze.' Hij gleed omlaag en kuste haar sleutelbeen, rakelde haar begeerte weer op uit de sintels. 'Ik geef je wat je maar wilt, want je hebt me zo gelukkig gemaakt.'

'Beloof je dat?'

'Op mijn woord van eer,' zei hij tegen haar lippen. 'Kus me nu, voor ik ga denken dat je niet van me houdt.'

Ze bood hem haar mond, met alle passie die ze voelde in haar hart.

12

Sam liep de eetzaal in om te ontbijten terwijl Violet net het laatste bestek van de lege tafels opruimde. Omdat ze wist dat Hansel vlakbij op de loer lag, dwong ze zich beleefd te glimlachen en zei: 'Het spijt me, meneer Honeychurch-Black, maar het ontbijt is afgelopen. Kan ik u iets laten brengen?'

Sam keek om zich heen, boog zich toen naar haar toe en zei: 'Kom naar de Grot der Geliefden zodra je vrij bent.' Toen rechtte hij zijn rug, knikte Hansel toe, liep naar buiten en sloot de deur van de eetzaal achter zich.

'Wat zei hij?' vroeg Hansel in zijn afgebeten Duitse accent. 'Wil hij iets boven hebben?'

'Nee. Nee, hij zei... dat hij geen honger had.'

Hans keek verbaasd, maar Violet negeerde hem en liep naar de keuken met nog een blad borden. De ochtendzending van de berglift was net binnen en de achterdeur stond open zodat Kok en de keukenhulpen de kratten naar binnen konden dragen. Violet zag zo'n lift voor het eerst in een hotelkeuken. Natuurlijk kende ze de etensliftjes, groot genoeg voor één of twee dienbladen, die tussen verdiepingen heen en weer gingen. Maar dit was iets heel anders. Er zaten kabels op bepaalde punten in de rotswand verankerd, helemaal tot beneden in de vallei met boerenland. Elke ochtend vulde iemand van de boerderijen verschillende kratten met verse producten: stukken vlees, versgeplukt fruit, flessen melk en zakken groente. Daarna werden de kratten een voor een in een metalen bak opgetakeld met een katrollensysteem tot boven op het klif. Volgens juffrouw Zander kon het niet beter, tenzij je hotel direct naast een van de boerderijen stond.

De procedure spaarde een urenlange, kronkelige rit per auto of paard-en-wagen uit. Violet bleef even rondhangen terwijl de kratten werden opengemaakt, jatte een paar appels en verborg ze in de pijp van haar lange onderbroek voor ze haar jas pakte, het hotel uit liep en naar het wandelpad ging.

Het was een zonnige, heldere ochtend, mild in de zon maar koud in de schaduwen onder de uitstekende rotspunten en hangende varens. Vogels en salamanders ritselden tussen de droge, afgevallen bladeren en insecten zoemden en sjirpten. Eindelijk ging ze door het gat de Grot der Geliefden binnen, waar hij op haar wachtte. Hij had een deken bij zich – die ze herkende als hotelbeddengoed – en had zijn blad met opiumgerei naast zich staan. Maar hij rookte niet en hij bevond zich niet in een toestand van glazige verdoving. Hij zat met zijn kin op zijn knieën en zijn armen om zijn benen geslagen in gedachten verzonken.

'Hallo,' zei hij.

Hij ontvouwde zijn ledematen. 'Ga zitten. Vind je het mooi?'

'Heel mooi,' zei ze. 'Maar wel een beetje koud. Hoe heb je die sprei hier gekregen zonder dat iemand je tegenhield?'

Hij haalde zijn schouders op. 'De mensen laten me meestal doen wat ik wil.'

Ze haalde de appels tevoorschijn en gaf hem er een, en hij beet er gretig in. Ze ging op de sprei zitten en leunde tegen hem aan.

'Ik heb je gemist,' zei hij.

'Het was maar een paar uur.'

'Ik mis je elk moment dat ik niet bij je ben. Het is alsof mijn huid naar de jouwe hunkert.' Hij liet zijn hand over haar arm glijden, maar het gebaar werd afgezwakt door het zware gewicht van haar jas. Ze zaten een paar minuten zwijgend hun appels te eten. Toen ging hij naar de ingang van de grot en gooide het klokhuis zo hard hij kon naar buiten. Het vloog in een boog over de rand en rolde en stuiterde toen verder. Ze kwam naast hem staan en gooide haar klokhuis ook weg, maar ze was niet zo sterk als hij, dus kwam het hare niet in de vallei honderd meter onder hen terecht; in plaats daarvan landde het voor hen op het pad. Ze giechelde. Hij legde zijn armen om haar middel en trok haar tegen zijn borst, zijn adem heet in haar oor. 'Kom liggen,' zei hij.

Ze hoopte dat hij niet de liefde wilde bedrijven; een koude grot in het volle daglicht stond haar niet aan. Maar hij leek inderdaad gewoon te willen liggen, en ze lagen met verstrengelde benen naar het stille bos en de zachte wind te luisteren.

'Ik ben hier veel geweest,' zei hij plotseling. 'Ik ben bang om naar mijn kamer terug te gaan.'

'Wat bedoel je?'

'Sinds die man daar is gestorven...'

'Ben je bijgelovig?'

'Helemaal niet. Alleen... Ik krijg daar nu een slecht gevoel.'

'Wat voor slecht gevoel?' Haar vingers streelden zachtjes over zijn wang.

Hij sloot zijn ogen, maar gaf geen antwoord.

'Het gaat voorbij, liefste,' zei ze.

'Heb je ooit een lijk gezien?' vroeg hij.

'Nee.'

Hij opende zijn ogen en sprak dringend. 'Ik heb de hand van de dode man gezien. Die leek niet echt. Hij leek op de hand van een marionet, alsof iemand vergat aan de touwtjes te trekken. Ik moet er steeds aan denken.' Hij tikte tegen zijn slaap. 'Ik wil niet meer in de badkamer waar hij gestorven is. Ik gebruik nu die aan de andere kant van de gang.'

'Je kunt vragen of juffrouw Zander je een andere kamer geeft.'

'Ja, maar... Ik wil er ook niet bij weg. Het is alsof... er iets ergs zal gebeuren als ik daar wegga.'

Violet deed haar best om hem te begrijpen. Hij klonk niet erg coherent – misschien kwam het door de opium – dus ging ze niet tegen hem in. 'Je hoeft je nergens zorgen over te maken, Sam.'

Hij sloot zijn ogen weer en kroop tegen haar borsten aan. 'Als ik gewoon hier kan liggen, met jouw handen in mijn haar... ah, zo ja. Zo gaat het nare gevoel weg.' Hij werd stil, zijn adem regelmatig. Ondanks de kou en de ongelijke grond voelde Violet zichzelf ook wegdoezelen. De voortdurende gebroken nachten eisten onverbiddelijk hun tol. Op sommige dagen flitste er ineens een herinnering door haar heen terwijl ze met haar dagelijkse taken bezig was, maar kon ze niet met zekerheid zeggen of het een echte herinnering was of een droomflard. Haar hele hoofd was vol van Sam, met zijn huid en zijn mond en zijn bleke armen.

Een tijd later schrok ze wakker. Sam lag op zijn zij zijn pijp te roken en naar haar te kijken. De grot geurde naar zoete rook.

'Je lag er zo vredig bij,' zei hij.

'Ik ben voortdurend moe, Sam.'

Hij fronste. 'Hoe komt dat dan?'

Ze zuchtte. Ze kon niet van hem verwachten dat hij begreep hoe een dag lichamelijke arbeid voelde, laat staan vijf of zes dagen per week. 'Doordat ik elke nacht maar heel weinig slaap. Ik kom om één uur naar jou en ga voor zonsopgang weer naar mijn eigen kamer om voor het werk nog een paar uur slaap te pakken.'

'Zeg je nu dat je 's nachts niet naar me toe wilt komen?' Zijn gezicht was hard geworden, een uitdrukking die ze niet eerder had gezien.

'Natuurlijk wil ik komen. Daar leef ik voor. Maar misschien niet elke nacht. Misschien om de nacht.'

'Dus mijn betovering wordt al minder?'

'Nee, Sam. Niet boos zijn. Ik werk. Ik werk hard, de hele dag. Ik kan niet slapen wanneer ik wil, zoals jij.'

Hij rookte door en zijn ogen vielen langzaam dicht. 'Ik wist dat het niet kon blijven duren,' zei hij. 'Zo gaat het altijd.'

Violets hart sloeg een slag over. 'Zeg dat niet! Ik hou nog evenveel van je als altijd. Vergeet maar wat ik zei. Ik ben er vanavond voor je.'

'Met tegenzin, zeker.'

'Nee. Graag. Begerig naar jou. Zoals altijd.'

Hij wuifde haar weg. 'Doe geen moeite.'

Violet zocht iets om te zeggen dat hem gerust zou stellen, maar hij zakte weer weg in zijn persoonlijke vergetelheid, dus bleef ze maar bij hem, met zijn hoofd in haar schoot, zijn haar strelend terwijl hij wegdreef op een stroom van gelukzaligheid.

Violet wilde Sam wanhopig graag tonen dat ze van hem hield. Ze overwoog hem een brief te sturen, maar ze was niet zo goed met woorden als hij en bovendien kon ze zijn kamer niet in om hem onder zijn kussen te leggen. Hij kon dat doen omdat hij rijk was. Zoals hij al zei lieten de mensen hem doen wat hij wilde. Als Violet werd betrapt met een liefdesbrief voor een gast...

Nee, ze moest een andere manier vinden, iets doen om te laten zien dat haar liefde gepassioneerd en springlevend was. Het idee kwam in een flits bij haar op: het hartje in de rots in de Grot der Geliefden. *Moet je je voorstellen, iemand heeft dit met hamer en beitel uitgekerfd om zijn liefde voor zijn meisje te bewijzen.* Nou, dat kon zij ook, om haar liefde aan haar man te bewijzen.

Violet had Clive de laatste tijd niet vaak gezien. Het was nu te koud om te dansen in het tochtige, onverwarmde huis, en bovendien was de reparatie van de ramen klaar en zat hij nu meestal in zijn werkplaats aan de oostkant van het achterhek verschanst. Ze had hem één of twee keer in de personeelskamer gezien, maar door haar gedwongen bedrust en haar ontbijtdienst tijdens de dagen daarna hadden hun paden elkaar niet vaak gekruist. Ze nam echter aan dat hij nog altijd blij zou zijn om haar te zien. Misschien blij genoeg om haar voor een paar uur een hamer en beitel te lenen.

De volgende dag ging ze tussen haar diensten door de achterdeur uit en volgde ze het pad tussen de lage stenen zuilen dat langs het klif liep. Op de tennisbaan waren twee mannen en twee vrouwen aan een dubbelspel bezig, lachend en plagend. Hun stemmen verwaaiden in de wind en de zonneschijn. Kerstmis in juni was al over tien dagen en daarna zouden de meeste gasten weggaan uit de bergen. Het tennisnet zou eraf gaan en de baan zou worden gesloten, de overgebleven gasten zouden worden verplaatst naar de westvleugel – Sams vleugel – en het orkest zou naar huis worden gestuurd. In de eetzaal zouden scheidingswanden op hun plaats worden geschoven en het personeel zou inpakken. Violet had dit alles opgemaakt uit toevallig opgevangen gesprekken in de personeelskamer en opdrachten van juffrouw Zander. Wanneer Myrtle vertrok zou het meeste andere bedienend personeel dat ook doen. Alleen Hansel en Violet zouden blijven.

Alexandria, juffrouw Zanders elegante adjunct, ging in de vakantie naar huis. Het grootste deel van het personeel dat in de winter zou blijven, bestond uit mannen, die in de oostvleugel zouden worden ondergebracht. Het zou stil zijn. Ze zou hard moeten werken, maar de rust zou een bijzondere vrijheid met zich meebrengen: ze hoefde niet te wachten voor de badkamer en ze zou privacy in haar slaapkamer hebben. En ze kon makkelijker naar Sams kamer sluipen.

De deur van de werkplaats stond open, maar Violet klopte toch aan. Clive, die met zijn rug naar haar toe over iets op zijn werkbank gebogen stond, draaide zich glimlachend om.

'Violet! Wat een leuke verrassing!'

'Ik heb je niet veel gezien de laatste tijd. Ik zit op het ontbijt.' Ze keek de schemerige ruimte rond: een wand met gereedschap, nog een wand met een rek waar overalls, waterdichte kleding, visgerei, emmers, zwabbers en bezems aan hingen, rekken vol stukken metaal en hout.

Hij grijnsde. 'Ik ben naar de vallei op en neer geweest, hangend op gevaarlijke plekken, om de verankering van de berglift te vernieuwen. Maar goed dat ik geen hoogtevrees heb, hè?'

Ze ging naast hem staan en keek over zijn schouder mee. Voor hem lag een collectie klampen en schroeven. 'Wat zijn dat?'

'Klampen voor gordijnroedes. Ze moeten geschilderd worden. Ik had dit eind mei al af moeten hebben. Ik lig een beetje achter.'

'Juffrouw Zander laat je te hard werken.'

'Ik ben blij dat ik op zo'n fijne plek werk. Ze is heel aardig voor me. Er is deze winter tijd genoeg om het in te halen, als er minder gasten zijn die dingen kapotmaken.' Hij glimlachte.

'Kan ik een hamer en een beitel lenen?'

Hij knipperde met zijn ogen en zijn glimlach verdween. 'Ah... waarom?'

'Dat kan ik niet zeggen.'

'Je doet geheimzinnig.'

'Niet bewust.'

Hij legde zijn gereedschap neer en draaide zich nu helemaal naar haar om. 'Als ik je een hamer en beitel leen, beloof je dan om niets kapot te maken dat ik later moet komen repareren?'

'O, dat beloof ik je absoluut. Ik breng ze morgen om deze tijd terug. Eerder, als het lukt.'

'En je wilt niet zeggen waarvoor?'

'Sorry, dat kan niet. Maar het is niets sinisters. Geloof me.'

Hij zuchtte. 'Ik geloof je, Violet.'

'Je bent een echte vriend.'

'Ja, dat blijkt. Hier.' Hij liep naar het gereedschapsrek, pakte een hamer en beitel en gaf ze aan haar. 'Neem de tijd. Ik heb er nog meer.'

Ze straalde. Ze wilde zijn wang kussen maar bedacht zich; het zou verkeerd bij hem overkomen en bovendien wist ze vrij zeker dat Sam het niet leuk zou vinden.

De volgende morgen, vlak voor zonsopgang, toen ze wist dat Sam nog lag uit te slapen na hun gepassioneerde uitspattingen, liep ze het wandelpad af met haar sjaal hoog opgetrokken over haar oren en wangen, haar hoed zo ver mogelijk naar beneden getrokken en met bibberende vingers, ondanks haar nieuwe leren handschoenen.

Violet was er niet op voorbereid dat het zoveel werk was om een kras in de rotsen te maken. Ze wilde haar letters even diep hebben als het hartje waar ze ze in zette en het duurde eeuwen om de eerste groef te maken, de bovenkant van de S. De rest van de S, een bliksemflits, ging wat makkelijker nu ze wist onder welke hoek ze de beitel het beste kon plaatsen. Toen stopte ze even om naar haar werk te kijken. Ze was van plan geweest om SAM te kerven, maar toen herinnerde ze zich dat hij zijn liefdesbrieven altijd ondertekende met SHB. De H was makkelijk genoeg, maar de B werd een rommeltje en leek nog het meest op een soort onregelmatige Vikingrune. Desalniettemin was het een uur en twee pijnlijke polsen later af.

Violet leunde achterover en bewonderde haar werk. Ja. Ze had haar liefde voor hem in steen gebeiteld. Hij zou begrijpen hoeveel het betekende en nooit meer aan haar gevoelens twijfelen.

Ze stond op en strekte haar benen, maar toen ze opkeek zag ze Clive bij de ingang van de grot staan.

'O!' riep ze geschrokken met haar hand op haar hart. 'Hoe lang sta je daar al?'

Hij boog zijn hoofd licht. 'Ik ben je gevolgd. Maar ik ben pas naar je toe gekomen toen je ophield met beitelen. Het spijt me, maar ik was bezorgd over je.'

'Bezorgd?'

'Het is vreemd om zoiets te willen lenen, Violet. Ik wist niet wat je van plan was of in wat voor problemen je terecht zou komen. Vergeef me.'

Hij liep de grot in en Violet ging tussen hem en de rotswand in staan. 'Hier is je gereedschap,' zei ze en ze stak het hem toe.

'Je kunt net zo goed opzijgaan. Ik kan hier altijd terugkomen om te kijken.'

Violet ging opzij. 'Het hart heb ik niet gebeiteld. Alleen de letters.'

Clive keek lange tijd naar de letters en zei niets.

'Niet doorvertellen, alsjeblieft,' zei ze.

'Ik heb niets om door te vertellen,' zei hij met een geforceerde glimlach. 'Dit is duidelijk een taal die ik niet begrijp.'

Violet was hem dankbaar dat hij onwetendheid veinsde en geen oordeel uitsprak over haar gedrag.

'Ik kan deze maar beter naar de werkplaats terugbrengen,' zei hij terwijl hij zich op zijn hielen omdraaide.

'We zijn toch nog vrienden, Clive?' riep ze hem na.

'Misschien niet,' riep hij terug over zijn schouder. 'Misschien is dat beter voor ons allebei.'

Ze haastte zich achter hem aan, veranderde toen van gedachten en bleef achter. Ja, misschien was het beter voor hen allebei. Hij was nog steeds verliefd op haar; natuurlijk. Ze wist het. Ze had er misbruik van gemaakt toen ze het gereedschap van hem was gaan lenen. Ooit was ze ook verliefd op hem geweest, maar de herinnering aan die ene kuise kus van hen samen was bijna lachwekkend bij de gepassioneerde kussen die zij en Sam hadden.

Het was tijd om Clive los te laten.

'Flora!'

Flora, die bij de fontein in de tuin in een strook zonlicht zat, draaide zich om en zag Tony naar haar zwaaien. Naast hem stond Eliza, Vincents vriendin, die Tony met tegenzin uit Sydney had meegenomen. Het fijne nieuws dat Tony al zijn besprekingen tot na de bruiloft had afgerond en nu meer tijd met Flora kon doorbrengen werd getemperd door het verdrietige feit dat Eliza Vincent voorgoed uit de bergen kwam halen. Hij had haar eindelijk ten huwelijk gevraagd.

Flora stond op en liep naar hem toe. Terwijl ze Tony's goedgesneden pak en zwierige hoed bewonderde, hoopte ze dat hij gedaan had wat ze had gevraagd: een speciaal Kerstmis-in-junicadeautje kopen dat zij aan Sam kon geven. 'Heb je het bij je?'

'Ik heb meer bij je dat je je kunt voorstellen,' zei hij glimlachend. 'Ik heb alles al naar je kamer laten brengen.'

'Lieve Flora,' zei Eliza terwijl ze zich naar haar toe boog om de lucht naast Flora's wang te kussen. 'Wat fijn om je te zien.'

'Zeker. En wat fijn om te horen dat jullie van de berg af gaan om te trouwen.'

'Jullie zullen niet veel later volgen, neem ik aan?' vroeg Eliza met een blik op Tony.

Tony grijnsde. 'Pastoor Callahan is akkoord. Het wordt dus 18 september. Schrijf het aan je vader en laat het hem weten. We nemen het Wentworth voor de receptie. Mijn assistent regelt alles.' Hij streelde zacht met zijn duim over Flora's kin. 'Het enige wat jij hoeft te doen is een bruidsjapon kopen.'

Flora's lichaam tintelde. Van opwinding of van angst? Ze leken genoeg op elkaar. Het moest wel opwinding zijn.

'Ga maar, jullie twee,' zei hij. 'Ga jullie vrouwendingen maar doen. Maar Flora, kijk wel even naar het kerstcadeau voor je broer. Ik ga om drie uur koffiedrinken met Karl.'

Eliza stak haar arm door die van Flora. 'Kom, naar je kamer,' zei Eliza. 'Ik kan niet wachten om te zien wat er de hele tijd in die hutkoffer op de achterbank zat. Tony wilde me niets vertellen, die knorrepot.'

'Een hutkoffer? Goh, ik had hem gewoon om een atlas voor Sam gevraagd. Een mooie.'

Ze gingen naar binnen en de trap op, en inderdaad stond er een hutkoffer midden in Flora's kamer. Ze maakte de sluiting los en deed het deksel open. Er zaten vierentwintig goudgestempelde, in leer gebonden boeken in. Ze haalde de eerste eruit – hij was enorm – en sloeg hem open op een willekeurige bladzijde. Kaarten. De boeken stonden vol kaarten. Zij en Eliza haalden nog een paar boeken uit de koffer en bladerden door de gedetailleerde, rijkgeïllustreerde kaarten van continenten en landen, eilanden en eilandengroepen.

'Hemeltjelief, die zal Sam geweldig vinden!' riep Flora uit terwijl ze de boeken naast zich op de vloer opstapelde. 'Maar ik krijg ze nooit ingepakt.' Ze keek Eliza aan. 'Ik snap niet wat Tony bezielt om zo'n geschenk te kopen. Hij en Sam kunnen niet goed met elkaar overweg.'

'Dat verklaart het dan,' zei Eliza. 'Toen ik hem vroeg wat er in de koffer zat, zei hij dat het een vredesvoorstel was.'

'Hij wil vrede sluiten met Sam?'

'Dat neem ik aan. Nu de bruiloft voor de deur staat. Ze worden immers broers.'

'Ze hebben zo weinig met elkaar gemeen. Het lijkt wel of ze tot verschillende diersoorten behoren.'

'Mannen zijn mannen,' zei ze beschroomd, zonder Flora aan te kijken. 'Zeg, laten we naar de speelkamer gaan en een paar potjes gin rummy spelen.'

'Ik hou niet zo van kaarten,' zei Flora, terwijl ze de boeken weer netjes in de hutkoffer liet glijden.

'De theekamer dan? Ik snak naar een potje thee.'

De theekamer was alleen in de weekenden open en was de favoriete verzamelplek van de andere dames, onder wie Cordelia en Lady Powell. 'Natuurlijk, als je dat wilt.'

Ze deed de sluiting van de hutkoffer dicht, keek snel of haar haar goed zat en daarna daalden Eliza en zij de trap af om naar de theekamer te lopen, helemaal aan het einde van de oostvleugel. De dikke, rode gordijnen waren met gouddoorschoten embrasses opengebonden zodat de zon door de ramen viel die van heuphoogte tot aan het plafond reikten en uitzicht op de kliffen boden. Het rook in de kamer naar kaneel en boter, en het gonsde er van de goedgeklede dames in zijde en parels die allerlei heerlijkheden op hun porseleinen bordjes ophoopten. Flora voelde zich heel gewoontjes in haar gebreide crème-kleurige jumper en rok. Lange tafels waren gedekt met schalen sand-wiches en scones met vers fruit. Een ober gaf hun een lege tafel en bracht hun een pot thee. Niets aan Eliza's gedrag of conversatie waar-schuwde Flora voor de afschuwelijke dingen die komen gingen.

Toen ze alleen waren zei Eliza: 'Ik ben hier met je naartoe gegaan zodat je gedwongen bent je hoofd koel te houden en geen scène kunt maken wanneer ik je verteld heb wat ik moet vertellen.'

'Wat bedoel je?' Flora's bloed werd koud. Eliza's gezicht was heel ernstig geworden. 'Wat is er gebeurd?'

'Ik weet dit al een tijdje, maar pas nu Vincent vertrekt uit Tony's "kring van bewonderaars"' – ze sprak die woorden met nauwverholen afkeer uit – 'staat het me vrij om het jou te vertellen.'

'Alsjeblieft,' zei Flora, want ze wist niet wat ze anders moest zeggen. 'Wees voorzichtig met mijn hart.' Ze wilde Eliza's hand pakken. 'Als-jeblieft.'

'Je verloofde is je niet trouw.'

Flora liet dit tot zich doordringen. Ze merkte dat het niet onmid-dellijk pijn deed, zoals het bericht dat haar moeder gestorven was of de kans dat Sam door de politie was opgepakt. Ze knikte. 'Heeft hij een minnares?'

'Was het er maar één, lieverd. Hij is geregeld in het gezelschap van nachtvlinders als hij in Sydney is.'

Flora huiverde.

'Een goede vriendin van me is getrouwd met zijn assistent, de man die de opdracht heeft de dames te zoeken en te betalen. Volgens hem verricht Tony niet veel werk in Sydney. Hij is er meer voor de ont-spanning. Erger nog, Tony's vader is net zo. Een man die leeft van het succes van zijn bedrijf, die slimmere mannen betaalt om het werk te doen en veel tijd in bordelen doorbrengt.' Eliza ademde luid uit. 'Zo, ik heb het gezegd. Ik wilde het al heel lang zeggen.'

Flora dacht terug aan hun gesprek in het bos bij het forellen vissen, aan Eliza's twijfels of mannen wel in staat waren om 'te doen wat ze behoorden te doen'. Haar wangen kleurden van schaamte. 'Weet Vincent dit?' vroeg ze.

'Ze weten het allemaal,' zei Eliza.

'Waarom houden ze hem dan niet tegen?'

'Omdat ze het hem niet kwalijk nemen. Ze vinden het heel gewoon dat een man als Tony maar neemt wat hij wil. Ik heb tegen Vincent gezegd, in niet mis te verstane bewoordingen, dat het níét gewoon is als hij zulke dingen wil en dat ik hem de nek omdraai als hij bij een andere vrouw in de buurt komt. Bij welke vrouw dan ook.'

Flora's wangen brandden. Maar Eliza had gelijk: doordat ze hier in het openbaar zat, onderdrukte ze de neiging om te gaan huilen en tieren. Ze legde haar handen gevouwen voor zich op de tafel.

'Thee, lieverd?' zei Eliza.

'Graag.'

'Het spijt me dat ik je dit nieuws moet brengen.'

'Het is beter dat ik het weet.'

'Ga je nog steeds met hem trouwen?'

De vraag verraste Flora. Het was niet eens in haar opgekomen om dat niet te doen. Haar vader wilde het, Tony's vader wilde het, ze hielden van elkaar, de datum was gekozen en de kerk geboekt. 'Ik zou denken van wel,' zei ze. 'Vele mannen... doen het. Zelfs nadat ze getrouwd zijn.'

'Je moet hem er voor de bruiloft mee laten stoppen,' waarschuwde Eliza. 'Anders komt hij thuis met de sief en krijg jij die ook.'

Flora voelde afkeer. Het idee om intiem te zijn met Tony, dat tot nu toe een vage, dromerige fantasie aan de rand van haar gedachten was, leek nu lelijk en nat en te echt.

Eliza schonk haar thee in. 'Goed, we blijven hier zitten tot ik zeker weet dat je jezelf kunt beheersen.'

'Ik ben beheerst.'

'Ben je boos?'

'Ik word nooit boos. Dat is onpraktisch.'

'Ben je gekwetst?'

Flora onderzocht haar gevoelens van een afstandje. 'Ik ben... verdrietig. Denk ik. En ik schaam me.'

'Hij is degene die zich moet schamen.' Eliza boog zich naar haar toe en pakte Flora's hand. 'Ga je er met hem over praten?'

'Ik weet het niet. Misschien doet het er niet toe. Misschien doen mijn gevoelens er niet toe.' Ze vroeg zich af of Tony ooit operaliederen voor zijn gezelschapsdames zong.

Eliza ging overeind zitten. 'Jíj doet ertoe, Flora! Als je wilt dat hij ermee ophoudt, moet je het tegen hem zeggen.'

Flora zat er stom en leeg bij. Ze wenste plotseling dat Eliza het haar nooit had verteld. Had ze zich maar bij haar eigen zaken gehouden.

'Ga je het zeggen?'

'Ik weet het niet,' snauwde Flora.

Eliza trok een perfect getekende wenkbrauw op. 'Ik dacht dat je zei dat je nooit boos werd. Drink nu je thee, als een dame. Wat je ook doet, zorg wel dat Vincent en ik weg zijn voor je hem ermee confronteert. Wie weet wat Tony gaat doen, met zijn opvliegendheid.'

Flora dronk haar thee. Die smaakte bitter, of misschien was bitterheid het enige wat ze nog kon proeven.

13

Flora ijsbeerde door haar kamer. Rond en rond. De hutkoffer vol boeken stond midden op de vloer. Hoe kon hij. Hoe kón hij? Rond en rond. Ze haatte de koffer vol boeken, het idee dat hij ze uit schuldgevoel had gekocht in plaats van uit het verlangen de beschadigde band met haar broer te herstellen.

Er werd op de deur geklopt. Het zou Tony zijn, ze wist het. Hoe kon ze hem zelfs maar aankijken? Met gebogen hoofd deed ze open.

'Juffrouw Honeychurch-Black?'

'O. Juffrouw Zander. Is alles in orde?'

'Helaas niet. Mag ik binnenkomen? Of u kunt naar mijn kantoor komen, als u dat prettiger vindt.'

'Nee, nee. Kom binnen. Ik... heb het niet druk.'

Juffrouw Zander sloot de deur achter zich. 'Het gaat om uw broer.'

Flora zette zich schrap. Er kon onmogelijk nog meer slecht nieuws komen vandaag. 'Zegt u het maar.'

'Sommige dames op deze verdieping klagen erover dat hij hun badkamer gebruikt.'

Flora begreep het niet. 'Gebruikt hij de damesbadkamer?'

'Ja.'

'Op deze verdieping?'

'Dat zeggen ze.'

Had Sam zoveel opium gerookt dat hij zijn eigen badkamer niet meer kon vinden?

'Ik zou hem er zelf wel over aanspreken, maar...' Juffrouw Zander viel stil. 'Ik weet niet precies hoe ik dit onderwerp op een fijngevoelige manier moet aansnijden, en ik weet dat u heel beschermend voor hem bent. Hij is veel jonger dan u, is het niet?'

'Vijf jaar,' mompelde ze. 'Maar ja, hij mist een zekere volwassenheid. Ik zal hem zeker spreken. Het is waarschijnlijk een eenvoudige vergissing. De vergrijpen van mijn broer zijn meestal meer een kwestie van nalaten dan van doen, juffrouw Zander. Probeer niet te slecht over hem te denken.'

'Ik denk niets dan goeds over uw familie, juffrouw Honeychurch-Black,' zei ze. 'Goedendag.'

Flora nam een moment om haar gedachten te ordenen. Tony. Sam. Allebei gaven ze haar niets dan verdriet: waarom hield ze dan zoveel van hen?

Ze liep de trap af naar Sams kamer. Hij was er niet. Ze zag hem bijna nooit meer en vond het vreemd dat hij juist toen het weer te slecht werd om het hotel uit te gaan de genoegens van de natuur en het buitenleven had ontdekt.

Ze ging in haar kamer haar hoed, jas en handschoenen halen, en nadat ze een uur over het terrein en de smallere bergpaden had rondgedwaald in een poging haar hoofd helder te krijgen ging ze weer terug, langs het koffiehuis. Toen ze door het raam keek zag ze tot haar verrassing Sam daar zitten, alleen aan een tafel, naar buiten starend. Dwars door haar heen starend. Ze zwaaide. De beweging trok zijn aandacht en hij glimlachte half, maar ze zag al dat hij had zitten roken. Zijn gedachten waren heel ver weg.

In plaats van hem naar buiten te wenken waar hij misschien zou struikelen en vallen ging zij naar binnen. De verwarming stond heel hoog en haar huid kriebelde onder haar warme blouse. Ze hing haar jas op en keek gespannen om zich heen of ze Tony's entourage zag, maar ze waren er niet. Ze liet zich op de stoel tegenover Sam zakken en vroeg zich af hoe hij zonder haar hulp hier was gekomen.

'Sam, is alles goed met je?'

'Ja.'

'Je hebt gerookt.'

'Een uur geleden. Het begint al uit te werken.'

'Waarom ben je niet op je kamer? Het is niets voor jou om in... deze toestand naar buiten te gaan.'

Hij haalde zijn schouders op.

'Sam, juffrouw Zander kwam me opzoeken. Ze zei dat er geklaagd is dat jij de badkamer op de damesverdieping gebruikt.'

Hij hief met een ruk zijn hoofd op. 'Dat was maar één keer!'

'Wat deed je daar in hemelsnaam?'

'Ik wil niet in de badkamer bij mijn kamer. De andere badkamers op de herenverdieping waren bezet. Dus ging ik naar boven.' Zijn stem werd zachter. 'Ik moest echt heel nodig, Sissy.'

'Waarom gebruik je je eigen badkamer niet?'

'Omdat die man daar gestorven is en nu spookt het daar.' Hij zei het zakelijk, alsof hij vertelde dat het er te klein was, of te vies.

'Het spookt daar?'

Hij knikte.

'Maar jij gelooft niet in spoken, Sam. Waarom denk je dat het er spookt?'

'Omdat hij daar gestorven is.'

'Onze overgrootvader is thuis op de bank in onze zitkamer gestorven, en daar zat je altijd met plezier. Zelfs op die bank. Ik weet nog dat ik je daar aantrof met mevrouw Hanover in je armen.'

'Overgrootvader kwam niet spóken, Flora. Dat is iets heel anders.'

Flora spreidde haar handen op de tafel uit. De geluiden van pratende mannen en de geur van koffie wervelden om hen heen in het warme café. 'Je hoeft het niet uit te leggen. Wat heb je gezien of gehoord?'

'Niets. Ik heb niets gezien of gehoord. Maar ik kan het vóélen. Mijn huid gaat prikkelen als ik daar ben. Het is er koud. De sensaties stuiteren er nog rond.'

Ook al was het niet rationeel, ook Flora kreeg kippenvel. Wat kon hij zich duistere dingen inbeelden. 'Het is een badkamer,' zei ze met kracht, net zozeer om zichzelf gerust te stellen als hem. 'Het is altijd koud in een badkamer.'

'Ik ga er niet meer in.'

'Beloof me nou maar dat je niet meer in de damesbadkamer komt.'

Hij haalde zijn schouders op.

'Juffrouw Zander kan besluiten dat we te lastig zijn en ons naar huis sturen, weet je.'

'Dat doet ze niet.'

'En als ze het wel doet?'

'Goed dan, goed dan. Ik ga niet meer naar de damesverdieping.' Hij haalde zijn handen door zijn haar. 'Ik slaap de laatste tijd niet goed. Ik droom steeds. Al sinds hij gestorven is.'

'Dat komt door de schok. We hebben er allemaal last van. Jij bent altijd al gevoeliger geweest.'

'Ja, ja. Dat is het. Dat is het en verder niets. Dank je, Sissy.' Hij legde zijn hand op de hare. 'Hoe gaat het met jóú?'

Moest ze het zeggen? Nee, hij had toch al een hekel aan Tony. Ze dwong zichzelf te glimlachen. 'Ik heb je kerstcadeau in mijn kamer.'

'Het duurt nog maanden voor het Kerstmis is.'

'Kerstmis in juni, weet je nog?'

'O. Dan kan ik maar beter iets voor jou gaan zoeken.' Zo ging het altijd met Sam. Ze overlaadde hem met geschenken en hij gaf haar een oud boek dat hij onder zijn bed had gevonden of kocht het eerste lelijke prul dat hij zag.

'Doe geen moeite, Sam. Het beste cadeau wat je me kunt geven is blijven minderen met roken en van die griet afblijven.'

'Je kunt op me rekenen,' zei hij, zonder overtuiging. Maar vandaag had ze te veel andere zorgen. Ze kon zich er niet toe zetten om hem nog verder uit te horen.

Flora wist niet precies waarom ze ineens voor Will Dalloways huis stond, maar nu ze er was kon ze net zo goed naar binnen gaan. Het was ijskoud op straat en ze wist dat hij haar niet weg zou sturen.

Binnen zaten drie patiënten te wachten op een lange houten bank. Een van hen moest heftig hoesten toen Flora op een afstandje ging zitten en ze probeerde zich onopvallend weg te draaien. Ze hield haar handschoenen aan en haar hoed op, voor het geval dat ze ineens zou besluiten dat dit een slecht idee was en ervandoor ging.

Na een paar minuten kwam Will tevoorschijn, met een bejaarde vrouw die hem uitgebreid bedankte. Zijn blik viel op Flora en hij begon te stralen. 'Juffrouw Honeychurch-Black,' zei hij, terugvallend op haar officiële naam nu zijn patiënten erbij waren. 'Wat een genoegen om u te zien. Ik kan u nu meteen ontvangen, als dat nodig is.'

Flora keek naar de zieke patiënten voor haar en schudde haar hoofd. 'Ik wacht wel op mijn beurt, dokter Dalloway. Het is niet dringend.'

Hij glimlachte en ze zag dat het hem beviel dat ze niet voor haar beurt ging. Ze voelde die speciale warmte die je ervaart als je de gunst krijgt van iemand die belangrijk voor je is, en ging zitten om haar beurt af te wachten.

Een luide klok tikte de tijd weg en ze wenste dat ze een boek bij zich had. Een voor een gingen de patiënten naar binnen en er kwamen er nog meer, dus schoof Flora naar de hoek van de bank bij de spreekkamerdeur om te laten zien dat zij de volgende was. Eindelijk liet Will haar binnen.

Ze ging tegenover hem aan zijn bureau zitten terwijl hij plaatsnam in zijn stoel en zijn schrijfblok opensloeg.

'Wat kan ik voor je doen?'

Flora nam het kralensnoer om haar nek tussen haar vingers en speelde ermee. 'Het gaat om Sam.'

'Ga door.'

'Hij ziet dingen. Of nou ja, hij zegt dat hij geen dingen ziet, maar vóélt. Hij heeft het over een geest in de badkamer waar die man is overleden, over akelige dromen. Hij schijnt bang te zijn in zijn kamer, en als hij er is valt hij er bijna niet uit te krijgen zonder dat hij gaat trillen en bleek wordt.'

Will legde zijn pen neer, zette zijn vingers in een driehoek tegen elkaar en legde zijn voorhoofd ertegenaan.

'Komt dit door de opium?' vroeg ze.

Hij keek op. 'Dat valt moeilijk te zeggen. Opium heeft een verschillende uitwerking op mensen. Ze zeggen dat je onder invloed vreemde dingen kunt voelen, maar dat zijn meestal prettige dingen. Opium wordt in verband gebracht met euforie.'

'Hij zegt dat hij geminderd is.'

'Dat heeft er misschien iets mee te maken. Zoals ik al zei valt het moeilijk te zeggen. Er is nog lang niet genoeg onderzoek naar opium gedaan. We weten eigenlijk alleen dat het heel verslavend is en dat het een gezond mens uiteindelijk tot een ellendig wrak maakt.' Hij zweeg. 'Sorry.'

'Kan hij er krankzinnig van worden?'

Deze keer koos hij zijn woorden zorgvuldig, plooide zijn lippen verschillende malen voordat hij echt begon te spreken. 'Misschien was hij al onderweg, als je begrijpt wat ik bedoel.'

'Nee.'

'Wat hem tot de opium dreef – tot die euforie, die ontsnapping aan alles – kan juist een onderliggend gebrek aan geestelijke stabiliteit zijn geweest.'

'Zeg je nu...' Ze bezweek bijna onder de verschrikkelijke last van haar bezorgdheid.

'Misschien was hij hoe dan ook wel over geesten begonnen. Maar zeker, ja, door de opium komen zulke dingen hem veel levendiger voor. Het kan een natuurlijke angst van de gebruiker uitvergroten.'

Flora dacht terug aan haar leven met Sam. Hij was altijd vreemd geweest, niet helemaal bij de tijd, in zijn eigen wereld. 'Is er iets wat we kunnen doen? Kun je hem er geen medicijnen voor geven?'

'Er zijn gespecialiseerde artsen die ziekten van de geest behandelen, maar niet hier in de bergen. Ik kan je een paar namen in Sydney geven, maar jouw probleem is, alweer, dat je Sam zover moet krijgen dat hij zich aan zijn afspraken houdt.'

Flora liet zich voorover zakken in haar stoel en legde haar voorhoofd op Wills bureau.

'Flora?'

'Ik heb zo veel te dragen, Will.'

'Hou moed. Hij is nog jong. Misschien herstelt hij.'

'Dat is het niet alleen.' *Zeg het niet. Zegt het hem niet alleen omdat hij warme ogen heeft en zegt dat het hem aan het hart gaat.*

'Wat is er dan nog meer?'

Ze ging weer overeind zitten. De zon, die achter het hoge raam door de bladeren viel, maakte spikkels op zijn schouder. Door het glas kon ze een vogel horen roepen en ze werd overvallen door het verlangen een vogel te zijn. Zorgeloos, hoog boven de gebouwen en de straten en de mensen met hun eindeloze behoeftigheid vliegend.

Zijn stem werd zacht. Het was niet meer de stem van een arts; het was de stem van een vertrouweling en Flora herkende het mogelijke gevaar in het moment. Een schip dat in onbekend vaarwater kwam. 'Je kunt me alles vertellen.'

'Maar ik hoor dat niet te doen.'

'Het kan.'

'Het gaat om Tony. Mijn verloofde.'

Hij knikte.

'Hij... heeft prostituees bezocht.' Tegelijk met de woorden rees de misselijkheid op in haar keel.

Will knipperde met zijn ogen, duidelijk zoekend naar de juiste woorden. 'En dat maakt je ongelukkig.'

'Diep. Diep ongelukkig.' Ze keek weg om het medelijden in zijn ogen niet te hoeven zien. 'Is dat normaal? Gaan de meeste mannen...'

'*Ik* in elk geval niet,' zei hij stellig. 'Als ik verloofd zou zijn met een zachtmoedige, intelligente vrouw als jij zou ik mijn zegeningen tellen en haar behandelen als een koningin en haar niet blootstellen aan het risico op bepaalde ziekten die...' Toen sloeg hij zijn ogen neer. 'Ik heb al te veel gezegd,' ging hij verder, terwijl hij de papieren op zijn bureau schikte. Ze kon zijn hartslag zien kloppen bij zijn keel. Haar vingers jeukten.

'Nee, je zei precies het goede,' zei ze zacht. 'Dank je wel.'

Ze stond op en hij kwam snel overeind en flapte eruit: 'Ga je nog met hem trouwen?'

'Ik moet wel, geloof ik,' antwoordde ze. 'Maar ik zal hem mijn voorwaarden heel goed duidelijk maken.'

'Goed zo,' zei hij.

'Ik heb je lang genoeg opgehouden.'

'Je bent altijd welkom. Wanneer dan ook.'

Zijn ogen ontmoetten de hare en er werd een woordeloze warmte tussen hen uitgewisseld.

'Dat weet ik,' zei ze.

Juffrouw Zander belegde vrijdagmiddag om drie uur een personeels-bijeenkomst, en Violet ging braaf met haar collega's naar de grote eetzaal, waar ze plaatsnamen aan de glanzende tafels onder de kroon-luchter.

Toen iedereen zat riep juffrouw Zander hen met een korte serie scherpe klapjes tot de orde. Ze wachtte tot het helemaal stil was. Violet keek even naar Clive, maar die keek de andere kant uit. Myrtle zat naast haar en lachte haar breed toe. Alle vijandigheid over het mislopen van werk in de winter was weer vergeten.

'Goed,' opende juffrouw Zander de vergadering. 'Ik heb jullie bijeengeroepen om onze Kerstmis-in-juniviering te bespreken, die al over vijf dagen is.' Ze hield theatraal vijf vingers omhoog. 'De meeste voorbereidingen zijn al in gang, maar ik heb twee mannelijke vrijwilligers nodig om samen met meneer Betts de boom op te zetten, en zes vrouwelijke vrijwilligsters om de lange zaal te versieren.'

Overal om haar heen werden handen opgestoken. Violet vroeg zich af of ze zich moest opgeven, maar het was al snel te laat. Juffrouw Zander noteerde de namen op haar klembord en maande toen de groep weer tot stilte. 'Dan heb ik ideeën nodig voor activiteiten voor overdag. Ik heb al een vol schema met spelletjes en zo, maar ik vroeg me af of iemand van jullie soms de toekomst kan voorspellen of portretten tekenen of iets anders leuks, wat de gasten misschien vermakelijk vinden.'

Er werd op hoofden gekrabd en gemompeld.

'Er staat een Kerstmis-in-junibonus tegenover,' zei juffrouw Zander.

Violet stak haar hand op. 'Clive Betts kan portretten tekenen.'

'Dank je, Violet. Clive, wilde je dat niet zeggen?'

'Ze zijn niet zo goed, mevrouw.' Hij ontweek Violets blik opzettelijk.

'Dat hoeft ook niet, maar beledig de gasten alsjeblieft niet door ze al te misvormd te laten lijken.'

Thora bood aan om zigeunerkaarten te lezen en juffrouw Zander beloofde haar een echt zigeunerkostuum met linten en belletjes. Anderen kregen ook de smaak te pakken en boden van alles aan, van gelukskoekjes bakken tot haren invlechten, en juffrouw Zander schreef al hun voorstellen tevreden op en beloofde hen bij zich te roepen als ze er verder over wilde praten.

'En dan dit nog,' zei ze dwars door alle opwinding heen, en deze keer kreeg ze de zaal maar met moeite stil. 'Jullie zijn allemaal uitgenodigd voor de Kerstmis-in-juniviering. Het werkrooster hangt er morgen. Jullie werken allemaal korte diensten zodat jullie minstens een uur met de feestelijkheden mee kunnen doen. De kerstlunch is natuurlijk alleen voor de gasten, maar de festiviteiten staan open voor jullie allemaal. Beschouw het als een teken van mijn dank voor de winterstop.'

Een gejuich van vele stemmen en een licht applaus ging de zaal door.

'Sst, sst,' zei juffrouw Zander met opgestoken handen. 'Deze uitnodiging gaat met grote verantwoordelijkheid gepaard. Jullie zijn allen ambassadeurs van het hotel. Julie dragen je uniform. Jullie drinken geen druppel alcohol. Jullie zijn beleefd en begeven je onder de gasten, maar je flirt niet, vraagt niet om geld en wordt niet vertrouwelijk. Gedraag je voortdurend alsof ik vlak achter je sta met deze uitdrukking op mijn gezicht.' Ze bracht haar wenkbrauwen naar beneden en trok zo'n dreigend gezicht dat iedereen in wild gelach uitbarstte, ook juffrouw Zander zelf.

'Nog vragen?'

Opgewekte stilte.

'Heel goed. Ik zie ernaar uit om het met jullie te vieren.'

Myrtle kneep in Violets hand. 'Wat leuk!'

Violet liet juffrouw Zanders woorden nog eens door haar hoofd gaan. *Begeef je tussen de gasten, maar flirt niet.* Wat verlangde ze ernaar om haar relatie met Sam openbaar te laten worden, niet meer verborgen en beladen met schuld. Ze zou dolgraag een mooie japon aantrekken en samen met hem naar het kerstdiner gaan. Maar de afgelopen twee nachten had hij zijn deur niet opengelaten voor haar. Had hij haar inscriptie niet gezien? Of had hij hem wel gezien en gaf hij er niet om? Ze las en herlas zijn liefdesbrieven, zocht naar antwoorden op vragen die ze niet kon verwoorden. Ze stonden allemaal vol beloftes, maar ze begon zich af te vragen of hij ooit in staat zou zijn om die te houden; hij had ze licht gedaan en zij had ze wanhopig aangegrepen.

Die avond, toen Violet op haar zij in bed lag en zich eenzaam rond-wentelde in haar ellende terwijl Myrtle nog aan het werk was, hoor-de ze een zachte klop op de deur. Toen ze opendeed nam Sam haar in zijn armen.

'Ik heb het gevonden,' zei hij. 'Ik heb je prachtige geschenk gevon-den. Fantastische, fantastische vrouw. Ik vroeg om een teken. Ik zei: *God, als ze nog van me houdt, geef me dan een teken*, en daar was het, uitgehouwen in steen.'

Haar oor lag tegen zijn borst en ze kon zijn hart horen kloppen. 'Ik ben nooit opgehouden met van je te houden.' Ze maakte zich los, hief haar hoofd op en keek zenuwachtig de hal door. Het zou nog uren duren voor Myrtle terugkwam, maar de kamermeisjes waren er ook nog. 'Wat doe je hier?' vroeg ze.

'Je bediende niet bij het diner, dus dacht ik dat je hier zou zijn. Ik ben met een smoesje bij het diner weggegaan en... o, Violet, Violet.' Hij nam haar handen in de zijne en ze voelde dat ze klam waren. 'Het gaat helemaal fout.' Zijn mond en kaak begonnen te trillen en ze besefte dat hij elk moment in snikken uit kon barsten.

'Wat bedoel je? Wat is er mis?' De grote omslag van zijn stemming, de verandering in zijn houding was zo heftig dat het haar angst aan-joeg. 'Wil je binnenkomen?'

'Nee, ik wil dat jij buiten komt. Voor een lange avondwandeling.'

'Het klif af? Volgens mij is dat niet veilig.'

'Nee, het dorp in. Ik leg het onderweg wel uit.'

Ze aarzelde en hij kneep wat harder in haar handen. 'Niet aan me twijfelen, mijn lief, niet twijfelen. Dat doet verder iedereen al. Ik kan het niet verdragen als jij het ook doet.' Hij was bleek en trilde.

'Je ziet er niet goed uit. Misschien moet je even binnenkomen en gaan zitten.'

'Het gaat niet goed met me, Violet. Het gaat niet goed. Ik moet een vriend opzoeken en jij moet mee. Ik heb het geprobeerd, ik heb het echt geprobeerd. Maar toen kwam de geest en nu ga ik helemaal kapot. Help me. Wil je me helpen?'

Violets ribben trokken samen. 'Natuurlijk, natuurlijk. Wat moet ik doen?'

'Trek je jas aan. Ga mee.'

Violet reikte achter de deur naar haar jas en sjaal, hoed en handschoenen. 'Krijg jij het niet koud?' vroeg ze hem.

'Ik voel geen kou. Het enige wat ik voel is de behoefte.'

'We moeten hoe dan ook apart vertrekken,' zei ze. 'Waarom ga je je je jas niet even halen? Dan zien we elkaar voor het hotel.'

'Ja, ja. Goede Violet. Jij begrijpt het. Jij weet wat we moeten doen. Ik wist dat ik bij jou kon aankloppen. Ik zie je buiten. Ik ga even mijn... Ik kan het niet. Ik ben te bang om naar boven te gaan.'

Violet keek haar kamer rond, pakte haar beddensprei en sloeg die om zijn schouders. 'Ga maar. Ik zie je over twee minuten op de hoek. Wanhoop niet, Sam. Wat het probleem ook is, ik zal je helpen. Ik hou van je.'

'Ik hou van jou.'

Ze zag hem de gang door lopen en in het trappenhuis verdwijnen, met de deken strak om zijn schouders. Haar hart bonkte. Wat was er met hem aan de hand? Wat bedoelde hij met geesten en kapotgaan? De seconden tikten martelend langzaam voorbij, en toen haastte ze zich weg, riep tegen Alexandria dat ze een stevige wandeling ging maken en stapte de kou in.

Hij besprong haar van achter een dennenboom en ze greep naar haar hart.

'Ik schrik me dood.'

'We gaan naar een vriend,' zei hij. 'Hij heet Malley.' Hij begon stevig te lopen, maar de sprei gleed steeds van zijn schouders en hij moest stilstaan om hem op te trekken.

'Waar woont hij?'

'Andere kant van de spoorlijn, één of twee straten bij het huis vandaan waar jij altijd gaat dansen. Violet, hij verkoopt me mijn opium. Dat vind je toch niet erg?'

'Ik vind het erg dat je zo onrustig bent. Waarom zeg je dat je kapotgaat?'

'Ik heb het geprobeerd... zo hard geprobeerd, voor jou. En voor Flora. Arme Flora.'

'Geprobeerd?'

'Om te stoppen met de pijp. Ik ben van twintig per dag geminderd naar tien. Ik ging zelfs naar acht. Violet, niemand heeft me ooit geïnspireerd om te minderen tot acht per dag! Je bent een engel, een godin!'

Ze was niet in de stemming om blij met zichzelf te zijn vanwege zijn compliment. Ze had het koud en was bezorgd.

'Maar het is niet genoeg. Mijn darmen doen pijn. Ik heb overal jeuk, en die zit niet op mijn huid maar eronder, in de lagen van mijn vlees die ik niet kan zien. Ik ben... dingen gaan voelen. Dingen die ik niet prettig vind. Ik hoor voetstappen en ik denk dat hij het is, dat hij de hal door komt, helemaal opgezwollen van het water en blauw.'

'Wat een griezelverhaal! Over wie heb je het?'

'Die zelfmoord. Zelfmoordenaars blijven niet in hun graf, weet je. Een eeuw geleden werden ze nog meestal vastgebonden in hun kist om te voorkomen dat ze terugkeerden uit de dood.'

Hoewel Violet niets van dit alles geloofde, kreeg ze het koud van zijn woorden. Ze dwong zichzelf kalm en rationeel te klinken. 'Sam, dat is allemaal niet echt. Je moet verstandig zijn.'

'Ik droom erover, steeds weer. Ik droom over het bad, over hem in het water met zijn ogen dicht en zijn haar dat om hem heen drijft. Ik kan de dromen niet tegenhouden en ik denk dat ze komen doordat ik probeer te stoppen met roken. Ik had nog een beetje opium over. Ik hoopte dat dat het laatste was wat ik zou roken, maar ik kan niet stoppen, begrijp je, Violet, mijn lief? Ik kan niet stoppen.' Hij hief zijn handen op en vormde een kooi rond zijn hoofd met zijn vingers. 'Zonder de opium is de wereld een nachtmerrie. Alles heeft scherpe randen. Alles wat goed is in de wereld lijkt vreemd en verboden voor mij. De geesten komen. De dromen komen. O, o, Violet, dwing me niet om te stoppen.'

Ze trok de deken hoger op om zijn schouders. 'Ik heb je nooit gevraagd om te stoppen, Sam.'

Hij was een paar passen stil en zei toen bedachtzaam: 'Dat klopt. Jij hebt het nooit gevraagd.'

'Ik zie je niet graag lijden. Laten we je vriend opzoeken en kijken wat hij te zeggen heeft. Is hij een dokter?'

'Nee, hij is een crimineel. Je begrijpt toch dat opium verboden is? Of weet je maar zo weinig van de wereld?'

Violet voelde zich gekwetst door zijn nonchalante sneer. 'Ik weet er niet veel van, vrees ik. Is het erg gevaarlijk?'

'Wat je hier ziet,' zei hij. 'Maar alleen als ik stop.'

Violet wist niet wat ze moest denken of zeggen, maar haar instinctieve drang om Sams lijden te verlichten was sterker dan wat ook. Ze haastten zich door het donker, terwijl er een koude wind opstak die de laatste bladeren van de eiken langs de weg rukte en fel en vlak tussen de pijnbomen gierde. Al snel kwamen ze bij een huis met een lange bank op de veranda en hoge Chinese lampen aan weerszijden daarvan.

'Dit is Malleys huis,' zei hij en een tastbare kalmte begon terug te keren in zijn ledematen. 'Malley zal de geesten wegjagen.'

Ze gingen de treden op en klopten, wachtend in het koude duister. Violet begon al te vrezen dat Malley niet thuis was, maar toen ging de deur open en stond hij daar op hen neer te grijnzen.

'Samuel,' zei hij. 'Wie is je mooie vriendin?'

'Dit is mijn Violet. Ze is een verrukking, maar je mag haar geen van je brouwsels geven, begrijp je. Ze is puur en zal zo blijven.'

'Ik zou er niet over piekeren. Kom binnen.'

Malley was lang en dun, met een lange staart en baard, gekleed in wat een rode zijden pyjama leek te zijn. Violet kwam ogen tekort. Zijn huis was klein en rook vreemd – een zoete geur lag over iets ouds en bedorvens – en was vol met Aziatische objecten: houtsneden, potten en kruiken, zijden wandtapijten en de opiumpijpen, lampen, priemen en scharen die ze herkende uit Sams kamer. Hij gebaarde dat ze op de vloer moesten gaan zitten, waar een dik tapijt lag en grote zachte kussens in het rond lagen.

'Het gaat niet goed met me,' zei Sam tegen hem. 'Ik heb geprobeerd te minderen...'

'Maar de draak brult. Ik weet het, ik zie het aan je.'

'Mag ik hier een pijp roken? Wat ik nodig heb is... vergetelheid.'

'Vergetelheid? Dan heb ik hier iets voor je. Iets wat je geweldig zult vinden.'

Malley verdween in een kamer naast hem en leek een eeuwigheid weg te blijven, terwijl Sam huiverend en trillend naast Violet zat. Toen keerde de man terug met een groenlederen etui, dat medische instrumenten bleek te bevatten toen hij het uitrolde.

'Wat is dat?' vroeg Violet achterdochtig.

'Dat is de makkelijkste weg naar de hemel,' zei Malley. 'Het heet heroïne. Het lijkt veel op de opium die jij rookt, maar dit... dit gaat met een onderhuidse injectie rechtstreeks je bloed in.'

Het klonk gevaarlijk en Violet deed haar mond al open om hem te waarschuwen, maar Sam kon niet wachten.

'Zal het de geesten wegjagen?'

Malley glimlachte en onthulde twee gouden tanden. 'Het zal ze zo hard wegjagen dat ze nooit meer terug durven komen.'

Violet keek toe hoe Malley de oplossing en de naald klaarmaakte, en ze hield Sam in haar armen terwijl Malley het goedje in zijn arm spoot. Sam leunde tegen haar aan. Ze voelde de spanning wegvloeien uit zijn lichaam terwijl hij slap en zwaar werd.

'Gaat het met je?' fluisterde ze in zijn oor.

'Ga liggen,' zei hij en dus ging ze op haar zij naast hem liggen, en hij streelde haar gezicht met zijn hand. 'Mooie Violet.'

'Je ziet er zo vredig uit,' zei ze.

'Mogen we hier even slapen?' Maar hij dreef al weg en ze zag hem uit de wereld wegglijden en zijn angsten en geesten achterlaten. Zijn nu rustige gezicht bood geen enkele aanwijzing dat hij nog maar een halfuur geleden trillend voor haar deur had gestaan. Ze probeerde troost te putten uit zijn rust, maar in haar hart scholen vele andere angsten.

14

Violet hervatte haar bezoekjes aan Sams kamer in het holst van de nacht, maar ze ging nu om de nacht. 'Dat is de prijs die we betalen voor een verboden liefde,' zei hij, eindelijk haar behoefte aan meer rust accepterend. 'Gestolen momentjes.'

In de nachten die ze niet kwam, schreef hij verwoed gepassioneerde liefdesbrieven aan haar en legde die onder haar kussen, samen met tussen vloeipapier geperste bloemen, snoepjes of mooie stenen die hij had gevonden.

Sam rookte weer zoveel als hij wilde en zijn stemming was weer gelijkmoedig. Ze vroeg of hij nog naar Malley ging voor een injectie en was opgelucht toen hij zei dat hij liever zijn pijp had dan een naald en dat hij nu voorlopig voldoende opium had. Hij zei dat zijn angst voor de zelfmoordgeest ook verdwenen was, maar zijn toon was zo luchtig dat ze vermoedde dat het valse dapperheid was. Hij weigerde nog altijd de badkamer te gebruiken waarin de man was overleden. Zijn ziekte en jeuk waren verdwenen en zijn uitstraling was rustig. Maar er was nog iets anders verdwenen: de scherpte van zijn geest was afgevlakt, hij leek minder interesse voor alles te hebben. Hij verlangde nog evenveel naar haar, maar soms moest hij worden overgehaald om haar aan te raken. Violet begon zich te schamen voor hun interactie, waarbij ze haar eigen kleren uittrok en daarna aan de zijne trok totdat hij voldoende wakker leek te worden om te beseffen dat ze zijn strelingen nodig had.

Toen ze de dag voor Kerstmis in juni om één uur 's nachts bij hem kwam, zat hij tussen de opengeslagen boeken op de vloer.

'Moet je zien, Violet,' zei hij. 'Dit is wat mijn zus me voor kerst gegeven heeft. Is het niet geweldig? Kom hier bij me zitten.'

Ze ging naast hem zitten en luisterde terwijl hij de plekken in China aanwees die hij had bezocht, de plekken in Afrika waar hij van droomde en alle boerderijen en landerijen die zijn familie in Engeland en Wales bezat.

'Is er een plek waar je altijd al naartoe hebt gewild?' vroeg hij haar.

'Ik zou Parijs graag zien, denk ik.'

Hij vond het boek met kaarten van Frankrijk en liet haar Parijs zien, wees waar de Eiffeltoren gebouwd was en beschreef het verschillende karakter van de arrondissementen. 'Op een dag neem ik je daarmee naartoe,' beloofde hij. 'Dan zul je het met eigen ogen zien.'

Ze kuste hem en hij legde haar op de open kaart en bedreef in Parijs de liefde met haar. Ze sloot haar ogen en stelde zich voor dat ze daar echt waren, riep de geur van de Seine en de klanken van de accordeon op die Sam had beschreven. Na afloop gingen ze zitten en bekeken ze nog meer kaarten, en hun vingers volgden dromen die ze op een dag samen hoopten waar te maken. Hij was erg blij met zijn geschenk, zoals een klein kind met een mooi stuk speelgoed op kerstochtend kan zijn.

Om vier uur keerde ze vermoeid naar haar kamer terug. Ze trok haar jurk uit en haar nachtpon aan en ging in bed liggen. Het laatste wat ze verwacht had was Myrtles stem in het donker. 'Waar ben je geweest?'

Violets hersenen waren te moe om een goede smoes te bedenken. 'Nergens,' zei ze.

'Was je eergisternacht ook nergens? En twee nachten daarvoor?'

'Nergens interessants. Ik slaap de laatste tijd niet goed. Dus dan sta ik op en loop ik wat rond.'

'Je ruikt naar opiumrook als je terugkomt. Rook jij opium?'

'Natuurlijk niet! Hoe weet jij hoe opiumrook ruikt?'

'Omdat we het allemaal hebben geroken bij meneer Honeychurch-Black.'

Violet antwoordde niet. Haar hartslag klonk haar in de stille kamer heel luid in de oren.

'Ik wil niet dat je in de problemen raakt,' zei Myrtle.

'Dat gebeurt niet. Zolang jij het aan niemand vertelt.'

'Niet dat soort problemen,' antwoordde Myrtle. 'Andere problemen. De problemen die meisjes krijgen als ze niet voorzichtig genoeg zijn met mannen.'

'Hoe durf je?' zei Violet verontwaardigd. 'Waar zie je me voor aan?' Ze voelde zich beschaamd en een beetje dwaas.

'Ik wil je niet boos maken, alleen waarschuwen. Ik ben je vriendin, Violet. Volgende week om deze tijd ben ik er niet meer, dus... dus moet ik het nu zeggen. Ik weet dat je hem ziet. Ik weet dat hij je briefjes stuurt. Ik heb hem er eentje onder je kussen zien leggen. Hij ging er heel snel vandoor, maar ik ben niet stom. Zegt hij dat hij van je houdt?'

Violet gaf geen antwoord, verlamd in het gloeiende moment van ontmaskering, boos en bang tegelijk.

Myrtle ging gewoon door. 'Misschien houdt hij echt van je, maar hij mág niet van je houden. Een man als hij wordt het niet vergund om te houden van een meisje zoals jij. Jij bent niemand. Mannen als Sam Honeychurch-Black trouwen met chique dames die een baron als vader hebben, vrouwen die naar een etiquette-instituut zijn geweest en het een en ander over de wereld weten. Ze trouwen niet met meisjes zoals jij en ik, Violet. Dat is een feit.'

'Je weet niets van hem. Of van mij. Of van ons,' ontplofte Violet.

'Wees maar boos als je wilt,' antwoordde Myrtle. 'Het kan me niet schelen. Ik zeg dit allemaal niet om me boven je verheven te voelen. Ik zeg het alleen omdat je het om een of andere dwaze reden zelf niet goed hebt doordacht.'

Violet rolde zich op haar zij en trok de dekens ruw over zich heen. 'Ik luister niet meer naar je,' zei ze.

'Maakt niet uit. Ik heb mijn zegje gedaan.' Myrtle werd stil en sliep al snel de slaap der rechtvaardigen.

Maar Violet kon tot de dageraad de slaap niet vatten. Niet omdat ze boos was op Myrtle, maar omdat ze bang was dat elk woord van Myrtle waar was.

Violet had haar hele leven in Sydney gewoond, waar het met Kerstmis warm en zonnig was. Natuurlijk wist ze van het bestaan van koude kerstfeesten omdat Kerstmis er op alle kaarten en decoraties zo uitzag, maar tot nu toe was dat een verre of onmogelijke versie van Kerstmis geweest. Maar toen ze voor de Kerstmis-in-juniviering de lange zaal binnen liep, was ze onder de indruk van het gevoel van kou en verwondering dat ze kreeg. De lange zaal werd af en toe gebruikt voor kunsttentoonstellingen of vieringen en was eigenlijk een serre aan de valleizijde van de oostvleugel. Het glas had veel van de warmte van de ochtendzon gevangen en vastgehouden, maar er brandden vrolijk knetterende vuren in de twee haarden. Kransen van hulst en klimop hingen aan de schoorsteenmantels en mooie, rood-groene papieren slingers hingen aan het plafond. Een enorme kerstboom – een spar uit de boomkwekerij – stond tussen de haarden, versierd met glazen ballen en glitter en met de hand gemaakte engelen. Door de ramen kon Violet zien dat het een koude dag was. Er lag een laagje rijp op de heggen in de schaduw en de wind schudde de kale takken van de lagerstroemia in de tuin. Een zangtrio luidde klokjes en zong liederen, en ook al wist Violet best dat het niet echt Kerstmis was, ze stond zichzelf toe om te doen alsof.

Violet was bij de eerste dienst ingedeeld en zo begon haar werk met het ronddragen van grote zilveren schalen met koekjes in de vorm van sterren en stukken fruitcake met een dikke laag marsepein erop. De gasten verzamelden zich rondom de haard en de theetafel en wisselden lachend kleine geschenken uit, met blozende wangen van de kou en het vuur. Of ze slenterden naar de drie activiteiten die in verschillende delen van de zaal werden aangeboden. In de verste hoek, onder de breed uitwaaierende takken van een boom die voortdurend bladeren op het glas liet vallen, zat Clive met zijn ezel portretten te tekenen; in een andere hoek, dicht bij het vuur, zat Thora in haar zigeunerkostuum kaarten te lezen; en bij de boekenkast maakte een van de piccolo's klein houtsnijwerk van elfen. Violet concentreerde zich zo goed mogelijk op haar taak, maar was gespitst op Sams komst. Hij had gezegd dat hij zeker zou komen, dus waar bleef hij? Zijn zus was er wel. Ze stond met haar verloofde en diens gevolg bij de boom.

Flora droeg een prachtige jurk van zijde en gaaswerk met kralen erop. Ze zag er niet gelukkig uit, en Violet was plotseling bang dat Sam ziek was of andere problemen had.

Toen ging de deur open en stond hij daar; hij keek een beetje verward maar alert, wat een goed teken was: misschien had hij niet gerookt. Violet stond met haar hoofd gebogen en binnen een paar tellen was hij bij haar om een stuk cake te halen en haar liefdevol toe te lachen.

'Heb jij die gebakken?' vroeg hij.

'Nee. Ik ben niet zo'n beste kok,' antwoordde ze.

'We nemen personeel.'

Ze bloosde blij en herinnerde zich toen haar plaats: voorlopig was zíj het personeel. Maar hij was weggelopen om geen aandacht te trekken en Violet werkte door. Ze droeg zoete versnaperingen en later kerstlunches vanuit de keuken via het lange looppad buitenom, de verwarmde ruimte in en uit tot haar arme lijf niet meer wist of het moest huiveren of zweten. Maar toen het hoofdgerecht van rosbief, Yorkshire pudding, aardappelen en bloemkool eenmaal opgediend was, zat haar dienst erop en kon ze zich ontspannen, genietend van de liedjes en van iets te eten.

Na het eten ging het feest nog door. Hoewel juffrouw Zander het personeel toestemming had gegeven om zich onder de gasten te begeven, was het duidelijk dat de gasten niet veel interesse voor hen hadden. Violet zag Myrtle met Miss Sydney praten en zag Alexandria in een innig gesprek met Cordelia Wright, de operazangeres, maar de rest van het personeel klitte bij elkaar en kletste en lachte onderling. Violet wilde niet tussen hen terechtkomen – ze wilde vrij zijn om weg te duiken als Sam haar nodig had – dus dwaalde ze de zaal rond en bleef dan even naar het vuur of de kerstboom staan kijken.

Toen zag ze Sam en Flora bij Clive staan kijken hoe hij portretten tekende. Ze voelde zich onhandig in haar eigen lichaam, wilde er graag naartoe lopen en bij hen gaan staan, maar ze voelde zich vreemd verlegen. Normaal gesproken waren zij en Sam alleen bij elkaar op vreemde uren of rare plekken.

Maar Clive was toch zeker een oude vriend? Ze kon met hem gaan praten, bij hem gaan kijken. Goed, hij had gezegd dat ze geen vrienden meer waren, maar hij zou toch inmiddels wel afgekoeld zijn? Ze wist dat ze zichzelf voor de gek hield, maar het kon haar niet schelen. Ze haalde diep adem en liep naar de hoek van de glazen serre.

Het licht glansde op Clive's blonde haar. Hij concentreerde zich op zijn ezel. Voor hem, met haar rug naar Violet toe, zat Lady Powell in een geborduurde leunstoel. Violet ging op een beleefde afstand van Sam en Flora achter Clive staan terwijl zij de tekening op het papier zagen verschijnen.

Lieve help, wat was hij goed! Dat had Violet nooit geweten. Ze had hem nooit iets anders dan bomen, gebouwen en fruitschalen zien tekenen. Maar dit portret van Lady Powell ving alles, van haar hooghartige houding tot haar intelligente, heldere ogen. Ze zoog haar adem in en het geluid maakte Sam en Flora attent op haar aanwezigheid.

Sam keek om en glimlachte. Flora keek om en leek boos.

'Hij is erg goed, hè?' zei Sam.

Daardoor keek Clive even op. Hij zag Violet en werkte snel verder.

'Nou en of,' zei Violet. 'Ik ben erg onder de indruk.'

Clive negeerde haar compliment, voegde een paar laatste schaduwen toe aan zijn tekening en haalde het papier van de ezel af. 'Alstublieft, Lady Powell,' zei hij beleefd.

Lady Powell pakte de tekening aan en beoordeelde hem met opgetrokken neusvleugels. Toen gingen de hoeken van haar kleine mond in een glimlach omhoog. 'Goed gedaan, meneer Betts,' zei ze.

Hij knikte en ze riep Lord Powell erbij, die Clive een handvol shillings in de hand drukte, ondanks zijn protest. Flora was al verder gelopen, maar Sam stond nog steeds naast Violet. Al stonden ze centimeters van elkaar af, ze wist zeker dat ze de gemagnetiseerde warmte van zijn lichaam kon voelen.

Clive ging weer zitten en keek op naar Sam. 'Meneer Honeychurch-Black? Wilt u een portret?'

'Dat wil ik heel graag, meneer Betts,' zei Sam. 'Maar niet van mij. Van Violet.'

'O, ik niet,' zei Violet terwijl ze zenuwachtig om zich heen keek.

'Ik mag alleen maar tekeningen voor de gasten maken,' zei Clive.

'Dat doe je ook. Voor mij. Ik hou het portret als het klaar is, als herinnering aan mijn favoriete serveerster.'

'Nee, meneer Honeychurch-Black, ik sta erop...' begon Violet.

'Nee, ík sta erop,' pareerde hij met een lichte stemverheffing, en toen was juffrouw Zander er ineens en wist Violet zeker dat ze haar baan zou kwijtraken.

'Wat is er aan de hand?' vroeg juffrouw Zander.

'Ik wil graag dat je kunstenaar Violet tekent,' zei hij. 'Ik wil hem graag zien tekenen.'

'Dan kunnen we hem wellicht uw zus laten tekenen?' stelde juffrouw Zander luchtig voor.

'Maar ik wil zien hoe hij háár tekent. Ik heb hem al verfijnde dames zien tekenen, en nu wil ik hem een serveerster zien tekenen. Ik wil zien of hij enige waardigheid kan vangen bij iemand uit zijn eigen klasse.'

Dat kwetste Violet. Geen verfijnde dame. Een serveerster. *Zijn eigen klasse.* Ze wist wel dat Sam die dingen waarschijnlijk zei om juffrouw Zanders achterdocht te sussen, maar ze waren ook waar en dat wisten ze allebei.

'Uitstekend, meneer Honeychurch-Black,' zei juffrouw Zander, zich bewust van de aandacht die hun gesprek leek te trekken. 'Violet, ga zitten. Clive, je beste werk, alsjeblieft.'

Violet nam met tegenzin plaats op de geborduurde stoel, een beetje blozend en gegeneerd tegenover het handjevol gasten dat hiernaartoe was gekomen om haar en Clive te zien, en ook een beetje trots en ijdel dat zij van al het personeel hiervoor was uitgekozen. Ze hield haar ogen neergeslagen tot Clive zei: 'Je moet me aankijken, Violet.'

Ze hief haar blik op. Hij keek haar aan en er lag zoveel droefheid in zijn ogen dat het pijn deed in haar hart. Ze herinnerde zich de reden die hij had genoemd om haar nooit eerder te tekenen. *Omdat een vel papier te vlak en te klein is om jou te kunnen vangen.* Dacht hij daar nu ook aan, nu zijn ogen haar gezicht aftastten?

'Hou je hoofd rechtop, alsjeblieft,' zei hij terwijl zijn blik omlaagging en hij begon te tekenen. Violet keek langs hem heen naar Sam, die met zijn rug tegen het glas stond en haar veelbetekenend toelachte. Ze glimlachte terug. Iedereen die hen zo zou zien, zou weten dat ze verliefd waren. Was het een publiek geheim? Misschien wist iedereen het en kon het niemand iets schelen. Ze ontspande haar borstkas en schouders en het bloed stroomde weer wat gemakkelijker door haar heen. Iemand beminnen en zelf bemind worden was pure zaligheid.

Er had zich een klein publiek om hen heen gevormd, voornamelijk gasten. Maar Belle, het kamermeisje, kwam ook en wrong zich naast Sam. Ze draaide zich om, glimlachte naar hem, en zei iets – Violet dacht dat het misschien gewoon 'Vrolijk Kerstmis in juni, meneer Honeychurch-Black' was, maar hij reageerde helemaal niet op haar. Hij deed alsof hij het helemaal niet had gehoord, maar toen tikte Belle hem op zijn arm om zijn aandacht te trekken en Sam deinsde letterlijk achteruit en gaf Belle een minachtende blik die Violet niet voor mogelijk had gehouden als ze hem niet met haar eigen ogen had gezien. Belle sloeg haar ogen neer en haastte zich weg, en toen zei Sam tegen de toekijkende gasten: 'Laten we meneer Betts alle rust geven om zijn werk te doen', en liep weg. Violet voelde zich teleurgesteld. De anderen verspreidden zich en lieten haar en Clive alleen in de hoek van de serre achter.

'Kijk voor je, Violet,' zei hij.

Ze deed wat hij zei en voelde haar hart zachtjes kloppen in haar keel. De stilte strekte zich uit over woorden die niet uitgesproken konden worden.

Uiteindelijk sprak Clive weer. 'Meneer Honeychurch-Black lijkt erg ingenomen met je.'

Violet wist niet wat ze terug moest zeggen. Ze keek de kamer rond, maar zag Sam nergens.

'Ik denk dat hij blij zal zijn met dit portret,' ging Clive verder. 'Volgens mij heb ik wel enige *waardigheid* weten te vangen, ondanks je lage klasse.' Hij zei dit alles zonder een spoor van een glimlach. Het was bedoeld om haar te waarschuwen. Of te kwetsen.

'Kijk voor je,' zei hij weer, fluisterend.

'Sam is een geweldige man,' zei ze verdedigend.

'Dat weet je zeker?'

'Ja.'

'Dan zal ik me er niet mee bemoeien.'

De minuten kropen voorbij. De liedjeszangers begonnen weer, en de muziek bood wat afwisseling na de lange, ongemakkelijke stilte. Violet wilde heel graag om zich heen kijken – om te zien of Sam terug was, wat er allemaal gebeurde – maar Clive had haar vastgepind op haar plek. Ze vroeg zich af of hij er met opzet zo lang over deed, en herinnerde zich toen dat elk portret hem een halfuur had gekost en dat misschien de helft van die tijd verstreken was sinds ze was gaan zitten. Het leek veel te warm in de zaal.

Eindelijk leunde Clive achterover. 'Het is af,' zei hij.

Ze lachte hem vrolijk toe. 'Mag ik het zien?'

'Ja, maar ik kan je de tekening niet geven. Hij is voor meneer Honeychurch-Black.'

'Natuurlijk.' Ze stond op en ging achter Clive's schouder staan om op het portret neer te kijken. Ze had af en toe foto's van zichzelf gezien en was dan altijd verrast – die leken nooit te vangen hoe ze dacht dat ze eruitzag – maar dit portret... het was vreemd. Daar was die zachtheid rond haar wangen en de directe blik die ze uit de spiegel kende.

'Heel goed, Clive,' zei ze. 'Dank je wel.'

'Bedank mij maar niet, bedank je mecenas. Ah, daar komt hij al.' Clive stond op en trok het tekenpapier van de ezel, net toen Violet zich omdraaide en Sam zag naderen. Toen hij langs haar heen liep, ving ze een duidelijke snuif opiumdamp op. Dus daar had hij gezeten.

'Ah, geweldig. Geweldig,' mompelde hij terwijl hij de tekening bewonderde, hem daarna oprolde en onder zijn arm stopte. 'Goed gedaan, meneer Betts. Ik heb geen contant geld bij me om u een fooi te geven...'

'Ik heb geen fooi nodig, meneer. Ik word goed betaald voor wat ik doe.' Het spoortje gewonde trots in Clive's stem ging ongemerkt aan Sam voorbij.

'Goe-hoed, dan.' Hij draaide zich om naar Violet en knikte een keer. 'Dank u, juffrouw Armstrong. Ik eh... zie u binnenkort wel weer.' Toen ging hij ervandoor en liep de serre uit.

'Hij leek haast te hebben om weg te komen,' zei Clive, zijn hoofd gebogen, terwijl hij de papieren op zijn ezel herschikte.

Violet kneep haar ogen een beetje tot spleetjes en wilde al antwoord geven, maar veranderde toen van gedachten. Clive was jaloers; dat was alles. Dus liep ze maar weg, naar de haard, en ging bij Thora in haar gekke zigeunerkostuum staan, en Myrtle die een kerstkoekje at. Ze vroegen haar nadrukkelijk niet waarom ze voor Sam voor een portret had geposeerd, en zij was blij dat ze geen smoesje hoefde te bedenken.

Flora zag Sam weglopen met het opgerolde portret onder zijn arm en wenste dat ze ook weg kon. Ze stond alleen achter in de hoek van de serre, tegenover de klusjesman met het vriendelijke gezicht die portretten tekende. Wat een marteling was deze dag geworden. Gevangen bij Tony en zijn vrienden, met de opgeprikte Karl die zich na de lunch bij hen voegde. Het feest met het personeel had de meest pedante en gemene grappen uitgelokt en ze jutten elkaar steeds verder op met hun beledigende opmerkingen. Als een van de personeelsleden met hen kwam praten glimlachten ze beleefd en deelden ze complimentjes uit alsof ze de aardigste kerels ter wereld waren, maar zodra diegene wegliep, begonnen ze te grinniken en in de meest onsmakelijke bewoordingen te roddelen. Flora was het helemaal beu. Ook Sams gezelschap was maar heel even aangenaam geweest. Zodra hij Violet had gezien was hij ruziezoekerig en knorrig geworden. Ze had lange tijd in haar eentje zitten doen alsof ze genoot van de kerstliederen en geprobeerd er bij Cordelia Wright een woord tussen te krijgen.

'Is de kou niet verfrissend?' zei Cordelia, die een kers van een koekje plukte en in haar mond stak. 'Weet je, ze zeggen dat het misschien zal gaan sneeuwen. Ik hou zo van sneeuw.'

Sneeuw? Dan kreeg ze Sam hier nooit meer weg. Dit koude weer was niet de Kerstmis die Flora graag had. Kerstmis was warme zonneschijn en strakblauwe luchten en wuivend gras en de hese roep van krekels, familieleden die op bezoek kwamen, geroosterd lam met ongezuurd brood op de lange achterveranda van haar ouders grote buitenhuis, met brandypudding toe. Hoe zou kerst – de echte kerst – dit jaar zijn? Getrouwd met Tony, wonend in de stad, tussen zijn verschrikkelijke vrienden.

Zou hij stoppen met de andere vrouwen? (Ze kon zich er niet eens toe zetten om het woord 'prostituees' te dénken.)

Flora wilde dolgraag weg, en uiteindelijk besloot ze te doen alsof ze hoofdpijn had.

'Het spijt me, mevrouw Wright,' zei ze, 'maar volgens mij is deze kerstbrandy me naar het hoofd gestegen...' Ze duwde zich van de glazen wand af.

'Ach, stakker toch. Je hebt ook meer oefening nodig.' Cordelia knipoogde en liep weg, en Flora wilde zich net uit de voeten maken toen ze Tony zag aankomen, met zijn gevolg in zijn kielzog.

'Je gaat toch nog niet weg?' vroeg hij met die hartveroverende glimlach, zijn handen losjes gespreid.

'Ik voel me niet zo goed.'

'We hebben vandaag amper twee woorden gewisseld. Ik heb een kerstcadeautje voor je.'

Ze stond zich toe om te glimlachen en keek toen nadrukkelijk naar Sweetie en Karl. Tony maakte een lazer-opgebaar met zijn handen en ze keerden haar de rug toe. Buiten lengden de middagschaduwen al en de wind werd kouder en liet de glazen panelen rammelen. Het licht in de zaal veranderde. En terwijl juffrouw Zander druk rondliep om de lampen aan te steken kon Flora het gevoel niet van zich afzetten dat de naderende duisternis op een bepaalde manier iets voor haar te betekenen had. Misschien kwam het doordat ze alleen was met Tony. Ze had het gevoel dat ze zichzelf niet meer kon zijn bij hem. In haar hoofd riep ze steeds beelden van hem op met andere vrouwen; vrouwen met harde gezichten die geen kuisheid kenden. Was dat wat hij leuk vond? Werkten haar waardigheid, haar nette manieren, haar goede fatsoen tegen haar?

Hij kwam dicht bij haar staan en kuste haar op de wang. Hij stonk naar alcohol. 'Ontloop je me vandaag?'

'Je vrienden zijn hansworsten.'

'Ze maken alleen maar lol.'

'Je weet dat ik niet van botte grappen hou.'

Hij glimlachte en stak zijn hand in zijn jaszak. 'Misschien maakt dit je blij.'

Het doosje was dichtgestrikt met een lint en ze maakte het open. Ze wist dat ze opgewonden moest zijn, maar in plaats daarvan was ze zenuwachtig. Hoezeer zou dit dure cadeau haar aan hem verplichten?

In het doosje lag een gouden ketting met een grote rechthoekige smaragd in het midden. 'Wat mooi,' zei ze en ze probeerde enthousiast te klinken.

'Zal ik hem omdoen?'

'Later misschien. Ik wil niet de aandacht trekken.'

Een geïrriteerde blik schoof over zijn gezicht, maar hij drong niet aan. Ze klapte het doosje dicht en glimlachte naar hem. 'Dank je wel, lieverd.'

Zijn stem werd zacht. 'Wat heb je toch?'

'Er is niets.'

'Er is de hele week al iets. Je glimlacht niet meer met je ogen tegen me. Wat is er?'

De woorden borrelden op in haar keel. Haar blikveld verbleekte aan de randen en ze vroeg zich af of ze het hem moest vertellen. Toen kwam een gedachte bij haar op: stel dat Eliza het mis had? Of dat ze het verzonnen had om Flora de voet dwars te zetten? Flora kende haar immers niet zo goed, en mensen deden soms vreemde dingen om vreemde redenen. Stel dat ze het hem vroeg, en hij haar verzekerde dat het niet waar was?

Flora besefte dat er lange seconden voorbij waren gegaan sinds hij zijn vraag had gesteld. Ze haalde diep adem. 'Eliza Fielding zei dat jij... nachtvlinders... bezoekt... in Sydney.'

Tony knipperde met zijn ogen. Ze keek nog een laatste keer liefdevol naar zijn mooie gezicht, voor het geval dat alles na dit moment alleen maar slechter werd.

'Dat doen mannen nu eenmaal,' zei hij.

Alle lucht stroomde haar longen uit. 'Dus het is waar?'

'Ik ben een man. Ik heb behoeften. Jij hebt onze bruiloft lang uitgesteld. Ik kan niet eeuwig wachten tot mijn behoeften vervuld worden. Het is niet meer dan natuurlijk.'

Flora voelde de snikken opkomen in haar borst, maar ze zou niet gaan huilen. Niet hier, in het openbaar. Ze probeerde zich langs hem heen te wringen, maar hij hield haar tegen.

'Je kunt me hier niet om veroordelen, Flora. Ik had het kunnen ontkennen. Ik heb je de waarheid verteld. Alle andere mannen doen het ook. Sweetie ook.'

Flora dacht aan Will Dalloways woorden: *ik in elk geval niet.*

'Laat me los,' zei ze.

'Niet hysterisch worden. Vrouwen en mannen zijn nu eenmaal verschillend.'

Ze maakte zijn handen van haar los, maar bleef voor hem staan. 'Stop je ermee?'

'Wanneer?'

'Nu meteen. Stop je ermee? Onze bruiloft is al over een paar maanden en ik... ik pik het niet, Tony. Je stopt, of dat huwelijk is van de baan.'

Zijn ogen schoten weg. 'Goed. Ik zal ermee stoppen.'

Een overwinning. Waarom voelde het niet zo?

'Je moet ook getest en behandeld worden op... ziektes die je misschien hebt opgelopen.'

'Ik heb geen ziektes,' protesteerde hij, maar ze haalde alleen haar schouders op en keek hem ijzig aan.

Hij zuchtte en zijn schouders werden zachter. 'Goed dan. Oké. Ik moet zeggen dat ik niet wist dat je zoveel staal in je had.'

Ze voelde haar mondhoek trillen.

Hij merkte dat ze alweer milder werd. 'Ik ben blij dat ik met je ga trouwen,' zei hij.

'Ik voorspel je dat we een goed leven zullen krijgen, Tony. Maar ik verwacht onberispelijk gedrag.'

'Dat krijg je ook. Dat beloof ik je.'

'Dank je voor de ketting. Echt. Dank je wel. Hij is prachtig.'

Hij hield haar opnieuw vast, deze keer voorzichtig en liefdevol, rond haar middel, trok haar dicht tegen zich aan en streelde haar haar. 'Het spijt me, liefste. Ik heb je nooit willen kwetsen.'

Flora voelde zich verscheurd door schuldgevoelens omdat ze Will over hun problemen had verteld. Het was niet goed dat hij zoveel over haar privéleven en gevoelens wist. Ze moest voortaan bij de dokter uit de buurt blijven.

'Vrolijk kerstfeest,' murmelde ze tegen zijn schouder.

'Vrolijk kerstfeest, Flora.'

15

De Evergreen Spa zou op 1 juli sluiten en de personeelsruimten gonsden van de drukte terwijl mensen inpakten voor hun vertrek. De stemming was soms opgewekt en soms somber, al naargelang de werknemer een plek had om tijdens de vakantie naartoe te gaan, of werk had om hem de tijd tot zijn terugkeer in de lente te helpen doorkomen.

Myrtle was in een opperbest humeur terwijl ze haar spullen inpakte. Ze vertelde Violet dat ze naar haar zus in Northern Queensland zou gaan, waar het klimaat warm en zacht was en het strand maar tien minuten lopen.

'Stel je voor, jij zit hier in de sneeuw terwijl ik in zee zwem,' glunderde Myrtle, en Violet moest toegeven dat het erg aanlokkelijk klonk om in de warme zee te zwemmen.

'Misschien gaat het wel niet sneeuwen.'

'Nou, eerlijk gezegd heb ik hier nog nooit sneeuw gezien,' zei Myrtle terwijl ze de gesp van haar koffer tegen haar vinger klapte. 'Au!'

'Wat ben je toch onhandig, Myrtle.'

Ze zoog op haar vinger. 'Ik wilde zeggen,' ging ze verder, 'dat iedereen het over sneeuw heeft, veel sneeuw. En dat het een van de koudste winters wordt die ooit voorspeld zijn. Ik ben blij dat ik wegga.'

Violet deed haar koffer voor haar dicht. 'Zo. Hoe laat gaat je trein?'

'Over een uur. Nu moet ik mijn laatjes en kast nog schoonmaken. Juffrouw Zander staat erop. Je mag helemaal niets achterlaten, nog geen haar.'

Violet hielp haar en ze maakten de laden die Myrtle het afgelopen jaar gebruikt had grondig schoon. 'Ik zie er ontzettend naar uit om bij de winterbezetting te horen,' zei Violet, 'ook al moet ik elke dag de bedden op de damesverdieping opmaken.'

'Een paar maar,' zei Myrtle. 'Er blijven niet veel gasten.'

'Dat zal wel.'

Myrtle wrong haar doek weer uit in de emmer en werkte verder. 'De Honeychurch-Blacks blijven toch?' vroeg ze op een te luchtige toon.

'Voor zover ik weet,' antwoordde Violet even luchtig, alsof zij en Sam het heuglijke feit dat ze twee maanden samen in een bijna leeg hotel zouden zitten niet gepassioneerd hadden gevierd.

'Ze is aardig, hè? Juffrouw Honeychurch-Black? Ze heeft iets heel vriendelijks over zich, en ze is een beetje... koninklijk.'

'Ik weet het niet.' Violet hield op met poetsen en fronste haar wenkbrauwen toen ze dacht aan Sams waarschuwing dat Flora hen uit elkaar zou drijven. 'Volgens mij is ze nogal bazig.'

Myrtle draaide zich om. 'Ze is helemaal niet bazig. Ik heb haar de meeste avonden van de week bediend. Ik heb nog nooit een minder veeleisende, aardiger hotelgast ontmoet.' Ze legde haar doek neer en keek Violet strak aan, en Violet wist dat er waarschuwingen en oordelen aan zaten te komen.

Violet zuchtte. 'Toe maar dan,' zei ze. 'Zeg het maar.'

'Juffrouw Zander vroeg of ze me kon spreken, vlak na Kerstmis in juni. Ze vroeg of ik nog kans zag mijn plannen te wijzigen en in de winter te blijven.'

'En?'

'Ik zei van niet, en ik vroeg waarom. Verwachtte ze nog meer gasten? Maar ze schudde alleen haar hoofd en zei dat het "een tijdelijk probleem" was.'

'Wat betekent dat?'

'Begrijp je het niet, Violet? Ik ben serveerster. Jij bent serveerster. Ze overwoog mij jouw plaats te laten innemen. Ik weet niet of ze van gedachten veranderd is toen ik nee zei, of dat ze het ook aan alle anderen heeft gevraagd en dat niemand zijn plannen meer kon wijzigen... Maar ze is niet stom, onze juffrouw Zander. Dat gedoe met meneer Honeychurch-Black die een portret van jou eist... ze is niet stom.'

De schrik sloeg Violet om het hart. 'Denk je dat ze iets vermoedt?'

'Absoluut.'

'Raak ik mijn baan kwijt?'

'Nog niet. Verplaats jezelf eens in juffrouw Zanders schoenen: ze wil haar zeer rijke gasten tevreden houden, ze weet dat meneer Honeychurch-Black jou leuk vindt en dat hij allerminst tevreden zal zijn als ze jou ontslaat terwijl hij hier nog is. Maar als hij weg is, is er niets meer wat jou kan beschermen.'

Violet richtte zich hoog op. 'Sám zal me beschermen.'

Myrtle hield haar hoofd schuin. 'Weet je dat zeker?'

Violet knikte en Myrtle ging verder met haar laden. 'Dan hoef je je nergens zorgen over te maken, hè?' zei Myrtle.

Violet ging op haar rug op het bed liggen. Nee, ze hoefde zich nergens zorgen over te maken. De baan bij Evergreen Spa kon ze toch al niet houden. Aan het einde van de winter, als Sam alles met zijn familie geregeld had, zou ze met hem verloofd zijn. En anders zou ze teruggaan naar Sydney om voor mama te zorgen. Ze wenste dat ze zeker kon zijn van het eerste, want het tweede was een treurige, akelige ramp.

Sams woorden kwamen bij haar boven: *Niet aan me twijfelen, mijn lief, niet twijfelen. Dat doet verder iedereen al. Ik kan het niet verdragen als jij het ook doet.* Nee, ze zou niet aan hem twijfelen. Zolang ze nog een tijdje voorzichtig waren, had Violet niets te vrezen van juffrouw Zander.

'Zo,' zei Myrtle. 'Helemaal klaar. Ik ga deze emmer leeggooien en dan... Heb je zin om met me naar het station te lopen?'

'Heel graag.'

De lucht buiten was koud en fris, en Violets wangen gloeiden ervan. Andere werknemers drentelden rond op het perron en wisselden grappen en roddels uit, maar Violet merkte dat veel van hen een beetje afstand tot haar hielden. Misschien was ze zelf onlangs het onderwerp van roddelpraat geweest. Ze hield haar hoofd hoog en trok het zich niet aan; ze was zelfs een beetje trots.

Toen de trein eindelijk klaarstond om te vertrekken gaf Myrtle Violet een zachte, naar rozen geurende omhelzing. 'Dag, Violet. Ik zal je schrijven.'

'Ga maar zwemmen namens mij,' zei Violet in Myrtles haar. 'Ik heb zo'n zin om te zwemmen.'

Myrtle bracht haar mond vlak bij Violets oor. 'Pas goed op jezelf, liefje. Je bent waardevol. Pas op jezelf. Ik wil niet dat jou iets slechts overkomt.'

Violet moest haar best doen om niet geïrriteerd te klinken. 'Dat gebeurt niet,' zei ze. 'Nu wegwezen. Geniet van je warme winter.'

Ze bleef op het perron staan tot de trein weg was. Het verlangen overviel haar om bij Myrtle in de trein te zitten en naar het noorden te reizen, naar Queensland, waar de zon warm op de zee scheen en al deze onzekerheid achter haar zou liggen. Maar toen kwamen de gedachten aan Sam weer bij haar boven. Haar hoofd en haar gevoel raakten vol van de herinnering aan hun ontmoetingen in het holst in de nacht, en het verlangen om weer bij hem te zijn brandde in haar als een vuur.

Voetstappen liepen voortdurend heen en weer door de gangen en op de trappen, stemmen riepen elkaar gedag, autoportieren sloegen dicht en motoren werden gestart. Het waren een paar drukke dagen en iedereen die een dienst kon worden opgedrongen was in touw. Violet moest zelfs koffers voor de gasten dragen, als een eenvoudige piccolo. Een lange, omvangrijke man met een arrogante mond had zwijgend staan toekijken hoe ze zijn twee grote koffers voor hem in zijn automobiel probeerde te wurmen. Ze leken wel een ton te wegen, maar hij zei geen woord van dank. Clive, die ook een handje toestak op vertrekdag, zag haar op het laatste moment en kwam haar snel helpen.

'Dank je,' fluisterde ze. 'Ik was al bang dat ik er een zou laten vallen.'

'Hou jij je maar bij de dames,' zei Clive. 'Zijde is niet zo zwaar.' Hij knipoogde tegen haar en wijdde zich toen weer aan zijn eigen taken.

Ze was al uitgeput toen juffrouw Zander haar kwam halen om de gastenkamers leeg te halen.

'Dit is Agnes' laatste dag,' zei juffrouw Zander, die ruw een laken lostrok terwijl Violet een kussen uit een sloop haalde. 'Ze zal dit allemaal vandaag nog wassen en uithangen, en ik wil graag dat jij het morgen binnenhaalt en hierheen brengt om de bedden voor de overgebleven gasten te verschonen.'

'Zeker. Hoeveel blijven er?'

'Maar drie op de damesverdieping, en vijf bij de mannen. Lord en Lady Powell delen de Regency-suite op de bovenste verdieping. Ik weet dat je het beneden je stand vindt, maar ik verwacht wel dat je je best doet. Bedden verschonen, vloeren en tapijten doen, afstoffen enzovoort. Meneer Betts zal de badkamers schoonhouden. Het hoeft niet al te lang te duren en natuurlijk zal de bediening veel gemakkelijker zijn met zo weinig gasten. Dus vraag me niet om extra geld.'

'Ik zou er niet over piekeren.' Violet verborg haar teleurstelling. Ja, er waren minder gasten, maar er was ook minder personeel. Ze zou bij het ontbijt, de lunch en het diner moeten werken, en daarnaast voor zes gasten kamers moeten schoonmaken en lakens uitkoken. Maar toen bedacht ze dat het altijd nog beter was dan helemaal geen werk hebben, en ze zou nog dicht bij Sam zijn.

Ze zou zelfs toegang krijgen tot zijn kamer. De opwindende gedachte sloeg bijna direct dood toen ze besefte dat die toegang bedoeld was om zijn bed te verschonen en schoon te maken. Ze zou zichzelf opvrolijken door te doen alsof ze getrouwd waren en zij gewoon voor hem zorgde zoals het een goede vrouw betaamt.

'Goed, neem deze,' zei juffrouw Zander, terwijl ze een ruwe bal lakens in haar armen duwde. 'Leg ze op de kar in de gang.'

Violet deed wat haar gezegd werd en liep de kamer uit op precies het moment dat Flora uit de hare kwam, met een wollen muts op en een weelderige bontjas aan. Ze keek Violet aan met bleke, geschrokken ogen.

'Goedemorgen,' mompelde Violet.

Juffrouw Zander kwam meteen achter haar aan. 'Nu brengen we deze naar...' Ze bleef staan en haar toon veranderde onmiddellijk. 'O, goedemorgen, juffrouw Honeychurch-Black. Gaat u naar het dorp?'

'Ja, ik...' Flora voelde nerveus aan haar muts, liet haar hoofd zakken en liep weg zonder haar zin af te maken.

'Een geweldige vrouw,' zei juffrouw Zander. 'Zo welopgevoed, zo beschaafd.'

Violet propte zwijgend lakens in de zak op het wagentje en voelde zich laag en dienstbaar.

Die nacht sleepte ze zich om middernacht uitgeput uit bed en sloop de trap op naar Sams kamer. Ze was vastbesloten hem een soort belofte te ontfutselen over wanneer hij zijn vader zou vragen of ze konden trouwen. De onzekerheid werd haar te veel. Ze deed zijn deur open en vond hem liggend op zijn zij in bed, pijprokend. Onder de lamp lag het portret van haarzelf, dat Clive had getekend.

Violet was teleurgesteld. Als hij rookte was hij ver weg in zijn eigen wereld en viel er niet redelijk met hem te praten. 'Hallo,' zei ze zacht, terwijl ze de deur achter zich sloot.

Sam keek haar met tot spleetjes geknepen ogen aan en blies toen langzaam rook uit. De warme, organische geur van de opiumdamp vulde de kamer. 'Hij is verliefd op je, hè?'

Violet was even van haar stuk gebracht. 'Wie?'

Sam tikte met zijn knokkels op de tekening. 'Clyde.'

'Bedoel je Clive?'

Zijn stem rees scherp, plotseling oorverdovend in de stilte. 'Corrigeer me niet! Het kan me niet schelen wat zijn naam is en voor jou zou dat ook moeten gelden!'

De schrik sloeg Violet om het hart. 'Sst, Sam!' fluisterde ze streng. 'Dat kan iemand gehoord hebben.'

'Kan me niet schelen.'

'Waarom ben je zo boos op me? Ik begrijp het niet.'

'Kijk dan! Kijk er dan naar!' Hij rukte het papier onder zijn lamp vandaan, waarbij hij bijna zijn pijp omgooide, en wierp het voor haar voeten op de vloer.

Violet raapte het op en keek ernaar. Ze had geen idee wat ze zocht, maar haar polsslag raasde. Desondanks keek ze strak naar het vel papier, in de hoop dat hij zou kalmeren voor hij de andere mannen op de verdieping wakker zou maken.

'Nou?' zei hij.

'Het spijt me, mijn lief, maar ik begrijp je niet,' zei ze zo voorzichtig mogelijk.

'Hij is verliefd op je. Zie je dat niet? In elke lijn, in elke curve. De zorg, de details.'

Violet koos haar woorden zorgvuldig. Natuurlijk was Clive verliefd op haar, maar ze had dat nog nooit als een probleem beschouwd. 'Maar hij stopte evenveel zorg en details in zijn tekening van Lady Powell. Dat heb je zelf gezien.'

'Dit is anders. Kijk, hij had zelfs het lef om zijn naam eronder te zetten.'

Violet keek onderaan, waar ze Clive's naam doorgekrast zag staan.

'Hij heeft het doorgestreept.'

'Nee, dat heb ik gedaan.'

'Nou,' zei ze, 'het is in elk geval weg. En wat maakt het trouwens uit of hij van me houdt?' ging ze dapper door. 'Ik hou niet van hem. Ik hou van jóú en mijn hart is onwankelbaar.'

Sam legde zijn pijp op het bed en kwam overeind, waardoor het blad met de schaar op de grond kletterde. Zijn gezicht was wanhopig en hij keek als een onzeker jongetje. 'Kan ik je echt geloven, Violet? Want mijn hart kan de gedachte niet verdragen om jou te verliezen.'

Ze gaf hem de tekening. 'Ja, dat verzeker ik je. Natuurlijk kun je me geloven.'

Hij straalde en liep met de tekening naar zijn schrijftafel. 'Goed dan.' Hij zocht naar pen en inkt en schreef iets boven op de tekening. 'Mijn Violet. Niet de zijne.'

'Je hoeft nooit aan me te twijfelen, Sam. Ik...'

Haar zin werd onderbroken door een zachte klop op de deur.

Sams ogen werden groot en Violets bloed werd direct heet. Sam liet zijn pen vallen, greep haar zonder een woord bij de schouder en duwde haar naar de garderobekast. Ze deed de deur open en klom erin, tussen de jasjes en broeken die over kleerhangers hingen, en hurkte neer. Sam deed het licht uit en ze sloeg haar armen strak om zichzelf heen en probeerde heel stil te zijn.

De deur ging open. 'Wat is er?' vroeg Sam.

'Is alles hier in orde?' vroeg een man. Violet herkende zijn stem niet.

'Ja, hoezo?'

'Ik hoorde geschreeuw. Ik werd er wakker van.'

'Dat moet je gedroomd hebben,' zei Sam, en Violet bespeurde voor de eerste keer een spoor van angst in zijn stem.

'Heb je een vrouw hier?'

'Zoals je ziet, nee.'

'Weet je het zeker? Ik zou het niet erg vinden om haar te delen.' Toen een geluid dat ze niet kon plaatsen, alsof iemand zijn broek afklopte.

'Hou op,' zei Sam.

'Of anders?' Het geluid ging verder.

'Laat me gewoon met rust.'

Toen het onmiskenbare geluid van een klap. 'Je bent niet goed snik,' zei de onbekende man.

'Laat me met rust.'

Violets hart klopte wild. Wat deed die man met Sam? Moest ze naar buiten komen en om hulp roepen?

'De volgende keer kom ik naar binnen,' zei de onbekende man. 'Dan neem ik mijn deel van de verboden vruchten die je hier plukt.'

Sam gaf geen antwoord. De deur ging dicht, en toen Violet niets dan stilte hoorde kwam ze de garderobe uit.

'Wie was dat?'

'Een van de ploerten van mijn zwager,' zei Sam terwijl hij zijn haar gladstreek en weer op bed ging zitten. 'Die ene die ze Sweetie noemen.'

'Wat heeft hij met je gedaan?'

'Hij mept me in het rond. Op mijn schouders, mijn hoofd. Dit was niet de eerste keer en het zal ook niet de laatste zijn.'

'Dan moet je hem aangeven bij de politie!'

'Ze zouden me nooit geloven. Flora gelooft me niet. Tony beschermt hem. Hij vindt het gewoon leuk om zich op me uit te leven en daarna gaat hij weer weg. Ik zou hem jou nooit met een vinger laten aanraken, dus maak je daar maar geen zorgen over.'

Violet herinnerde zich degene die Sweetie heette: hij was veel groter dan Sam en ze betwijfelde of Sam in staat zou zijn om hem tegen te houden als hij het in zijn hoofd haalde de kamer naar haar te doorzoeken. Sam stak zijn lamp weer aan en maakte met trillende handen nog een pijp klaar.

Ze ging naast hem liggen. 'Sam, over een paar dagen ben ik de enige vrouw op de personeelsverdieping. Waarom kom jij voortaan niet naar mij? Je kunt de hele nacht blijven. Dan hoeven we ons geen zorgen te maken over Sweetie of wie dan ook.'

Hij keek weifelend, dus zei ze: 'Dan ben je ook weg bij de badkamer waar die man is gestorven.'

'Dat is waar,' zei hij, terwijl hij de zoete opiumdamp inademde. 'Ik wil alleen maar bij jou zijn, Violet,' zei hij.

'Hetzelfde geldt voor mij, lieverd. Ik wil alleen maar bij jou zijn.' Ze dacht aan alle andere dingen die ze wilde zeggen: dat ze onzeker was, dat ze zich niet kon voorstellen dat Flora haar ooit als schoonzus zou verwelkomen, dat hij moest uitleggen hoe ze hun verschillen in klasse en opvoeding moesten overbruggen, dat ze zijn belofte wilde dat hij altijd genoeg aan haar zou hebben. Maar terwijl hij zich de vergetelheid in rookte, bleef het allemaal ongezegd.

'Samen zijn. Dat is een eenvoudige wens, nietwaar?' zei hij terwijl zijn ogen dichtvielen.

'Heel eenvoudig,' zei ze. Maar waarom leek het dan zo onmogelijk?

Dat Sam naar haar kamer kwam maakte een groot verschil. Ze was niet steeds zo bang om betrapt te worden. Er was verder niemand, en juffrouw Zander waagde zich 's nachts nooit in de bediendenvleugel. Ze waren nog altijd voorzichtig, maar veel meer ontspannen. Belangrijker nog, nu kon Sam de hele nacht bij haar blijven. Ze hoefde niet meer om drie uur 's nachts terug naar haar kamer te stommelen. Met haar rug tegen zijn buik gekruld sliep ze in een waas van geluk, met zijn adem achter haar en zijn handen zachtjes haar borsten en buik strelend.

Ook nam hij zijn opiumpijp niet mee. Als hij kwam rook ze soms dat hij gerookt had, maar dat was niet zo erg. Meestal wilde hij dan gewoon slapen, en Violet had haar slaap hard nodig. Ze rende de benen uit haar lijf met al haar taken, was elke dag van zeven uur 's morgens tot zeven uur 's avonds in touw, maar tijdens de eerste twee weken van de winterperiode begon ze zich enigszins uitgerust te voelen.

Ze waren zo tevreden met elkaar, ze hadden het zo vredig en gezellig, dat ze dat niet wilde verstoren met stekelige vragen over de toekomst, al was dat soms moeilijk. Ze spraken over lichte dingen, bedreven de liefde, sliepen in elkaars armen en waren korte tijd gelukkig. Violet probeerde zich niet te wanhopig aan het geluk vast te klampen.

Het werd rustig in Hotel Evergreen Falls. Flora vond het niet erg; ze was opgegroeid op het platteland en was eraan gewend om niet zoveel mensen om zich heen te hebben. Tony zei dat hij er onrustig van werd, alsof ze allemaal achtergelaten waren, afgesneden van de wereld. De maaltijden waren nu intiem. Een deel van de eetzaal was afgeschermd met een rij zijden kamerschermen op houten frames met oosterse motieven, en er werd maar één grote tafel gedekt voor hen allemaal. Niet iedereen kwam beneden eten, maar bij het ontbijt op de vijfde dag waren ze er allemaal: Flora en Tony, Tony's entourage die was ingekrompen tot Sweetie en Harry nu Vincent weg was (Karl, die formeel gezien bij het personeel hoorde, mocht nog steeds niet met de gasten aanzitten in de eetzaal), Lord Powell, hardnekkig genegeerd door Lady Powell die een intens gesprek voerde met Cordelia Wright, en de jonge, grootogige Miss Sydney, Miss Sydneys verkering, een zweterige man wiens naam Flora nog steeds niet goed wist – meneer Duke? of was het meneer Earl? –, die probeerde er een woord tussen te krijgen maar daar gewoon de kans niet voor kreeg van de oudere dames, en dan nog Sam, die lieve Sam met zijn slordige haar en zijn licht verbouwereerde gezicht, die wel aan tafel zat, maar een miljoen kilometer ver weg leek. Ze voelde een steek in haar hart. Wat hield ze veel van hem en wat was ze bezorgd om hem. Het vuur bulderde in de haard en achter de ramen leek de wereld grijs en vlak.

Lord Powell, die zijn pogingen om de aandacht van zijn vrouw te trekken leek te hebben opgegeven, boog zich over zijn bacon heen en zei tegen Tony en zijn entourage: 'Ze voorspellen de koudste winter die ze ooit hebben gezien.'

Tony huiverde zichtbaar. 'Hierboven?'

'Ja. Wordt niet aangenaam. Ik vertrouw erop dat onze juffrouw Zander wel weet hoe ze ons warm moet houden. Die vrouw is een kanjer.'

'Ik wed dat juffrouw Zander een heleboel dingen weet die we ons niet eens kunnen voorstellen,' zei Sweetie, en hij en Harry grinnikten.

Flora begreep het niet. Ze leken te zinspelen op iets grofs, maar ze wist niet wat en ze wilde het niet vragen.

Lord Powell had het niet in de gaten en bleef de lof van juffrouw Zander zingen. 'Ja, dat klopt. Ze weet absoluut hoe ze het haar gasten naar de zin moet maken.'

'Vooral de dames,' ginnegapte Harry.

'Al zou ik haar graag een paar dingen leren over de heren,' antwoordde Sweetie, en ze barstten allebei in lachen uit.

Lord Powell snoof verontwaardigd en werd gered door zijn vrouw, die zich omdraaide om hem een vraag te stellen.

Maar Flora zat nog steeds midden in hun grofbesnaarde flauwekul.

'O, maar ze heeft geen interesse in heren,' zei Harry.

Tony lachte. 'Is dat zo?'

'Wat bedoelen ze?' vroeg Flora, terwijl ze zich dicht naar Tony toe boog, maar haar vraag werd evengoed gehoord.

'Hij bedoelt, lieve juffrouw Honeychurch-Black, dat juffrouw Zander niet ongetrouwd is omdat ze geen man kon krijgen, maar omdat ze er geen wilde,' zei Sweetie met een dubbelzinnige knipoog.

'Dat is toch niets om zo grof over te doen,' diende Flora hem van repliek. 'Een vrouw kan zelf kiezen hoe...'

'Flora,' onderbrak Tony haar terwijl hij zijn hand op haar pols legde. 'Ze bedoelen dat ze homoseksueel is.'

Flora had dat woord nog nooit eerder hardop uitgesproken gehoord en het schokte haar. 'Echt?'

'Natuurlijk is ze dat,' zei Sweetie, en hij leek een wreed genoegen te beleven aan haar schok. 'Heb je niet gezien hoe ze de hele tijd de jongedames volgt met haar ogen? Miss Sydney hier? Zelfs jou, soms!'

Flora dacht na over juffrouw Zander en kwam tot de conclusie dat het haar helemaal niet stoorde of de vrouw liefde zou zoeken bij iemand anders dan een man. Wat er gebeurde in het privéleven van mensen was hun eigen zaak, en juffrouw Zander was een goede vrouw die ze het geluk graag gunde. Maar waarom moest Sweetie de hele tijd doorgaan met die platvloerse gezichtsuitdrukkingen en gebaren, zodat het allemaal zo vies leek? Waarom moest Tony meedoen, lachen en hem aanmoedigen?

'O, laat haar toch,' snauwde Sam. Flora was zich niet bewust geweest dat hij meeluisterde. 'Je weet het niet eens zeker, en als het waar is krijgt ze het al moeilijk genoeg in het leven. Liefde is liefde, waar je die ook vindt, en niemand hoort erom terechtgewezen te worden.'

Deze uitspraak bezorgde Sweetie een enorme lachbui, en Harry volgde. Tony besefte dat hij de broer van zijn verloofde moest beschermen en kwam tussenbeide. 'Genoeg,' zei hij met een lage, autoritaire stem. 'Zo is het wel genoeg. We zijn hier niet in een bar. Er zijn dames bij.'

'Gelukkig maar voor juffrouw Zander,' flapte Sweetie eruit, en Harry begon weer te lachen en Tony deze keer ook.

Flora keek naar hen alsof ze vreemden waren. Als ze naar Tony keek, zag ze een onaangename kant van hem die ze meestal verkoos te negeren. Hoewel ze wist dat Tony een volmaakte heer kon zijn en zich best kon inhouden, zou hij altijd omringd worden door lolbroeken zoals Sweetie. De rest van haar leven zou ze Sweetie of iemand als hij moeten verdragen. De gedachte maakte haar doodmoe en kleintjes.

Sam keek met onverholen haat naar Sweetie en Flora voelde zich trots omdat hij juffrouw Zander had verdedigd en tegelijkertijd bedroefd omdat zijn bewering – dat niemand terechtgewezen moest worden omdat hij liefde had gevonden – niet voor hem gold. Hij zou uiteindelijk moeten trouwen, en het zou waarschijnlijk met iemand zijn die hun vader uitkoos. Maar God wist dat hij niet in staat was zelf het juiste meisje uit te kiezen.

Te midden van dit alles boog Miss Sydneys verkering zich over de tafel heen en sprak hen aan. 'Blijven jullie allemaal?'

'Of we blijven?' vroeg Tony. 'Zoals je ziet.'

'Zelfs na het nieuws?'

'Het nieuws over de kou? We kunnen wel tegen een beetje kou,' zei Harry, met bravoure. Hij had duidelijk zijn hart verloren aan de mooie Miss Sydney en was verbaasd en boos dat ze gekozen had voor een plompe man die meer dan twee keer zo oud was als zij.

'Sneeuw. Er komt sneeuw vandaag, en veel ook. Ik ga straks terug naar Sydney. Ik kan het me niet veroorloven om hier vast te komen zitten. Ik moet een zaak runnen.'

Miss Sydney pruilde. 'Ik wil nog niet naar huis.'

Cordelia Wright legde haar arm om Miss Sydney heen. 'Blijf dan hier bij mij, liefje. Dan kunnen we die quilt afmaken waar we aan begonnen zijn. Gezellig.'

'Vind je het niet erg als ik hier blijf?' vroeg ze haar verkering, en hij schudde zijn hoofd.

'Wie blijft er nog meer?' vroeg Harry.

Flora draaide zich om naar Sam. Ze wist wat hij zou zeggen. Met Violet hier zou ze hem nooit mee kunnen krijgen.

'Ik blijf,' zei hij.

Tony rolde met zijn ogen en Flora voelde even een withete woede toen ze dat zag, maar ze zei er niets over. 'Ik blijf bij Sam,' zei ze.

'Dan blijf ik bij Flora,' zei Tony.

Sweetie en Harry begonnen te hummen en te hemmen, en ze hadden het over de kans dat ze hier vast kwamen te zitten en over hun zaken in Sydney, tot Tony zei: 'Het maakt mij niet uit wat jullie doen. Blijf of ga. Het maakt mij niet uit. Wees een vent. Kies je eigen pad.'

'Ik ga,' zei Harry snel.

'Ik blijf,' zei Sweetie.

Flora slaakte zacht een zucht van opluchting; tenminste een van die vreselijke mannen zou eindelijk gaan. Als ze Sweetie kon aanmoedigen het grootste deel van de tijd met Karl door te brengen, kreeg zij misschien meer van de echte Tony te zien.

'Je kunt wel meerijden in mijn Studebaker,' zei Miss Sydneys verkering tegen Harry. 'Nog meer gegadigden?'

Lord Powell keek Lady Powell scherp aan. 'Er loopt maar één weg hiervandaan,' zei hij.

'Er is een treinspoor. We zitten hier prima.'

Lord Powell draaide zich naar hen toe. 'Wij blijven.'

Dan zouden ze nog maar met hun achten zijn. Die middag pakten de twee mannen de auto in en vertrokken, en toen viel er een vreemde, koude stilte over het hotel, alsof het stond te huiveren onder de grauwe wolken aan de rand van de bergen. Flora wenste dat de winter voorbij was.

16

Voor het eerst zo lang ik me kon herinneren belde ik mijn moeder voordat ze mij belde.

Nog altijd ziedend om de manier waarop ik van Anton Fourniers stoep was geschopt toetste ik haar nummer in terwijl ik naar huis liep.

'Hallo?'

'Mam? Met mij.'

Een randje paniek klonk door in haar stem. 'Is alles goed met je?'

'Ja, ja,' zei ik, terwijl ik de irritatie met moeite uit mijn stem hield. 'Het gaat wel.'

'Je belt me normaal gesproken niet, dat is alles.'

Je geeft me nooit de kans. 'Mam, ik ga een naam tegen je zeggen en ik wil dat jij me vertelt wat je over hem weet. Oké?'

'Wat? Waarom?'

'Doe het nou gewoon maar.'

'Wat doe je mysterieus.'

'Anton Fournier. Mam, wie is Anton Fournier?'

Het was een halve seconde stil voor ze sprak. 'Die naam heb ik nog nooit gehoord,' zei ze, maar ik wist dat ze loog. Ik had de angst en spanning in die stilte gehoord. Die kwamen glashelder door, want mijn moeder was er zeer bedreven in om haar spanning op mij over te brengen. Ik had het echt gehoord.

'Kom op, mam, wie is dat? Waarom haat hij ons?'

'Haat hij ons? Waar heb je het over? Ik zei toch tegen je dat ik niet weet wie hij is. Heeft hij contact met je opgenomen? Je moet de politie bellen als hij je bedreigt.'

Ik bleef staan en draaide rond. Mijn lange schaduw aan mijn voeten. De bomen in de wind. Mijn moeder zou het me nooit, nóóit vertellen, en al helemaal niet als ik haar probeerde te dwingen. En als ze mijn vader eerder te pakken kreeg dan ik, zou hij het me ook nooit vertellen: hij was net zo goed een slaaf van haar angst als ik. Maar ze wist wie Anton was, daar was ik zeker van. Ik zou er alles wat ik had (al was dat niet veel) onder durven verwedden dat zij de reden was dat Anton Fournier me had toegesnauwd alsof ik een soort vijand was.

'Lauren?'

'Vergeet het, mam,' zei ik.

'Maar is hij...'

'Ik zei: vergeet het maar. Zeg tegen pap dat ik van hem hou. Spreek je snel.' Ik beëindigde het gesprek en liet mijn telefoon weer in mijn zak glijden. Ik popelde om terug te gaan naar Antons huis en hem te kalmeren, hem over te halen om met me te praten. Wat had mijn moeder hem in hemelsnaam aangedaan?

Maar ik kon niet teruggaan. Ik kon hem niet bellen. Dus was mijn enige optie hem een brief te schrijven. Ik haastte me naar huis.

Beste Anton,

Ik weet dat deze brief niet welkom is, maar lees hem alsjeblieft. Ik weet niet waarom je boos op mijn familie bent, maar ik weet wel dat mijn moeder overbeschermend en bemoeizuchtig kan zijn en misschien is zij degene die je boos heeft gemaakt. Wat mij betreft, ik ben vier jaar jonger dan Adam en was nog maar een kind in de tijd dat jij en Adam bevriend waren, dus ik kan je verzekeren dat ik nooit iets heb gedaan om jou te kwetsen, of Adam, natuurlijk. Hij was mijn broer en ik hield heel veel van hem.

Ik hield op met schrijven en legde de pen op het aanrecht. *Ik hield heel veel van hem.* Dat klonk te makkelijk. Iedereen kon wel zeggen dat hij 'heel veel' van iemand hield. De woorden brachten het niet over, de manier waarop mijn liefde voor mijn broer in elke porie in mijn huid huisde, in elke streng van mijn DNA. Ik pakte mijn pen weer, streepte de laatste regel door en begon met een nieuwe alinea.

Vanaf mijn geboorte was ik al gek op Adam: hij was er altijd voor mij, net als mijn ouders. Maar anders dan mijn ouders zeurde hij nooit dat ik mijn tanden moest poetsen of dat ik te luidruchtig werd of dat ik stil moest zitten omdat mijn moeder hoofdpijn van me kreeg. Adam stond aan mijn kant. Ook al was hij een jongen en ouder dan ik, hij wuifde me nooit weg, noemde me geen verwend nest of dom klein meisje. Ik geef toe dat hij ook nooit pestkoppen op school voor me in elkaar geslagen heeft. Je weet hoe mager hij was – hij had waarschijnlijk zelf iemand nodig die hem tegen de pestkoppen kon beschermen. Maar hij beschermde me op andere manieren. Hij beschermde mijn hart, mijn ego. Hij was altijd aardig voor me toen we klein waren, en ik weet nu dat de manier waarop hij dat deed heel ongebruikelijk was voor een kleine jongen.

Er komen veel herinneringen boven als ik aan Adam denk. We zijn opgegroeid in een groot, gammel huis op twintig kilometer buiten Hobart, en een groot deel van onze tijd brachten we door met spelen dat we iemand anders waren. Tijdens een zomer speelden we steeds dat we op een strenge jongenskostschool zaten: St. Smithereens Boys School. Adam was de slimme ouderejaars, die de verschrikkelijke leraren te slim af was; ik was de bewonderende jongerejaars, een medeplichtige aan zijn briljante plannen, en het grootste deel van het spel deed ik niets anders dan zeggen: 'Je bent de slimste jongen die ik ken.' Ik aanbad hem, tijdens het spelen en daarbuiten.

Ik legde de pen weer neer, liet me voorover op het aanrecht zakken en stond mezelf toe om te huilen. Ik zou later wel verdergaan met de brief, als ik me niet meer zo geëmotioneerd voelde. Intussen zou ik rondvragen naar Anton Fournier. Het was een klein stadje: iemand moest iets weten.

De volgende ochtend, mijn vrije dag, klopte ik om tien uur aan bij mevrouw Tait en ze deed open met een glimlach. 'Dag, lieverd.'

'Heb je zin om een kop thee bij me te komen drinken?' vroeg ik.

'Waarom kom jij niet hier? Ik heb een prachtige nieuwe theepot.'

'Heel graag.' Stiekem was ik opgelucht. Er was niet veel plek in mijn huis en ik rook dat er bij Lizzie iets lekkers in de oven stond.

'Kom binnen, dan. Ik heb net een lading scones gemaakt voor de sponsorcommissie van de bibliotheek. We kunnen er wel een paar voor onszelf stelen.'

In Lizzies zonnige keuken hete thee zitten drinken en verse scones met jam en boter eten was een heerlijke manier om mijn vrije ochtend door te brengen. Ik had klusjes te doen – boodschappen, de badkamer schoonmaken – maar die konden wachten. We kletsten eindeloos over familie, het leven, werk, films (Lizzie bleek een thrillerfanaat) en toen vroeg ik haar eindelijk wat ik haar al zo lang had willen vragen.

'Lizzie, ken jij iemand die Anton Fournier heet en aan Fallview Road woont?'

'Is dat die knappe vent die een platenbedrijf heeft?'

'Hij is knap, ja. Ik weet niet wat hij voor de kost doet.'

'In dat grote huis van hout en glas.'

'Dat is hem.'

'Ik weet niet veel van hem. Het spijt me. Alleen dat hij veel op reis is voor zijn werk, naar het buitenland en zo. Hij is nogal op zichzelf.'

'Hij is de man op de foto. Met Adam. Die foto die ik je heb laten zien.'

'Is hij dat? Echt waar? Ja, nu ik erover nadenk, dat ís hij. Ik herkende hem niet op de foto met al dat lange haar. Hij is een beetje aangekomen.'

'Ik denk dat hij toen nog maar een tiener was.'

'En kende hij je broer?'

'Het was zo gek: ik ging hem opzoeken om te vragen wat hij zich van Adam herinnerde. Hij werd heel boos op me en zei dat hij niets te maken wilde hebben met mij of mijn familie.'

Lizzie hield de theepot nog eens scheef boven haar kop, maar er kwam nog maar een druppel uit. 'O ja? Wat een mysterie.'

'Er is toen iets gebeurd. Ik weet niet wat. Ken jij iemand in de stad die meer over hem zou kunnen weten?'

'Ik geloof dat hij een jonge vriend heeft die bij hem logeert, een deel van de tijd of de hele tijd, ik weet het niet precies. Hij zorgt voor het huis en de honden als Anton weggaat. Ik kan me zijn naam niet herinneren, maar Penny weet het misschien. Maar verder kan ik je niet helpen.'

'Geen echtgenote die ik zou kunnen spreken? Kinderen op school?'

'Niet dat ik weet, lieverd. Het spijt me dat ik niets voor je kan doen.'

Ik straalde. 'Je doet wel iets. Je bent geweldig. Zal ik nog een pot thee zetten?'

'Dat zou heerlijk zijn.'

Penny wist ook niets.

'Ik heb die jongen over wie mevrouw Tait het heeft wel gezien,' zei ze tegen me nadat ze het hele verhaal had gehoord. 'Ik weet nog dat ik een keer bij de bakker met hem heb staan kletsen toen hij de honden uitliet. Twee whippets, toch? Hij zei dat Anton in Hongkong zat. Ik geloof dat hij Peter heette, of misschien Patrick. Het begon met een P. Anton is hier één of twee keer geweest, maar volgens mij is koffie niet zijn ding. Hij wilde veganistisch eten en kruidenthee.'

'Is hij geen platenbaas of zo?'

'Dat zou ik niet kunnen zeggen. Hij reist veel. Hij is niet vaak in de stad en hij is erg op zichzelf als hij er wel is, geloof ik. Je kunt het Amelia vragen, van de biologische winkel; dikke kans dat hij daar vaker komt.'

'Dank je. Bedankt, misschien doe ik dat wel.' Ik bond mijn schort voor en ging aan het werk. Ik begon te begrijpen dat rondvragen naar Anton Fournier me niet veel zou opleveren. Of hij nu wel of geen platenbaas was die naar biologische winkels ging, of hij whippets had of een hondenoppas had die Peter of Patrick heette – die dingen vertelden me niet waarom hij zo heftig op mij had gereageerd. Het enige wat ik kon doen was mijn brief afmaken en het uit mijn hoofd proberen te zetten.

'Hé, ik rij maandagochtend naar Sydney,' zei Penny.

'Wil je dat ik je dienst overneem?'

'Nee, dat doet Eleanor al. Ik wilde vragen of je soms mee wilde. Ik moet naar een advocaat in de stad. Jij kunt gaan winkelen. Het is een lang stuk om alleen te rijden en ik zou blij zijn met je gezelschap.'

Er fonkelde een idee dat de gedachten aan Anton Fournier tijdelijk uit mijn hoofd dreef. 'Zijn we dan in de buurt van een bibliotheek?'

'Een bibliotheek? Evergreen Falls heeft ook een bibliotheek.'

'Ik zoek een grote bibliotheek.'

'Er zijn bibliotheken bij de universiteit.'

'Dan ga ik zeker mee.'

Toen Adam in de Blue Mountains ging werken – ik neem aan dat hij jou toen heeft leren kennen – was ik diepbedroefd. Ik was een puisterige tiener, heel verlegen, en hij was altijd zo gevat en zelfverzekerd. Hij was een knappe jongen, hè? Als ik hem op foto's zie ligt er altijd zo'n gloed over hem heen, heeft hij iets zachts in zijn gezicht. Ik heb een foto van jullie tweeën, met lang haar en dromerige blikken, op het uitkijkplatform boven de watervallen. Hij lijkt gelukkig, tevreden. Daarom wilde ik met je praten. Ik wilde weten waar hij op dat moment in zijn leven mee bezig was, toen hij ver bij ons vandaan was. Hij heeft het idee dat hij op een dag terug zou gaan nooit losgelaten, al mocht het niet zo zijn.

Ik wilde dat ik kon zeggen dat Adam altijd aardig, geduldig, vriendelijk en knap is gebleven, zoals hij als jongen was en daarna als jongvolwassene, toen jij hem kende. Maar helaas zou dat een leugen zijn. De ziekte eiste zo'n zware tol van hem, je kunt het je haast niet voorstellen. Hij was soms opgeblazen en rood in zijn gezicht, en dan weer mager en bleek. Het licht doofde in zijn ogen rond zijn tweeëntwintigste verjaardag, toen hij voor de eerste keer kanker kreeg als gevolg van de medicijnen tegen afstoting. Misschien had hij tot dat moment gedacht dat hij op een dag zou genezen, maar na die tijd werd hij steeds negatiever en...

Ik hield even op. Ik wist wat ik moest schrijven. Angstig. Hij werd angstig. Ik tikte met mijn pen op het bureau, besloot dat alleen meedogenloze eerlijkheid Anton Fournier kon overtuigen en ging weer verder.

... angstig. Zijn angst was een van de ergste aspecten van zijn toestand. Wij waren allemaal bang, natuurlijk. We waren bang voor ons hart, bang voor de lege toekomst zonder hem, bang voor de pijn die we zouden voelen als hij stierf. Maar zijn angst was veel primitiever. Hij keek elke dag de dood in de ogen. Elke dag weer. De rest van ons denkt af en toe even aan de dood, en dan krijgen we de rillingen en gaan we daarna verder met ons leven en houden we ons met van alles bezig. Maar Adam leefde elke dag onder die schaduw, en ik zou liegen als ik zei dat hij eraan gewend raakte of uiteindelijk rust vond. Dat gebeurde niet. Er was geen vrede. Dat maakte hem een beetje vals en nogal veeleisend. Het liet zijn mondhoeken altijd naar beneden wijzen, maakte voortdurend vouwen in zijn knappe gezicht – het gezicht waar nooit een puistje op verschenen was – en soms ging hij er kwetsende dingen door zeggen of doen.

Ik haalde diep adem en kneep in mijn neusbrug terwijl sommige herinneringen weer bij me bovenkwamen. Adams stem, schril van de pijn, die tegen mijn moeder zegt dat ze zijn leven heeft verpest, die tegen mijn vader zegt dat hij een mummelende idioot is, die tegen mij zegt dat ik een domme kleine meid ben die niets van de wereld weet. Die laatste beschuldiging was in elk geval waar. Maar dat schreef ik allemaal niet op. Het was te persoonlijk.

Ondanks alles bleef ik van hem houden. Ik hield van hem en wenste en hoopte op verbetering. Niet op herstel, want we wisten allemaal dat deze trein maar één bestemming kende. Maar ik hoopte op geluk voor hem, en soms kreeg hij dat even. Soms, in een milde bui, konden we lachen en praten zoals we als kinderen hadden gedaan. We haalden herinneringen op aan St. Smithereens of aan televisieprogramma's die we samen hadden gezien, zoals Monkey *en* Dr Who. *Hij zat nog altijd ergens daarbinnen, mijn lieve broer. Als ik de kans kreeg om die kant van hem te zien en wat tijd met hem door te brengen, voelde ik me het gelukkigste meisje ter wereld.*

Anton, één ding dat ik over Adam weet is dat hij voor het laatst gelukkig is geweest in Evergreen Falls. Toen ik hem vroeg waarom dat was, wilde hij alleen zeggen dat het hier mooi was en dat hij hier goede vrienden had. Klopt dat? Of was er nog meer? Drew vertelde me over die waanzinnige zomer die jullie samen hebben gehad. Ik zou er zo graag meer over weten. Ik zou zo graag alles willen horen wat je je over Adam kunt herinneren, want herinneringen zijn het enige wat ik nog van hem heb nu hij er niet meer is. Ik zet mijn telefoonnummer en adres hieronder voor het geval je van gedachten verandert.

Met vriendelijke groet,
Lauren Beck

Ik schreef mijn telefoonnummer, mijn adres en het adres van het café op, vouwde de brief op, ging een envelop en een postzegel bij Lizzie halen en liep naar de hoek om hem op de bus te doen. Toen hij eenmaal in de brievenbus zat, was er niets meer wat ik kon doen, dus besloot ik mijn familieproblemen uit mijn hoofd te zetten.

Ik had nog een mysterie uit de jaren twintig op te lossen.

De enorme universiteitsbibliotheek die ik die maandagochtend betrad leek in niets op de kleine openbare bibliotheek waar ik vroeger boeken voor Adam ging halen. Ook zou ik bij thuiskomst niet eerst mijn handen hoeven te wassen met antibacteriële gel en de boeken hoeven inspuiten met desinfecterend middel, waarna Adam zijn mond zou vertrekken als ik ze aan hem gaf. 'Heb je die uit de bibliotheek of uit het ziekenhuis?' zei hij dan. En dan zei ik: 'Graag gedaan, hoor', en dan glimlachte hij een beetje en begon te lezen.

Ik liet de herinneringen voorbijtrekken en richtte me weer op mijn taak, die inhield dat ik de ultramoderne software moest doorgronden waarmee ik boeken moest proberen te vinden. Zoeken op trefwoord? Dat was het misschien.

Ik typte in: *Honeychurch-Black.*

Ik kreeg honderden treffers en mijn hart sprong op. Was er zo veel over hen geschreven? Maar nee, er was een Honeychurch-Black Agricultural Institute dat voornamelijk wetenschappelijke boeken publiceerde en die waren stuk voor stuk op mijn lijst verschenen.

Ik probeerde ze uit te sluiten en kreeg toen nul treffers, dus probeerde ik het nog eens en voegde er nieuwe termen aan toe. *Familie. Geschiedenis. Australië. 1920-1930.* Uiteindelijk, met een klein beetje wijsheid en veel geluk, vond ik een boek dat *Vooraanstaande landbouwfamilies uit de Australische geschiedenis* heette, uitgegeven door het Honeychurch-Black Agricultural Institute.

De airconditioning in de bibliotheek stond zo hoog dat mijn vingers blauw werden. Ik knoopte mijn vest dicht terwijl ik de trappen naar de boekenrekken op liep. Zwermen studenten liepen langs me heen, omhoog en omlaag. De jonge vrouwen leken niet veel aan te hebben. Was ik een oud vrouwtje aan het worden? Misschien was ik gewoon jaloers omdat die superkorte afgeknipte spijkerbroeken mij niet zo goed zouden staan. Hun stemmen weerklonken in het trappenhuis, maar tussen de rekken was het heel stil en het tapijt absorbeerde alle geluiden. Ik ging met mijn vingers over de ruggen tot ik het boek vond dat ik zocht.

Ik nam niet de moeite om weer te gaan zitten. Ik stond gewoon tussen de kasten het boek door te bladeren. Geboortes, sterfgevallen, huwelijken... Ik sprong in één keer van de jaren 1800 naar 1920. Daar waren ze. Met foto's. Mijn hart bonkte tegen ribben toen ik ze zag. Samuel Honeychurch-Black. Zijn ziel in zijn ogen, zwart haar dat over zijn voorhoofd viel. Geboren in 1906 in Curlew Station, bij Goulburn in landelijk New South Wales. In 1927 thuis overleden aan een longontsteking. Zijn vader was in diezelfde tijd ook aan een longontsteking overleden. De gedachte dat hij maar eenentwintig was geworden stemde me droevig – maar hij had ten minste die gepassioneerde affaire in het hotel gehad. Flora Honeychurch-Black was in 1901 in Curlew Station geboren, in 1927 getrouwd en had vier kinderen gekregen. Ze was gestorven in 1989. Ik bestudeerde haar foto. Ze was bleek, net zoals ik. Niet erg mooi. Alweer, net zoals ik. Maar haar gezicht had iets: ik zag goedheid. Haar voorhoofd was kalm, maar een kleine glimlach beroerde haar mondhoeken. Haar ogen stonden helder en intelligent. Ik vergeleek haar met haar broer, die er duister en bedroefd uitzag.

Maar misschien projecteerde ik dit allemaal maar op hen. Hij was jong gestorven, zij niet. Uit zijn brieven werd duidelijk dat zijn zus een sterk plichtsbesef en waardigheid had.

Ik hield het boek tegen mijn borst terwijl ik in de rij voor het kopieerapparaat stond. Ik staarde uit de smalle ramen en zag studenten rondslenteren. Ik had graag mijn studie afgemaakt. Ik was zakelijke communicatie gaan studeren, met het idee dat ik ergens voor een groot bedrijf zou kunnen werken, teksten schrijven en alle grammaticale fouten verbeteren. De gedachte was nu lachwekkend. Ik, in een groot bedrijf? Targets halend in een powersuit? Dat was heel ver van mijn bed. Dezelfde ziekte die Adam van zijn jeugd had beroofd, had me ook de mijne ontnomen. De hele tijd had ik tegen mezelf gezegd dat het nog niet te laat was om naar de universiteit terug te gaan, dat ik er op een dag misschien kon komen, maar toen ik hier tussen de studenten, de boeken en de geleerdheid stond, ging mijn hart sneller slaan. Ik was al bijna te laat voor alles. Voor een studie, voor een echtgenoot en kinderen, voor backpacken naar exotische bestemmingen. Ik was op weg om alleen te sterven.

Ik liet mijn adem weer rustig worden en zei dat ik me niet zo moest aanstellen. Wat zou Adam er wel niet voor gegeven hebben om nog te leven? Ik sloeg mijn ogen op, zag de iepen wuiven in de wind, de zon op de bladeren schijnen. Ik was net als Flora, de zus die bleef leven. Ik zou dankbaar moeten zijn en mijn leven dankbaar leven.

Toen bedacht ik pas: Flora's kinderen konden nog in leven zijn. Of anders haar kleinkinderen. Zij zouden Samuels brieven misschien graag willen zien. Er was een generatie of twee overheen gegaan. Er zou vast niemand meer geschokt zijn. Bovendien was er een kans dat zij wisten wie Samuels minnares was, en dan kon ik het mysterie oplossen en het met Tomas delen.

Ik bladerde terug naar de laatste bladzijde van het boek en zocht naar namen. Ik zag dat het boek was geschreven door Graeme Dewhurst, die de echtgenoot was van een van Flora's kleinkinderen. Hij noemde haar in zijn dankwoord: Terri-Anne Dewhurst. Toen ik klaar was met kopiëren had ik mijn actieplan klaar.

Ik ging achter een van de computers zitten en zocht de website van het Honeychurch-Black Agricultural Institute op. Ik stelde een mail op aan Terri-Anne, waarin ik haar vertelde over de brieven en aanbood ze naar haar op te sturen, en stuurde mijn bericht toen naar het infoadres van het Institute met het verzoek het door te sturen aan Terri-Anne. Als ze belde, hoopte ik dat ze bereid zou zijn om te praten of om herinneringen te delen.

Of misschien zou ik dezelfde ontvangst krijgen als bij Anton Fournier.

Het deed er niet toe. Ik klikte op versturen. De brieven waren geschreven door haar oudoom. Ze behoorden aan de familie toe.

De wind veranderde in de nacht, draaide van richting en kwam koud en droog vanuit het zuiden op ons af rollen. Ik had mijn raam niet dichtgedaan toen ik naar bed ging en nu blies de wind het gordijn wild naar binnen, rammelde aan de roede en maakte me wakker. Ik keek op mijn telefoon: drie uur. Ik sloot het raam en lag een tijdje stil te wachten of ik weer in slaap zou vallen, maar kennelijk hadden mijn hersenen besloten dat dit een volmaakt moment was om over al mijn problemen te gaan piekeren. Rond en rond maalden ze in mijn hoofd. Mijn vader. Mijn moeder. Tomas. Mijn toekomst. Anton Fournier. Er ging een uur voorbij.

Ik ging overeind zitten en zocht mijn telefoon. In Denemarken was het nu waarschijnlijk een fatsoenlijk tijdstip. Ik wachtte altijd tot Tomas contact met mij opnam; ik had nog nooit de moed gehad om zelf het initiatief te nemen. Voor ik me kon bedenken tikte ik een berichtje in.

Kan niet slapen. Denk aan jou.

Het bericht suisde weg, de nacht in. Ik wachtte, maar er kwam niets terug. Ik lag nog een tijdje te piekeren, stond toen op en kleedde me aan. Er stond een hele verzameling boeken met kaarten op me te wachten in de bibliotheek in de westvleugel van Hotel Evergreen Falls.

Ik was niet voorbereid op de kou – die speciale kou die bij de uren voor zonsopgang hoort, als de wereld leeggeveegd lijkt. De wind gierde door de dennen, zwiepte mijn haar in mijn gezicht. Het licht van de straatlantarens door de takken van de eikenbomen langs de hoofdweg vormde voortdurend veranderende schaduwen. Een paar bladeren lieten los en dwarrelden neer op de weg. Mijn vingers waren gevoelloos. Ik haastte me met gebogen hoofd naar het hotel, wensend dat ik in bed was gebleven.

Ik liet mezelf binnen en sloot de kou buiten, kwam dankbaar weer op adem, knipte mijn zaklantaarn aan en ging naar de bibliotheek.

In het bibliotheekrapport had gestaan waar de kaarten lagen opgeslagen, dus richtte ik mijn zaklantaarn zorgvuldig op de labels achter het glas voor de boekenkasten tot ik ze vond. Drie planken folianten, in rood leer gebonden. Ik deed de deur open, trok de eerste er voorzichtig uit en ging ermee naar een van de grote eiken bureaus.

Terwijl ik de zware bladzijden omsloeg stak er buiten een windvlaag op die de ramen aan de andere kant van de houten betimmering deed rammelen. Als er niet zoveel van deze kaartenboeken waren geweest, had ik ze mee naar huis genomen, waar het warm was en ik elektrisch licht had en een potje thee kon zetten. Boek na boek, pagina na krakende pagina vol gedetailleerde kaarten, maar geen aantekeningen in de marges, geen liefdesbrieven verborgen tussen de bladen. Het was gewoon een serie boeken.

Toen het licht werd begon ik me moedeloos te voelen. Ik liet de kaarten even voor wat ze waren en ging naar de grote laden onder in de kasten. Dit was de plek waar de bibliothecaris de oude administratie had opgeslagen, en het duurde niet lang voor ik een reeks versleten personeelsregisters vond, die helemaal teruggingen tot aan de opening van het hotel in 1888. Ik ploegde de la door tot ik het register vond dat samenviel met Samuels verblijf. De band was weggerot en de bladzijden lagen los en vielen eruit. Ik sloeg het register open en richtte voorzichtig mijn zaklamp op een paar van de bladzijden. Namen, data, taken, loonbedragen. Ik legde hem opzij om er thuis naar te kijken en zocht verder in de laden. Al snel vond ik een in leer gebonden brievenboek, propvol uitgetikte brieven en opgezwollen van ouderdom. Elke brief zat er met een speld in vastgeprikt en elke speld was verroest. Alle correspondentie was ondertekend met *Hoogachtend, juffrouw Eugenia Zander, bedrijfsleidster*. Ik keek wat beter en zag dat het allemaal doorslagen op carbonpapier waren. Eugenia Zander had een kopie bewaard van elke brief die ze verstuurde.

Ik bladerde vooruit: het boek eindigde in 1925. De volgende in de la begon bij 1927. Het enige boek waarin ik geïnteresseerd was – 1926 – ontbrak.

Ik had twee keuzes: een voor een alle laden uitpluizen of naar huis gaan en in het bibliotheekrapport kijken of er correspondentie uit 1926 gecatalogiseerd was.

Ik koos ervoor om naar huis te gaan, want als ik van alles uit de laden zou trekken vergrootte ik vast de kans dat ik alles verkeerd terug zou zetten. Bovendien knorde mijn maag en had ik zin in toast en thee.

Ik scheen met mijn zaklantaarn in het rond en besefte dat ik een van de kaartenboeken niet had teruggezet. Toen ik het van het bureau pakte lieten mijn onuitgeslapen, onhandige vingers het glippen en kwam het met een bons op de vloer terecht, met de opengeslagen bladzijden naar beneden.

'O nee,' zuchtte ik in het donker. Ik wist dat ik de bladzijden had gekreukt; ik hoopte alleen dat ik de rug niet had beschadigd. Ik knielde neer en raapte het voorzichtig op, en toen viel er iets uit.

Ik ging rechtop zitten en keek ernaar. Het was het portret van een vrouw. Erboven geschreven in vervaagde inkt, in het handschrift dat ik herkende uit de liefdesbrieven, stond: *Mijn Violet*.

Samuels geliefde had een naam.

17

Ik weet dat ik het niet had moeten doen, maar ik nam de tekening mee naar huis, in het personeelsregister gestoken. Mijn voorraad gestolen schatten uit Hotel Evergreen Falls groeide gestaag. Ik was natuurlijk van plan om alles later weer terug te brengen.

Ik maakte ontbijt terwijl de dageraad worstelde in de hemel. Het was een grijze dag. In de fluorescerende gloed van de keukenlamp bestudeerde ik het portret van Violet.

Violet.

Ik wist nu zeker dat ze bij het personeel hoorde. Op het portret droeg ze een serveerstersuniform. Ze was mooi, pijnlijk mooi. Een lief, rond gezicht met een iets puntige kin, golvend haar dat op kaakhoogte was afgeknipt, grote ogen met lange wimpers. Ze had iets bekends; misschien leek ze op een filmster uit die tijd: die zagen er allemaal hetzelfde uit. De kunstenaar was heel goed. Hij had het licht in haar ogen en iets – was het onzekerheid? – rond haar wenkbrauwen gevangen. Ik vroeg me af of Samuel dit had getekend, maar ik zag nog een handtekening onderaan staan, al waren er twee dikke lijnen doorheen gezet. De eerste letter was een C of een E, en de achternaam was Betts. Waarom was die doorgestreept?

Ik wendde me tot het personeelsregister, voorzichtig om er geen pindakaas van mijn toast op te knoeien. Ik kende de data die ik zocht en zag tot mijn vreugde dat er een *Armstrong, V.* als serveerster was begonnen in het najaar van 1926. Mijn opwinding groeide terwijl ik vruchteloos naar iemand anders met de voorletter V zocht – zij moest het wel zijn. En er was iets ongewoons aan haar vermeldingen in het register: haar naam kwam vanaf juli dat jaar niet meer voor, zonder uitleg. Bij alle andere ontslagen werknemers stond er in het register een ontslagdatum en een reden vermeld (en sommige daarvan waren op zichzelf al intrigerend: 'vijf keer betrapt op roken', 'te traag van begrip', 'achter de man aan gegaan die haar in de problemen heeft gebracht'). Maar in Violet Armstrongs geval kwam haar naam gewoon niet meer terug. Ze had eind juli haar gebruikelijke salaris nog gekregen en daarna... was ze uit de verslagen verdwenen.

Ik rondde mijn ontbijt af en wendde me tot het bibliotheekrapport om te zien of er een verzameling brieven uit 1926 gecatalogiseerd stond. Dat was niet zo. Merkwaardig.

Ik hing Violet met magneetjes aan mijn koelkast, naast de foto van Adam en Anton. Al mijn mysteriën netjes naast elkaar. Ik stond er net over na te denken toen mijn telefoon ging. Tomas.

'Hallo?'

'Wat heerlijk om een bericht van je te krijgen. Waarom kan je niet slapen?'

'Nu omdat ik te opgewonden ben. Raad eens wat ik gevonden heb?' Ik vertelde alles, met groeiende trots dat ik het mysterie had opgelost (of nou ja, grotendeels) terwijl hij weg was.

'Dus ze hadden een korte affaire maar zijn nooit getrouwd? Geen lang en gelukkig leven?' vroeg Tomas.

'Niet volgens het boek dat ik gisteren in de bibliotheek heb gelezen. Hij is het jaar daarna overleden en zij... Ik weet het niet. Er is niets vastgelegd over wat er met haar is gebeurd, maar ze is die winter gestopt met haar werk in de Evergreen Spa. O, en Tomas, ze was zo mooi. Ik zal een foto maken en je die sturen. Ik heb ook foto's van Samuel en Flora.'

'Je hebt geweldige dingen gedaan. Goed werk.'

'Ik heb nog een paar laatste stukjes op te lossen.' Ik vertelde hem over de ontbrekende correspondentie van dat jaar. 'Ik heb die geloof ik niet meer nodig om Violet te identificeren, maar evengoed zou het interessant zijn om het te lezen.'

'Weet je, ik herinner me vaag van de eerste keer dat ik door de westvleugel kwam, dat er een kantoor naast de foyer was, met wat boeken en paperassen die de bibliothecaris niet had. Misschien kun je daar eens kijken.'

'Doe ik.'

'Je kunt ook wachten tot ik terug ben, als je wilt.'

Mijn hart stond even stil. 'Echt? Kom je terug?'

'Sabrina's neven en nichten zijn hier nu, en een paar vrienden met wie ze werkt. Ze gaat elke dag vooruit. Ik geloof niet dat ik hier nog hoef te zijn.'

'Wil je er niet bij zijn als ze wakker wordt?'

'Heel graag,' grinnikte hij, 'maar mijn werkgever verwacht me zo snel mogelijk terug. Vertragingen kosten hem veel geld.'

Ik was stiekem blij dat zulke praktische zaken hem snel bij me terug konden brengen. 'Dus wanneer...'

'Volgende week kom ik terug.'

Volgende week. Het was nu dinsdag. Al bijna woensdag. 'Ik zal blij zijn om je te zien,' zei ik dapper.

'Echt?'

'Ja.'

'Je belt me nooit en stuurt me geen berichten. Ik begon al te denken dat je me niet meer hoefde.'

Ik bloosde, ondanks de duizenden kilometers die tussen ons in lagen. 'Ik besefte niet dat ik dat kon doen,' zei ik eerlijk. 'Ik ben eigenlijk niet zo goed in dit soort dingen.'

'Derde date,' zei hij. 'Volgende week.'

'Ik kan niet wachten,' zei ik.

Op weg naar mijn werk ging ik even bij Lizzie langs, om haar te vertellen dat Tomas weer terug zou komen. Maar ze deed niet open en pas toen ik een halfuur later op mijn werk kwam ontdekte ik waarom.

'Hoi,' zei Penny. 'Hoe gaat het met haar?'

'Met wie?'

'Mevrouw Tait,' antwoordde ze, terwijl het onbegrip op haar gezicht mijn verwarring weerspiegelde.

'Wat bedoel je?'

'Ze is opgenomen in het ziekenhuis. Ik dacht dat je dat wel wist. Het is dit weekend gebeurd.'

Het was alsof mijn bloed twee graden kouder werd; dat mensen werden opgenomen in het ziekenhuis was een van mijn minst geliefde dingen. 'In het ziekenhuis? Is alles goed met haar? Ik bedoel, natuurlijk is niet alles goed met haar als ze in het ziekenhuis ligt, maar...'

'Ik weet het niet, daarom vraag ik het aan jou. Ze ligt in de privékliniek in Arthur Street, blijkbaar. Dat zei een van de verpleegsters.'

Ik keek gespannen naar de klok. Ik stond ingeroosterd voor de hele dag.

'Het is goed, ga maar als je wilt. Ik red het wel. Eleanor komt al gauw.'

'Vind je het niet erg?' vroeg ik terwijl ik mijn schort al losknoopte. 'Ik vraag me af of ze eenzaam is. Bang.'

'Ga,' zei ze. 'Ik zie je morgen. Hopelijk met goed nieuws.'

Ik ging er snel vandoor, net op tijd om de stadsbus te halen die door de hoofdstraat hobbelde. Die zette me af bij Anzac Park, en ik liep erdoorheen naar de achterkant van de privékliniek. De grijze wolken hingen er nog, maar het had nog niet geregend.

Nadat ik me bij de balie had gemeld werd me de weg gewezen door de lichtroze met groene gangen. Mijn angst nam een beetje af. Dit was een prachtige kliniek: het rook er naar rozen in plaats van naar desinfecterende middelen. Adam was nooit in een ziekenhuis geweest dat naar rozen rook.

Ik vond haar liggend op haar zij, met haar gezicht naar het raam. De televisie stond aan, maar het geluid was uit. Ik dacht dat ze sliep, dus bleef ik aarzelend in de deuropening staan, maar toen bewoog ze zich en hoorde ik haar zachtjes neuriën in zichzelf. Ze had een infuus in haar hand en een grote bloeduitstorting op haar crêpepapieren huid.

'Lizzie?'

Ze draaide zich om, en toen ze me herkende gingen haar mondhoeken iets omhoog. 'Hallo, lieverd. Wat aardig dat je langskomt.'

Ik liet me op de gecapitonneerde stoel naast het bed zakken. 'Waarom heb je me niet gebeld?'

'O, het is maar een kleinigheid. Bovendien heb ik je nummer niet.'

Ik wist tamelijk zeker dat ze dat loog. Ze had al mijn contactgegevens omdat ze mijn huisbazin was. 'Heb je verder iemand gebeld? Je kinderen?'

Ze schudde haar hoofd. 'Het stelt echt niets voor. Gewoon een kleine operatie en dan is het voorbij, zeggen ze.'

'Operatie?' Het kalmerende effect van de rozen trok weg en maakte ineens plaats voor bezorgdheid. 'Wat is er dan?'

'Een probleem in mijn darmen. Ik heb het al eerder gehad. Ik heb altijd geweten dat er een dag zou komen dat ik hier terecht zou komen om opengesneden te worden. Maar ik praat liever niet over mijn darmen. Dat is niet zo waardig, vind je wel?'

'Dus je werd met spoed naar het ziekenhuis gebracht en je hebt het me niet verteld? Ik had me je mee kunnen gaan in de ambulance.'

'Ik heb een taxi genomen, lieverd. Ik maakte me geen zorgen. En dat moet jij ook niet doen, en mijn kinderen al helemaal niet.'

'Zo makkelijk kom je niet van me af,' zei ik. 'Ik ga je kinderen bellen. Je kunt me net zo goed vertellen waar ik hun telefoonnummers kan vinden.'

Ze zuchtte. 'Mijn huissleutel zit in de tas in die la daar. Als jij de planten ook water wil geven, zou dat heel fijn zijn. De nummers hangen allemaal aan de muur naast de telefoon. Voor... noodgevallen. Bel Robbie – de oudste en de bazigste. Dan kan hij de anderen inlichten.'

Ik pakte haar hand. Die was erg koel en haar vingertoppen waren glad.

'Jeetje, ik heb hier zo'n hekel aan,' zei ze. 'Wat heeft mijn bestaan nog voor zin? Wat is het nut van zo oud worden als ik? Ik gooi al die levens maar overhoop, en zonder een goede reden. Ik word beter, of niet. Het leven gaat door.'

'Wanneer is de operatie?'

'Dat weet ik net zomin als jij. Ze veranderen steeds van gedachten. Ik dacht dat het morgen was, maar nu zeggen ze vrijdag. Ze zeggen dat mijn toestand eerst stabiel moet zijn. Misschien is het zelfs volgende week pas.'

Volgende week. 'Tomas komt volgende week terug,' zei ik.

Ze glimlachte, de eerste oprechte glimlach die ze me vandaag had geschonken. 'Heerlijk. Je moet weer naar je wenkbrauwen laten kijken. Ze worden alweer bleek.'

Ik lachte. 'Vroeg of laat ontdekt hij wel wat mijn echte wenkbrauwkleur is.'

'Stel dat maar zo lang mogelijk uit.'

Ik weet niet wat ik verwacht had van Lizzies zoon. Door de manier waarop ze over haar kinderen sprak, had ik gevreesd dat hij laatdunkend zou doen, misschien zelfs vijandig. Maar Robbie was een man met een zachte stem die vriendelijk en dankbaar tegen me sprak. Twee uur nadat ik gebeld had, belde hij me terug om te zeggen dat ze allemaal vanuit verschillende plekken op de wereld onderweg waren en om me te vragen of ik Lizzie zo veel mogelijk gezelschap kon houden tot ze er waren, wat ik hem natuurlijk beloofde.

Vier dagen lang volgden na mijn lunchdienst vier lange bezoeken aan Lizzie in het ziekenhuis, die opgewekt bleef, hoewel ze af en toe wegzonk in een negatieve stemming omdat het allemaal zo lastig was voor iedereen en de artsen de operatie alweer hadden uitgesteld. Maar ik merkte dat ze blij was met mijn gezelschap, en met het feit dat haar kinderen kwamen.

Op de vijfde dag kwamen haar dochters Christie en Genevieve aan vanuit New York en Vancouver. Ik maakte mezelf belachelijk door te vragen of ze in hetzelfde vliegtuig hadden gezeten, waarop ze vol onbegrip glimlachten voordat een van hen (Christie, geloof ik) uitlegde dat Vancouver helemaal aan de andere kant van het continent lag dan New York, en zelfs in een ander land.

Zoals ik al een paar keer heb gezegd, is mijn kennis van de rest van de wereld nogal beperkt.

Dus moest ik nog een hele dag wachten tot Tomas zou komen, en ik had geen dienst in het café. Ik ging brutaal bij daglicht de westvleugel binnen.

Ik keek twee keer of niemand het zag voor ik de voordeur opendeed, en schoof er een losse baksteen tussen om hem open te houden. Kieren licht vielen boven en onder de planken voor de ramen door en verlichtten hier een geboende vloer, daar een smerige vensterbank. Ik was de stoffige geur van de ruimte aangenaam gaan vinden. Hij riep herinneringen op aan mijn opwindende ontdekkingen. Ik stond in de foyer naar de drie deuren naast elkaar te kijken en nam aan dat een ervan het kantoor moest zijn dat Tomas had genoemd.

De eerste twee kamers waren klein en leeg, maar de derde was een ruim kantoor met een oud, van prachtig houtsnijwerk voorzien bureau erin, dat tegen het dichtgetimmerde raam stond geschoven. Tegenover de deur was nog een deur, die toegang gaf tot een kast met zes planken. Tomas had gelijk: er lagen nog boeken en papieren in die kast.

Ik legde mijn zaklamp op het bureau om me bij te lichten, maar werd toen overmoedig. De plank voor het onderste deel van het raam zat bovenin los. De spijker was eruit. Ik stak mijn handen achter het losse stuk en trok. Met een zucht braken de andere hoeken los en het licht stroomde binnen. Door het groezelige glas heen kon ik buiten de rij dennenbomen zien, en grijze, kolkende wolken. Het bureau lag dik onder het stof. Ik trok er met mijn wijsvinger een kronkelfiguur in en had onmiddellijk spijt toen ik een niesbui kreeg.

Terug naar de kast. Ik was wat ontmoedigd door de enorme hoeveelheid papier erin. Het was zoveel makkelijker in de bibliotheek, waar alles gecatalogiseerd was. Ik verwierp onmiddellijk het idee om alle dozen en stapels door te werken; het enige wat ik nu zocht was een in leer gebonden brievenboek, net zoiets als die van 1925 en 1927. Terwijl de regen over mijn hoofd trok ging ik in het schemerige, stoffige licht aan de slag, verplaatste voorzichtig stapels papier en stapelde ze op een halfgeorganiseerde manier om me heen op, terwijl ik mijn best deed om me niet te haasten. Ik wierp een korte blik op sommige ervan en zag dat het voornamelijk bestellijsten waren voor voedsel, linnengoed, waspoeder enzovoort, groot ingeslagen. Ik vond Eugenia Zanders adresboek en natuurlijk zocht ik onder de H naar Honeychurch-Black, maar de naam stond er niet in.

Misschien was het typerend of misschien was het toeval, maar het brievenboek dat ik zocht was het laatste wat ik vond. Het lag helemaal onderaan, in een doos, platgedrukt tussen de factuurboeken. Het redelijke deel van me zei dat het daar waarschijnlijk lang na Eugenia Zanders tijd was neergesmeten, door iemand die niet wist wat het was of er niets om gaf. Het licht ontvlambare deel van me zei dat het daar verborgen lag: of nou ja, half verborgen. Dat Eugenia Zander het met opzet moeilijk te vinden had gemaakt, hoewel ze het vanwege haar passie voor archiveren niet kon weggooien. In mijn levendige herschepping van de gebeurtenissen uit 1926 raakte Violet Armstrong vermist en stierf Samuel Honeychurch-Black in werkelijkheid aan een gebroken hart.

Ik wist natuurlijk dat ik op een bepaald moment teleurgesteld zou worden. Het echte leven was lang niet zo opwindend.

Precies op het moment dat ik het brievenboek uit 1926 uit de archiefdoos haalde, hoorde ik de voordeur van de westvleugel opengaan.

Ik wilde dat ik de reactie van mijn lichaam op dat geluid kon beschrijven. Eerst een flauwe hoop dat het Tomas was. Toen herinnerde ik me dat ik zijn sleutel had en kwam het vreselijke besef dat het *iemand anders* was, iemand die ik niet kende. Toen keek ik om me heen en zag ik de enorme puinhoop die ik van deze kamer had gemaakt, een kamer waar ik niet mocht zijn, in een hotel waar ik niet mocht zijn, en voelde ik angst. Stapels papieren en boeken, een plank die van het raam was gerukt en in mijn hand een oud, in leer gebonden boek dat in een bibliotheek thuishoorde. Bij deze laatste gedachte propte ik het boek in mijn schoudertas en duwde het onder mijn extra sjaal. Nu bonsde mijn hart nog schuldiger, maar ik probeerde een passende houding te bedenken voor bij mijn onvermijdelijke ontdekking. Ik besloot op zijn minst te doen alsof ik alles terugzette. Dus stond ik met mijn rug naar de deur toen een stem zei: 'Wat doet u hier?'

Ik draaide me om en stak – omdat ik dat in politieseries had gezien – mijn handen in de lucht.

De beveiliger, een ongelofelijk afgetrainde man van ergens in de vijftig met een dikke krulsnor, barstte in lachen uit. Hij gebaarde dat ik mijn handen kon laten zakken. Ik denk dat ik glimlachte, of misschien was het een grimas.

'Uw naam?' vroeg hij.

'Lauren Beck.' Ik haalde Tomas' sleutel uit mijn zak. 'Ik heb een sleutel.'

Hij deed zijn lantaarn uit en keek naar de papieren en dozen. 'Werkt u samen met de bibliothecaris?'

Ik knikte bijna. Misschien had ik dat moeten doen. Maar ik durfde niet te vertrouwen op mijn talent om te liegen. 'Nee. Tomas Lindegaard heeft me zijn sleutel in bewaring gegeven terwijl hij weg was. Ik ben hier om wat oude dossiers te bekijken. Ik zet alles weer terug.'

Hij fronste, stak zijn hand uit. 'U kunt die sleutel maar beter aan mij geven. Niet dat ik u niet vertrouw, juffrouw Beck, maar... nou ja, ik vertrouw u niet. Ik weet niet wie u bent, en ik weet dat Tomas Lindegaard in Denemarken zit...'

'Tomas komt morgen terug,' zei ik terwijl ik de sleutel in zijn hand liet vallen. 'Dan kunt u het hem vragen.'

'Dat zal ik doen. Maar nu noteer ik uw naam, adres en telefoonnummer en begeleid ik u naar buiten.'

O, de schaamte. Gelukkig regende het niet meer zo hard. Een bejaard echtpaar met een Maltezer terriër keek ons nieuwsgierig aan toen we het gebouw uit liepen. Ik probeerde me voor te houden dat het heus niet te zien was dat ik eruit werd gegooid – ik had geen handboeien om of een pistool in mijn rug – maar mijn schuldbesef en schaamte moeten als een zwaailicht gegloeid hebben. De beveiliger bracht me naar zijn auto, waar ik hem braaf mijn contactgegevens gaf en me legitimeerde door mijn rijbewijs helemaal onder uit mijn tas te vissen – een lastige klus omdat er – God sta me bij – een gestolen boek in de weg zat. Natuurlijk stond mijn oude adres in Tasmanië nog op mijn rijbewijs, en degene die het best kon getuigen waar ik woonde was Lizzie, die in het ziekenhuis lag. Ik wilde net over Penny in het café beginnen toen de beveiliger zei: 'Geef me uw telefoon.'

Ik gaf hem aan hem en hij deed er iets ingewikkelds mee en haalde mijn telefoonnummer eruit of zo, en schreef dat op.

'Goed, ik heb alles wat ik nodig heb. Ik zal met meneer Lindegaard spreken. Het spijt me voor het ongemak, juffrouw Beck, maar ik doe gewoon mijn werk. U bent niet verzekerd als u daar zou vallen of een verwonding zou oplopen, begrijpt u wel.'

'Dat begrijp ik.'

'Kan ik u naar huis brengen?'

Ik schudde mijn hoofd. 'Het spijt me echt.'

Hij haalde zijn schouders op, zei gedag, stapte in zijn auto en liet me achter bij het hotel – nu afgesloten, zonder een manier voor mij om binnen te komen. Ik vroeg me af of Tomas blij zou zijn of boos. Alsof het een teken was, begon het weer te regenen. Ik liep naar huis.

Ik schaamde me zo dat ik niet meteen in het brievenboek kon kijken. Ik liet het in mijn tas zitten en lag heel lang in bad. Toen ik er eindelijk uitkwam, keek ik op mijn telefoon en zag een bericht van een nummer dat ik niet herkende. Ik dacht meteen aan Anton Fournier en luisterde het af.

'Hallo Lauren, met Terri-Anne Dewhurst. Ik bel vanwege je mailtje. Kun je me terugbellen zodra het je uitkomt? Ik wil je heel graag spreken.' Haar stem was zacht, bijna meisjesachtig.

Ik droogde me snel af en trok mijn pyjama aan, ook al was het nog maar vier uur 's middags, en toen pakte ik de brieven van Samuel aan Violet en belde haar terug.

Ze nam direct op.

'Fijn dat je zo snel terugbelt,' zei ze. 'Ik heb net je mail gekregen en ik moet zeggen dat ik erg opgewonden ben.'

'Ik heb de brieven hier,' zei ik. 'Ik moet je wel waarschuwen, denk ik, dat ze heel... eh... sexy zijn.'

'Echt? Fantastisch! Ik zou het heel fijn vinden als je ze kunt sturen. Niet te geloven dat je ze gevonden hebt. Weet je zeker dat ze door Sam zijn geschreven?'

'Sam? Noemden ze hem zo? Niet Samuel?'

Ze lachte licht. 'Je weet toch dat elke familie een amateur-genealoog heeft? Dat ben ik. En ja, oudoom Sam intrigeert me al jaren. Zo heb ik altijd aan hem gedacht omdat mijn grootmoeder, zijn zus, hem zo noemde. Als ze hem al noemde.'

'Ik ben er zeker van dat hij het is. Ik heb oude gastenregisters bekeken en de feiten kloppen.' Ik dacht aan het moment dat ik betrapt werd en sidderde weer van schaamte, maar toen vertelde ik haar alles wat ik wist. Over Violet, over het portret, alles. 'Ik heb me nogal laten meeslepen door het mysterie, moet ik zeggen,' zei ik. 'Ik hoopte dat jij meer zou weten. Wat is er met Violet gebeurd? Ik weet dat Sam een jaar later aan een longontsteking overleden is, maar...'

'Nee hoor,' zei Terri-Anne, en misschien verbeeldde ik het me, maar ik weet vrij zeker dat ze een samenzweerderige, zachte toon aansloeg. 'Dat is een handige familiemythe, in het leven geroepen door mijn overgrootmoeder, Sams moeder. Ik ontdekte de leugen toen ik nog heel jong was en in oude familiepapieren rondneusde.'

'Maar waarom? Waarom zouden ze...' Toen wist ik het. 'Hij is verdwenen, hè?'

'Ja, in 1926. Hij is nooit teruggekeerd uit de Evergreen Spa. En weet je? Als die brieven bewijzen dat hij verliefd was, zullen we misschien eindelijk weten *waarom* hij verdween.'

'In de archieven staat ook niet hoe het met Violet is afgelopen,' zei ik. 'Geen notitie dat ze ontslag nam of kreeg. Op de ene bladzijde staat ze nog, en op de volgende... verdwenen.'

'Misschien zijn ze samen weggelopen,' zei ze hees. 'Misschien heb ik familie die ik nog helemaal niet ken. Echt, Lauren, ik ben nog nooit zo opgewonden geweest. Ik weet niet hoe ik je kan bedanken.'

'Wat was je grootmoeder voor iemand?' vroeg ik. 'Flora? In de brieven noemt hij haar Sissy en hij lijkt haar een beetje streng en moralistisch te vinden.'

'Zij was de liefste, gelukkigste oude dame die je je kunt voorstellen,' zei Terri-Anne teder. 'Maar ze weigerde over Sam te praten. Ze raakte erg van streek toen ik de medische papieren boven water kreeg waarin wel stond dat haar vader aan longontsteking was gestorven, maar niets over Sam. Dat was mijn eerste aanwijzing dat er iets niet in de haak was. Het was niet zo moeilijk om te ontdekken dat het allemaal gelogen was. Maar ik kon het pas na oma's dood gaan uitzoeken; het zou haar te zeer van streek hebben gemaakt. Ik vraag het me mijn hele volwassen leven al af.'

We kletsten nog een paar minuten en het begon me te dagen dat de mensen over wie ik al weken aan het speculeren was echt waren, geen personages uit een boek. Ik vond Terri-Anne erg aardig: ze had het hart op de tong. Ik sprak af dat alle brieven per koerier naar haar verzonden zouden worden – op haar kosten – en ze gaf me toestemming om kopieën voor mezelf te maken en smeekte me verder te blijven zoeken.

Dankzij het gesprek voelde ik me minder rot vanwege mijn heterdaadje van vandaag, en zodra ik had opgehangen haalde ik het brievenboek uit 1926 uit mijn tas.

Terwijl de regen boven mijn hoofd neerkletterde, krulde ik me op de bank op. Ik nam niet de moeite om aan het begin te beginnen. De liefdesaffaire had zich in de winter afgespeeld, dus begon ik op 1 juni. Ik bladerde van bladzij naar bladzij om te kijken wie de geadresseerde was van elke brief. In nog geen minuut was ik bij augustus, bij een brief aan mevrouw Thelma Honeychurch-Black, de moeder van Sam en Flora, zoals ik uit mijn naspeuringen wist.

Geachte mevrouw,

Met bevestiging van ontvangst van uw schrijven zal ik kort zijn, om uw zorgen des te sneller te verzachten. Kort gezegd, mevrouw, hebt u niets van mij te duchten. Ik heb mijn discretie altijd voor alles gesteld en de privé-informatie die ik over al mijn gasten uit verleden en toekomst bezit, neem ik mee in mijn graf. Ik respecteer uw wensen en verzeker u dat het alle betrokkenen om hun eigen bindende redenen onmogelijk is er ooit nog over te spreken. Wat er gebeurd is was tragisch; de nasleep behoort geen groter bereik te krijgen, want dat zou de tragedie nog verergeren. We zijn daarover dezelfde mening toegedaan.

Hoogachtend,
Eugenia Zander

Ik las de brief nog eens en nog eens, en elke keer kreeg ik kippenvel. *Onmogelijk er ooit nog over te spreken. Wat er gebeurd is was tragisch.* Wat had ik precies ontdekt? En wat had het met Sam en Violet te maken?

18

1926

Het begon te sneeuwen, zoals voorspeld, maar niet in grote, dichte buien die het reizen onmogelijk maakten. Nee, de sneeuw dwarrelde twee nachten achter elkaar neer, zacht en licht alsof ze gesponnen was uit kristallen spinnenwebben. Beide keren was alles de volgende ochtend al weggesmolten. Violet was betoverd door dit soort weer: ze had het nog nooit eerder gezien en ook al vond ze het somber en ondragelijk om nu buiten te zijn, ze keek er dolgraag naar door de ramen, zodat Hansel heel boos op haar moest worden wanneer ze eigenlijk de maaltijden moest opdienen. Maar niet zo boos als voorheen. Het was winter, en ze waren maar met een handjevol mensen in een groot, leeg gebouw. De stemming was licht, collegiaal. Zelfs de gasten, tot en met de gewoonlijk sarcastische Cordelia Wright, waren vriendelijker.

Let wel, Violet had nu Cordelia Wrights kamer vanbinnen gezien omdat ze daar de meubels moest poetsen en het bed verschonen, en ze had geconcludeerd dat de operazangeres geen reden had om kribbig te zijn. Prachtige japonnen en bontjes lagen op het bed gesmeten of lukraak in de kast gehangen, en oogverblindende juwelen lagen opgepropt in het juwelendoosje. Natuurlijk had Violet dit allemaal niet mogen zien, maar als ze alleen in hun kamers was, bezweek ze voor haar nieuwsgierigheid. Flora's kamer was onberispelijk netjes, haar bureau keurig geordend met pennen en een inktpot en briefpapier. Het bed van Lord en Lady Powell zag er altijd uit alsof ze er de hele nacht in hadden liggen worstelen (ze kon niet geloven dat ze urenlang wild de liefde hadden bedreven). Op de toilettafel van Miss Sydney stonden meer schoonheidsproducten dan Violet had geloofd dat er konden bestaan: crèmes en serums en pillen en zelfs een zeep die *Dokter Potters Afslankzeep* heette en die op de verpakking beloofde vet én ouderdom weg te laten smelten. De kamers van Tony en Sweetie waren precies zoals ze verwacht had: rommelig en met een doordringende, muffe mannengeur. Heel anders dan Sams kamer, met zijn geur van zoete esdoorn, vochtige aarde en plantenstekjes. Al wist ze dat het de geur van opiumdamp was, hij stoorde haar niet omdat het de reuk was van zijn geluk en het hare. Haar eerste week kamermeisjeswerk was fascinerend, maar daarna werd het alleen maar langdradig en, vond ze, te min voor haar.

Het extra werk putte haar uit; tot zo diep in haar spieren dat ze zich tegen de derde week alleen de dag door kon slepen als ze 's middag een halfuur een dutje deed. Het werd ook een steeds groter probleem om haar ogen open te houden tijdens Sams nachtelijke bezoekjes en meer dan eens doezelde ze weg terwijl hij haar een of ander groots verhaal vertelde over zijn overgrootvader, die in een oorlog met Spanje had gevochten, of zijn krankzinnige overgrootmoeder die met honderd katten in een herenhuis woonde en ze allemaal room gaf. Hij kon haar nog tot leven brengen met zijn aanraking, maar de dwingende behoefte aan slaap begon steeds zwaarder op haar te drukken.

'Ik verveel je, zie ik,' zei hij op een nacht, terwijl ze naast elkaar in haar smalle bed in het donker lagen.

'Nee, nooit,' zei ze.

'Soms heb ik het gevoel dat je niet eens naar me luistert.'

'Ik ben moe, Sam, dat is alles. Het moet al na middernacht zijn. De rest van het hotel ligt al te slapen.'

'Te slapen. Slapend en leeg. We kunnen alles doen wat we willen.'

Ze kwam overeind op haar elleboog en keek hem aan. Er was te weinig licht om het goed te kunnen zien; hij was donkergrijs en vormloos, zijn zwarte ogen het enige waar ze haar blik op kon richten. 'Wat bedoel je?'

'Heb je ooit in de grote balzaal gedanst?'

'Natuurlijk niet. Daar breng ik borden rond.'

Hij sloeg de rand van de dekens terug. 'Kom op dan.'

'Dat meen je niet.' Een gouden opwinding wenkte, dezelfde opwinding die ze aan het begin had gehad, toen alles vloeibaar en sprankelend leek te worden als hij er was.

'Ik meen het.'

'Ik kleed me even aan.'

'Niemand zal ons zien. Je zei het zelf: het is na middernacht. Iedereen slaapt. Je kunt in je nachtpon dansen. Sterker nog, daar sta ik op.'

Ze stond giechelend op. 'We moeten heel voorzichtig en stil zijn.'

'Ik ben niet van plan me te laten betrappen,' zei hij met een ernstige stem, terwijl hij zijn kamerjas van de grond raapte. 'Dat zou ons te gronde richten.' Hij ging naar de deur, opende die en luisterde. 'De kust is veilig,' zei hij.

Ze trok haar wollen nachtjapon aan en kroop tegen zijn rug aan, ademde zijn geur in. 'Weet je zeker dat dit een goed idee is?'

'Het is een kolossaal idee,' verzekerde hij haar, terwijl hij haar hand pakte. 'We gaan.'

Op stille voeten gingen ze snel de gang door en de trap op, en daarna weer een trap af aan het einde van de volgende gang. Sam opende de deur die naar de volgende vleugel leidde en al snel rees de deur van de eetzaal voor hen op. Sam voelde eraan.

'Op slot,' fluisterde hij.

Teleurstelling. Ze liet zich even tegen hem aan zakken, tot ze zich iets herinnerde. 'Hansel heeft een sleutel. Die ligt in de keuken.'

'Laat maar zien.'

Ze keerden op hun schreden terug tot ze bij de keuken waren, waar Violet een stormlamp van de provisiekast nam en aanstak. Ze trok de bovenste la open en vond de sleutel tussen ingrediëntenlijstjes en oude recepten op stukjes papier. Sam nam de lamp in één hand en Violet in de andere, en ze raceten terug naar de balzaal.

Violet maakte de deur open. Haar hart klopte in haar keel. Ze zou zo verschrikkelijk in de problemen komen... Maar aan de andere kant, wat deed dat ertoe? Aan het eind van de winter zou ze of verloofd zijn met Sam, of naar huis gaan om een nieuwe baan te zoeken. Met het gevoel dat ze volkomen vrij was gooide ze de deur open.

De tafels, nu allemaal zonder tafellinnen en bestek, stonden zwijgend in het donker. Sam liep naar het midden van de dansvloer en zette de stormlamp neer, terwijl Violet de deur achter hem sloot.

'We hebben geen muziek,' zei Violet.

Hij trok haar dicht tegen zich aan en legde haar hand op zijn borstkas. Ze glimlachte toen ze zijn hartslag door het zachte zijde van zijn kamerjas voelde.

'Mijn bloed is de muziek,' zei hij. 'Ik kan het horen. Jij ook?'

Ze kon helemaal niets horen, maar toch zei ze ja, want dit moment was warm en zwaar, en ze wilde dat het perfect was. Hij begon te dansen en zij deed mee. Eerst in een rustig tempo en daarna steeds sneller draaide hij haar rond en rond over de dansvloer terwijl de flakkerende stormlamp in het midden stond. Ze keek naar hun wervelende, grillige schaduwen terwijl ze dansten als waanzinnigen, tot lang nadat ze eigenlijk te moe was om nog door te gaan. Ten slotte smeekte ze hem te stoppen, en dat deed hij abrupt en hij drukte zijn mond tegen de hare, opgezweept tot een opwinding die ze niet meer gezien had sinds de eerste avond dat ze de liefde hadden bedreven.

'Ik wil je,' hijgde hij in haar mond.

'Niet hier.'

'Nee?'

'Terug naar mijn bed.'

Met de stormlamp in de hand brachten ze de sleutel terug en gingen weer naar het personeelsverblijf, waar Sam bijna pijnlijk bezeten de liefde met haar bedreef.

Na afloop, voor hij in slaap viel, zei ze tegen hem: 'Sam, je houdt toch echt van me, hè? Jouw liefde is toch echte liefde, die eeuwig duurt?'

'Echte liefde die de sterren laat bewegen,' zei hij.

'Echte liefde die ziekte en ouderdom kan verdragen?'

'Echte liefde die feller brandt dan de zon.'

'Echte liefde die obstakels overwint en een uitweg vindt?' Ze probeerde hem te dwingen een verstandig antwoord te geven. Zijn passie was overtuigend en mooi, maar ze wist zeker dat Sam nog niet met zijn vader over haar had gesproken – en ze wist niet zeker of hij dat ooit wel zou doen.

'Brandende liefde,' zei hij in plaats daarvan en hij bedolf haar gezicht onder de kusjes. 'Roodgloeiende liefde. Woeste, woeste liefde.'

Woeste, woeste liefde. Dat was wat het was. Dat was wat het altijd was geweest.

Violets minst geliefde taak was lakens uitkoken, wat ze één keer in de week in het washok achter de oostvleugel moest doen. Ze reed alle lakens in een karretje door de lange gang, moest ze vervolgens in de kou de stenen treden af zien te krijgen en daarna het washok in, waar ze de ketel op het vuur zette en aan de kook bracht. Druipend van het zweet bewoog ze het linnengoed met een lange houten peddel tussen de zeepvlokken door, met pijnlijke armen en rode handen. Daarna moest ze de lakens de wasteil in tillen om ze uit te spoelen en ze door een mangel halen om er zo veel mogelijk water uit te persen. Pas dan kon ze ze ophangen, wat inhield dat ze van het hete, zweterige washok de koude buitenlucht in moest. Haar adem dampte in de koude lucht en ze kon de damp van haar armen zien opstijgen terwijl ze de lakens uitschudde en ophing. De koude wind greep ze en liet ze wild klapperen. In de open ruimte tussen washok en werkplaats was er geen enkele warmte, zelfs niet in de volle zon. Haar vingers werden ruw. De kou en de hitte in en uit.

Toen ze haar tweede lading stond op te hangen riep Clive haar vanuit de werkplaats, en ze zwaaide even naar hem en werkte door, in de hoop het werk zo snel mogelijk af te krijgen. Weer binnen was haar hoofd licht van de hitte. Lakens door de mangel. Ze veegde haar voorhoofd af met haar arm. Haar hoofd tolde een beetje en ze hield zichzelf in evenwicht tegen de ruwe rand van de stenen spoelbak. Toen ze buiten het laken uitschudde en wilde ophangen, werd alles om haar heen plotseling grijs en klonk er een fluitend geluid in haar oren.

Het volgende wat ze wist was dat ze op het bedauwde ochtendgras lag, met Clive over zich heen gebogen, die steeds haar naam zei.

Ze probeerde iets te zeggen, maar er kwam alleen een zacht gepiep uit.

'Blijf hier en verroer je niet,' droeg hij haar op, en ze wilde zeggen dat ze zich niet eens kon bewegen, dat al haar ledematen vol lood zaten en haar hoofd barstte van de pijn. Clive rende weg en ze zag een laken op de grond liggen en kon alleen maar denken: Dat zal ik opnieuw moeten wassen. Maar toen sloot ze haar ogen en luisterde even naar haar eigen ademhaling, omdat nadenken te moeilijk was.

Binnen twee minuten was Clive weer terug met juffrouw Zander. Ze knielde met een bezorgde blik bij Violet neer.

'Violet, kun je me horen?'

'Ja, ik voel me al beter. Het kwam door de hitte.'

'Probeer niet op te staan; ik wil niet dat je weer flauwvalt. Clive, kun jij haar dragen?'

'Dat denk ik wel.'

'Breng haar naar haar kamer. Ik loop vast vooruit en bel dokter Dalloway. Ik denk niet dat Karl hier veel kan doen.'

'Violet,' zei Clive vriendelijk, zonder haar aan te kijken, 'kun je je armen om mijn nek leggen?'

'Ik kan wel lopen,' protesteerde ze.

'Jij loopt niet,' zei juffrouw Zander op autoritaire toon. 'Doe wat je gezegd wordt.'

Violet legde haar armen om Clive's nek en hij tilde haar met gemak op. Ze kon zijn hart voelen bonzen op de plek waar ze tegen hem aan gedrukt lag toen hij haar over het grasveld en naar binnen droeg. Juffrouw Zander liep voor hen uit, met tikkende hakken op de houten vloer. Clive droeg Violet om de balzaal heen waar ze gisternacht nog met Sam had gedanst tot haar hoofd ervan tolde, en daarna de gang door en de trap af naar de kamers van het vrouwelijk personeel.

'Welke kamer is van jou?' vroeg Clive.

'Vierde van links. Heus, ik kan wel lopen.'

Hij controleerde of juffrouw Zander weg was, zette haar toen voorzichtig op haar voeten met een ondersteunende hand onder haar elleboog. 'Goed, maar ik blijf bij je tot juffrouw Zander er is.'

'Best.'

Ze deed haar slaapkamerdeur open en liet zich dankbaar op haar bed zakken. Haar knieën waren slap. Clive ging tegenover haar zitten, op het kale matras dat vroeger Myrtles bed was geweest, met zijn handen tegen elkaar gevouwen tussen zijn knieën.

'Hoe voel je je?' vroeg hij.

'Mijn hoofd doet pijn.'

'Je bent op je zij gevallen.'

Het drong tot Violet door dat ze ook een kloppend gevoel had in haar rechterarm. 'En mijn elleboog doet pijn. Ik ben zo moe, Clive. Jij niet? De extra diensten zijn me gewoon te veel. De was, de bedden opmaken, schoonmaken. Ik weet dat de maaltijden sneller en makkelijker te serveren zijn, maar...' Ze zweeg voordat de tranen kwamen. 'Ik ben gewoon zo moe.'

'Eet je wel goed? Krijg je genoeg slaap?'

'Ik heb niet veel trek. Ik moet altijd meteen weer weg om iets te gaan doen. Maar ja, ik slaap goed genoeg.' Met Sam naast haar. Hoewel zijn nachtelijke binnenkomst en vertrek betekende dat ze vaak wakker werd, en hij nam zo'n groot deel van het bed in beslag dat zij licht sliep.

'De dokter zal wel weten wat er aan de hand is.'

'Maar wat als hij zegt dat ik rust moet houden? Juffrouw Zander redt het niet zonder mij. Ze heeft verder iedereen naar huis gestuurd.'

'Er zijn nog altijd een paar mannen in de oostvleugel,' zei Clive. 'Maak je geen zorgen. Er is altijd wel iemand die kan wat jij kan. Ze zeggen dat juffrouw Zander al het werk in het hotel zelf kan uitvoeren.'

'Ik kan me haar niet als serveerster voorstellen,' snoof Violet.

'Ik wel. Ze heeft zoiets over zich.'

Violet grinnikte. 'Hansel zou nooit tegen haar durven schreeuwen.'

Ze zaten een paar lange momenten zwijgend bij elkaar, en toen stond juffrouw Zander in de deuropening. 'Clive, dokter Dalloway is onderweg in zijn automobiel. Wil jij voor gaan staan en kijken of hij eraan komt? Hij moet weten waar hij naartoe moet.'

Clive haastte zich weg en juffrouw Zander joeg Violet haar bed in.

'Vooruit, trek je uniform uit en kruip onder de dekens. Een dag in bed is wat jij nodig hebt.'

Violet maakte haar knoopjes los. 'Maar hoe...'

'Violet, ik ben geen idioot. Ik weet hoe ik een hotel moet bemannen. Verkoudheden komen in de winter vaak voor. Ik heb hier genoeg personeel om voor je in te vallen. Uiteindelijk hebben we maar acht gasten. De enige ramp waar ik nooit op voorbereid ben is als ik zelf ziek word, dus weiger ik ziek te worden.' Ze glimlachte. 'Je werkt hard, liefje, en dat waardeer ik. Je beloning zal komen. Maar werk jezelf niet over de kop. Iemand anders kan volgende week de was wel doen. Een van de jongens. Ik regel het wel.'

Violet liet zich tussen haar lakens glijden en legde haar hoofd neer. Haar kussen leek erg zacht. Juffrouw Zander ging op het voeteneind van haar bed zitten. 'Ik zal hier met je op de dokter wachten,' zei ze.

'Dank u.'

'Je hebt gewerkt als een paard. Misschien geef ik je opslag na de winter.' Juffrouw Zander glimlachte en het goud in haar kiezen werd zichtbaar.

Maar haar aanbod gaf Violet een steek in haar hart. Na de winter. Er was geen 'na de winter' voor haar. Haar onzekerheid over Sam, die ze meestal niet onder ogen wilde zien, was een schrijnende wond waarvan de randen nu begonnen te ontsteken. De tranen sprongen haar in de ogen.

'O jee,' zei juffrouw Zander, en het was de eerste keer dat Violet haar verbaasd had gezien. 'Wat heb je toch?'

'Ik weet niet wat er met me zal gebeuren!' riep Violet, en het was alsof de sluizen waren geopend. 'Mijn moeder heeft ernstige artritis. Ze kan niet meer werken en ze zegt dat ik na de winter thuis moet komen om voor haar te zorgen.' Haar neus begon te lopen, dus zocht ze onder haar kussen naar een zakdoek en wreef er stevig mee over haar gezicht. 'Maar ik wil niet terug naar Sydney. Ik wil hier blijven!'

'Blijf dan,' zei juffrouw Zander, alsof niets ter wereld vanzelfsprekender kon zijn. 'Waarom zou je ergens naartoe gaan waar je niet wilt zijn? Een meisje heeft toch al zo weinig te kiezen in haar leven. Waarom zou je een paar van je keuzes zomaar opgeven?'

Violet snufte, verward door haar logica. 'Maar ze is mijn moeder. Ze heeft voor me gezorgd tot ik veertien was. Nu moet ik haar terug-betalen.'

Juffrouw Zander haalde haar schouders op. 'Nee hoor. Niet als je dat niet wilt. Heeft ze je een contract laten tekenen toen je een baby was? Heeft ze elke keer dat ze een lepel pap naar je mond bracht ge-zegd: "Op een dag moet je me dit terugbetalen, liefje?" Nee. Ouders horen geen compensatie van hun kinderen te verwachten. Wat ont-zettend oneerlijk, om iemand ongevraagd op de wereld te zetten en daarna te willen bepalen wat diegene moet doen.' Ze snoof. 'Als ze wil dat jij voor haar zorgt, kan ze heel goed met de trein hiernaartoe komen en een flatje zoeken. Jij zult goed verdienen, en misschien komen er binnen een jaar of zo nog meer mogelijkheden, als je je goed blijft gedragen.'

'Mama zal nooit uit Sydney weggaan. De kou maakt haar artritis erger.'

'Zeg dan maar dat ze in Sydney moet blijven en voor zichzelf moet zorgen.' Juffrouw Zander snoof. 'Werkelijk, ik word zo moe van de manier waarop meisjes zich laten meesleuren door wat anderen wil-len. Ik verwacht beter van jou, Violet.'

Violet voelde juffrouw Zanders afkeuring en vulde snel de stilte. 'U geeft me veel om over na te denken,' zei ze.

'Goed. Ik zie al dat je weer wat kleur hebt en er niet meer zo angst-wekkend bleek uitziet. Een dag of twee in bed, en dan weer op de been. Wat zeg je ervan?'

Violet wilde iets zeggen om juffrouw Zander ervan te verzekeren dat ze alles zou doen om bij haar in de gunst te blijven, maar toen herinnerde ze zich de waarschuwing: *meisjes laten zich zo makkelijk meesleuren door wat anderen willen.* Ze moest onafhankelijker lijken. 'Na wat rust voel ik me vast en zeker weer prima.'

'Goed zo.'

De door juffrouw Zander beloofde loonsverhoging, plus haar nuch-tere oplossing voor Violets probleem met mama, leek Violets schuld-gevoel over het stiekeme rondsluipen met Sam te verergeren. Toen hij voorstelde om die nacht weer om de stormlamp heen te dansen, weigerde ze.

'Je wordt toch geen angsthaas, hè?' plaagde hij terwijl ze knie aan knie in bed lagen. Hij tikte speels tegen haar neus.

'Nee, ik moet alleen zorgen dat ik deze baan houd.'

Hij wuifde haar zorgen weg. 'Ik heb zoveel geld dat jij het nooit zou kunnen uitgeven.'

'Ga je met me trouwen?' vroeg ze ronduit.

'Rustig aan. De man hoort het aanzoek te doen, niet de vrouw.'

'Het is geen aanzoek, maar een vraag.'

'Heb ik je niet voldoende verzekerd van mijn liefde? Hier, laat me het nog eens bewijzen.' Hij begon haar te kussen en zoals altijd nam haar verlangen de overhand boven haar gezonde verstand.

Na afloop doezelde hij weg, om haar heen gekruld. Maar haar malende gedachten hielden haar wakker, al wist ze dat ze moest slapen.

'Sam?' vroeg ze in het donker.

'Hmm?'

'Waar zullen we over een jaar zijn?'

'Zeilend naar Antigua. Zwemmend in de Seine. Wat je maar wilt.'

Ze probeerde het nog eens door het fantasietijdstip wat dichterbij te brengen. 'Waar zullen we aan het eind van de winter zijn?'

'Hier,' zei hij.

'En na hier?'

'Daar.'

'Waar is daar?'

'Ik word zo moe van al die vragen. Ga slapen. Alles komt goed. Als je me maar vragen blijft stellen, denk ik nog dat je me niet vertrouwt.'

Ze viel stil. Moe, doodmoe. Ze zei tegen zichzelf dat ze zich op dit moment moest concentreren, zijn warme lichaam in het donker, de heerlijke verboden opwinding van hun affaire. Haar liefde, die warm en fel en allesdoordringend was. Ze zei tegen zichzelf dat ze niet moest denken aan bruiloften en baby's en...

Baby's.

Wanneer was tante Betje voor het laatst op bezoek geweest?

Met haar paniekerige hoofd kon ze zich onmogelijk concentreren. Nee, ze reageerde vast overdreven. Vermoeidheid en een slechte eetlust waren niet ongewoon, als je bedacht hoe druk ze het had gehad. Maar toch worstelde haar hoofd met terugtellen. Myrtle was er nog geweest. Was het voor of na Kerstmis in juni? Ervoor. Lang, lang ervoor. Een hete angst vlamde op in haar hoofd. Dit overkwam haar niet. Ze had nauwgezet vermeden om eraan te denken, en dus kon het haar *onmogelijk* overkomen. Afgezien van de eerste keer had Sam nooit zijn zaad in haar gespoten. Hij had gezegd dat dat altijd goed was gegaan en zij was zo overstuur geweest dat hij met andere vrouwen de liefde had bedreven, dat ze hem op zijn woord had geloofd en nooit verder had doorgevraagd.

Tellen, tellen... zes weken. Ze had al zes weken geen bloeding gehad.

Sam lag naast haar te slapen, zachtjes snurkend. Ze zou hem niet wakker maken. Wat had dat voor zin? Hij zou of niet weten hoe snel hij weg moest komen, of haar onzin op de mouw spelden over gouden wiegjes bekleed met hermelijn en zingende engelen boven het hoofdje van het kind.

Een gemenere gedachte viel haar in. Nu moest Sam wel met haar trouwen.

Maar ze wuifde het weg. Sam deed niets wat hij niet wilde. Een familie als de zijne kon doen wat ze wilde, en als de familie besloot te ontkennen dat het zijn kind was, was het daarmee klaar.

Dus zat ze moederziel alleen in haar angsten gevangen en zag ze haar kansen verschrompelen tot niets. Een paar minuten eerder was haar leven nog zorgeloos geweest. Nu werd ze verpletterd onder het gewicht van de werkelijkheid. Twintig jaar oud, zwanger van een man die nooit met haar zou trouwen.

Violet lag heel lang wakker.

In de vroege ochtenduren, toen Sam al weg was en Violet eindelijk in een droomloze slaap was gevallen, kwam de sneeuw. De vlokken dwarrelden zacht, wit en schoon omlaag, en deze keer bleven ze liggen. Ze bedekten de fonteinen en de tuinen, de gazons en de tennisbanen met een fijn, donzig laagje. Ze vormden zachte hoopjes op de takken van de dennenbomen en pakten in elkaar rond de stenen en het struikgewas langs de wandelpaden. De gasten en het personeel van het hotel ontwaakten in een wereld die wit was geworden, en ze spraken er vol verrukking en opwinding over tijdens het ontbijt.

Behalve Violet, voor wie de wereld zwart bleef.

19

De theekamer en het koffiehuis waren in de winter gesloten en dus had Lady Powell de taak op zich genomen een theeservies te kopen en elke middag om drie uur thee te serveren in haar kamers. Zij en Lord Powell deelden een appartement op de bovenste verdieping, met een eigen zitkamer en badkamer. Flora ging er de meeste middagen niet heen, maar het zou ongemanierd hebben geleken als ze niet zo nu en dan haar gezicht liet zien. De mannen hadden natuurlijk niets te zoeken bij zulke gelegenheden, die Sweetie karakteriseerde als een kans voor vrouwen om over diëten en gezichtscrèmes te praten. Dat vond Flora beledigend: ze had die onderwerpen nog nooit besproken, met niemand. Maar toen het gesprek de voorspelbare wending naar Miss Sydneys schoonheidsroutine nam, moest Flora Sweetie in stilte gelijk geven.

'Jij hebt zo'n gladde huid,' zei Cordelia tegen Miss Sydney.

Miss Sydney giechelde en begon te praten over fruitzeep, en Flora liet haar gedachten afdwalen, dronk haar thee en keek de kamer rond. Fluwelen behang, oosters tapijt, vier comfortabele stoelen. Vader had voorgesteld dat zij en Sam ook zo'n appartement zouden delen, maar Sam had erop gestaan zijn eigen kamer te hebben, weg van Flora. Zo kon hij roken zonder dat ze het wist, dacht ze, al wist ze het altijd.

Miss Sydney ratelde maar door en de oudere dames hingen aan haar lippen, alsof het in haar macht lag om hun jeugd terug te laten komen. Het verraste Flora dat Lady Powell zo veel interesse voor zulke dingen had, met de verschrikkelijk hoogdravende boeken die ze scheen te schrijven. Maar aan de andere kant beweerde men dat ze in haar tijd een schoonheid was geweest, en vrouwen die ooit om hun schoonheid gewaardeerd waren, probeerden die natuurlijk zo lang mogelijk vast te houden. Dat was een vloek die Flora nooit zou hoeven verduren. Het was vast erg saai van haar, maar ze hechtte veel meer aan fatsoenlijke waarden en normen, een eigenschap die mettertijd niet kon verwelken.

Een stilte maakte haar erop attent dat iedereen haar verwachtingsvol aankeek. Er was haar een vraag gesteld. Welke?

'Sorry, ik zat even ergens anders met mijn hoofd,' zei ze, terwijl ze haar onoplettendheid probeerde weg te lachen. 'Vroegen jullie me iets?'

'Tony,' zei Miss Sydney. 'Die heeft zulke mooie handen. Het is ons allemaal opgevallen. Schoon, goed geknipte nagels, zachte huid. We vroegen ons af of jij ze voor hem verzorgde.'

'Nee,' zei ze. 'Ik heb nog nooit iets met zijn handen gedaan.'

Cordelia meesmuilde. 'Maar hebben zijn handen ooit iets met jou gedaan?'

Ondeugend gelach rimpelde door de kamer. Flora probeerde zich niet af te vragen hoe Miss Sydney wist dat Tony zachte handen had. Ze had Tony en Sweetie een paar keer om haar heen zien draaien nu haar verloofde weg was. Ze was mooi, dus Flora kon het ze niet kwalijk nemen, maar ze verachtte de manier waarop Sweetie tegen haar sprak, elk woord vol toespelingen en schunnige grappen. Maar Miss Sydney leek juist op te bloeien bij zijn flauwekul. Misschien genoot ze ervan om niet bij haar verkering te zijn, die oud genoeg was om haar vader te zijn.

Ja, de stemming was veranderd sinds de winterstop was ingegaan. Er was iets bandeloos in hun gedrag geslopen, alsof iedereen ervan genoot om de grenzen van de fatsoensnormen op te zoeken die hen normaal gesproken binnen de perken hielden. Daar deed Flora niet aan mee. Ze liet het gelach wegsterven en stond op. 'Ik moet gaan,' zei ze. 'Ik heb mijn broer beloofd dat ik vanmiddag bij hem zou zijn.' Dat was een leugen, maar het zou volstaan.

'Je bent toch niet boos?' vroeg Miss Sydney, terwijl ze met haar wimpers knipperde zoals ze dat ook tegen Sweetie deed. En tegen Tony, trouwens.

'Ach, nee. Het was een goede grap. Natuurlijk heb ik Tony's handen weleens aangeraakt, en natuurlijk hij de mijne ook. Ik bedoelde alleen dat ik hem nooit een manicure heb gegeven. Ik weet vrijwel zeker dat hij nauwelijks aandacht aan zijn vingers besteedt. Er is immers niets minder belangrijk dan hoe een mannenhand eruitziet.'

'Dat ben ik niet met je eens,' zei Cordelia Wright. 'Een van mijn mannen had piepkleine, bleke handjes. Laat me je zeggen dat kleine handjes ook een voorbode zijn van kleine dingen elders.'

Meer gelach. Flora kon het niet meer verdragen. Ze knikte een keer en vertrok zonder een woord. Wat dan nog, als ze haar ongemanierd vonden? Zij vond *hen* ongemanierd.

Ze vloog de trap af en voelde dat ze behoefte had aan wat van de frisse kou buiten. Het had sinds heel vroeg in de ochtend gestaag gesneeuwd en nu lag het vele centimeters dik. Juist toen ze de deur wilde opendoen, riep een stem achter haar. 'Flora! Juffrouw Honeychurch-Black!'

Toen ze zich omdraaide zag ze Will Dalloway aankomen, met zijn leren tas en hoed op de ene arm en zijn overjas over de andere gevouwen.

'Dokter Dalloway,' zei ze, zich bewust dat juffrouw Zander van achter de balie toekeek. 'Wat fijn om u te zien.'

'Wilt u zo de sneeuw in? Dan wordt u ijskoud.'

Goed punt. 'Alleen voor een frisse neus, en daarna meteen de warmte weer in,' zei ze.

'Hoe gaat het vandaag met onze Violet?' riep juffrouw Zander.

'Al veel beter,' antwoordde Will. Hij wendde zich tot Flora, gaf haar zijn overjas. 'Hier, neem die maar voor uw frisse neus terwijl ik even met juffrouw Zander spreek.'

Ze glimlachte, nam de jas dankbaar aan, trok hem aan en ging naar buiten.

Violet was ziek geweest. Ze vroeg zich af of Sam dat wist. Hij was erg teruggetrokken geworden sinds het hotel dicht was. Op sommige dagen zag ze hem helemaal niet tot etenstijd, waarna hij zich gapend door de maaltijd en de gesprekken heen sloeg alsof hij in jaren niet geslapen had. Ze had geen idee hoeveel hij rookte en hoopte dat het nog steeds maar heel weinig was.

De sneeuw bleef zacht en langzaam, maar onophoudelijk vallen. Flora stond er van onder de overhangende dakrand naar te kijken. Het wit van de sneeuw maakte de andere kleuren feller: groene dennennaalden, donkerbruine boomstammen, koude grijze bakstenen. De lucht tintelde op haar wangen en ze kroop weg in Wills overjas, zich plotseling bewust van de geur ervan. Een warme geur, een mannelijke geur. Kruidig maar schoon. Ze draaide haar hoofd opzij, snoof de geur diep op en sloot heel even haar ogen.

Toen rukte ze zich los uit haar dagdroom. Daar stond ze dan, met haar oordeel over de dwaze dames in Lady Powells zitkamer, en over Tony's vrienden met hun wellustige flauwekul, maar zij was zelf geen haar beter. Aan Wills overjas snuffelen en met te veel genegenheid aan hem denken. Veel te veel genegenheid.

Ze liet de jas van haar schouders glijden toen de deur openzwaaide en Will naar buiten kwam.

'Hier,' zei ze stug terwijl ze hem de jas aanreikte.

'Heb je het niet koud?'

'Ik vind het niet erg.'

Hij nam de jas aan en glimlachte. 'En je broer? Is alles goed met hem?'

Natuurlijk had ze zijn interesse aangemoedigd, en niet zo subtiel ook. Ze had in zijn kantoor zitten uithuilen over haar vreemdgaande verloofde. Ze had hem veel te diep in haar leven toegelaten, in haar hart. Als ze niet ten prooi wilde vallen aan dezelfde onzedige bandeloosheid waar alle anderen zich in wentelden, moest ze hem er weer uit zetten. 'Alles is goed in mijn leven, dank u, dokter Dalloway. Ik zal het u laten weten als er iets is wat ik van u nodig heb, dus u hoeft niet verder te informeren.'

Zijn ogen knipperden achter zijn brillenglazen en ze moest een brok wegslikken. Ze had hem gekwetst. Het was beter zo.

'Goedendag dan,' zei hij terwijl hij zijn hoed op zijn hoofd drukte en snel naar zijn auto liep.

Ze stond nog een paar momenten huiverend in de sneeuw, wetend dat ze had gedaan wat ze moest doen, maar evengoed diepbedroefd.

Zelfs met de balzaal doormidden gedeeld en een laaiend vuur in de haard leek de kou hen in te sluiten, zich te verzamelen in de hoeken van de kamer en tegen het hoge plafond. Het kaarslicht en het haardvuur gaven de kamer een veranderlijke, amberen gloed. Het orkest was vervangen door een grammofoon en dat gaf de kamer een leeggelopen gevoel, alsof ze de laatste mensen op aarde waren. Flora zat dicht bij Tony en luisterde hoe hij aan tafel een verhaal vertelde over de dag dat hij de minister-president had ontmoet. Niemand leek het erg te vinden dat ze het al eerder hadden gehoord: ze hadden al zo vaak samen gedineerd dat het acceptabel was geworden om verhalen te herhalen.

Flora keek naar Tony's handen. Ze waren heel schoon en netjes; dat was haar nog niet eerder opgevallen. Die van Sam daarentegen waren bleek, met beschadigde nagels en nagelriemen. Ook al zat hij aan tafel, hij leek weg te dromen in zijn eigen wereld, zachtjes heen en weer wiegend met zijn duimnagel in zijn mond, een afwezige blik, slordig haar. Ze keek een tijdje naar hem en zag hem toen rechtop gaan zitten en zijn hand uit zijn mond halen, terwijl zijn hele uitstraling ineens opgewekt en alert was. Ze hoefde zijn blik niet te volgen om te weten dat Violet die verandering in hem teweegbracht.

Flora draaide zich om en zag Violet aan komen lopen. Ze was bleek, maar leek niet erg ziek. Het meisje werkte hard en Flora bewonderde haar daarom. Ze had Sam duidelijk gelukkig gemaakt; het was de langste relatie die hij ooit had gehad. Voor de eerste keer vroeg Flora zich onwillekeurig af of het echt zo erg zou zijn als Sam met een vrouw als zij zou trouwen. Als zij hem gelukkig maakte – terwijl hij zo moeilijk gelukkig te maken was – zou dat zeker iets goeds zijn.

Natuurlijk zou hun vader dat anders zien.

Violet diende hun eten op, terwijl ze zorgvuldig met iedereen oogcontact vermeed. Flora zag Sweetie wellustig naar de jonge vrouw loeren en ze moest zich wegdraaien. Wat was hij toch verschrikkelijk primitief. Sam daarentegen keek met ogen die glansden van een zachte genegenheid naar Violet, en Flora glimlachte onwillekeurig.

Toen Violet weer in de keuken was, boog Flora zich naar Sam toe. 'Je bent erg op haar gesteld, hè?'

'Zonder haar is het leven een koude, eindeloze oceaan.'

Flora was gewend aan Sams dramatische zinswendingen; soms leken de gebruikelijke uitdrukkingen voor menselijke emoties gewoon niet goed genoeg voor hem te zijn. Voor deze ene keer zei ze niet dat vader het nooit zou goedkeuren. Deze keer liet ze hem gewoon van haar houden.

Het gesprek nam weer een wending. Lady Powell, die een paar glazen champagne te veel op had, hield een tirade over de idiotie van boekbesprekers terwijl ze geestdriftig bijval kreeg van Cordelia Wright over operarecensenten, en Sams onrust groeide tot het punt dat Flora wist dat hij binnenkort zou opspringen en zonder een woord zou wegbenen, naar zijn kamer en zijn opiumpijp. En inderdaad, toen hij zijn eten half had opgegeten deed hij dat. De anderen keken hem na en Miss Sydney trok afkeurend een wenkbrauw op. Misschien kon ze niet begrijpen waarom Sam haar niet met zijn ogen uitkleedde, zoals de anderen deden. Maar iedereen was zo gewend dat hij zomaar wegliep dat niemand er iets over zei.

De avond sleepte zich voort en er werd veel gesproken over het weer. Violet kwam hun borden afruimen en Flora zag de teleurstelling in haar ogen toen ze zag dat Sam weg was.

'Juffrouw,' zei Lady Powell terwijl ze aan de zoom van Violets schortje trok, 'wat is ons dessert vanavond?'

'Toffeepudding,' antwoordde Violet.

'O, niet voor mij,' zei Miss Sydney. 'Voor mij alleen thee.'

'Ik neem de pudding,' trompetterde Lady Powell. 'Toffeepudding is mijn favoriet.'

'Ik heb zin in iets zoets,' zei Sweetie. 'Sta jij niet op het menu, popje?'

Tony en Miss Sydney grinnikten. Violet glimlachte beleefd en negeerde het. 'Alleen toffeepudding, meneer, maar ik kan u thee of koffie brengen als u dat liever heeft.'

Sweetie, die ofwel niet in staat of niet bereid was om de situatie goed te begrijpen, bleef doorgaan, met een agressieve glinstering in zijn ogen. 'Ik proef liever van jou.'

Flora zag een zekere vermoeidheid over Violets gezicht trekken en vroeg zich af hoe vaak mannen als Sweetie al zulke opmerkingen tegen haar hadden gemaakt. Flora had een dergelijke benadering nooit hoeven verdragen, maar voor Violet was het waarschijnlijk heel gewoon. Ze herinnerde zich dat het meisje ziek was geweest – ziek genoeg om een bezoek van dokter Dalloway te rechtvaardigen – dus kwam ze tussenbeide.

'Werkelijk, Sweetie, zo is het wel genoeg. Je zou je moeten schamen.'

Sweetie verweerde zich: 'Waar moet ik me voor schamen?'

'Dat meisje heeft duidelijk geen interesse in je. Je bent een pummel.'

Een gespannen stilte daalde over de tafel neer. Violet boog haar hoofd en haastte zich met de lege borden terug naar de keuken.

'Rustig, Flora,' zei Tony zacht. Dreigend.

Dat maakte haar woedend. Flora was er de vrouw niet naar om haar zelfbeheersing te verliezen, maar na wekenlang in het gezelschap van deze mensen te zijn geweest, vooral de verfoeilijke Sweetie, waren haar zenuwen tot het uiterste gespannen. 'Ik doe niet *rustig*. De wereld is niet jouw eigendom, en ook niet van jou, of van wie dan ook van jullie. We delen hem. We delen hem met mensen als Violet, die het recht heeft om haar werk te doen zonder dat Sweetie haar beledigt.'

'Maar al te waar!' zei Lady Powell, terwijl ze haar glas hief.

'Ik *beledigde* haar niet,' zei Sweetie. 'Ik vleide haar juist. Ze vond het heerlijk.'

'Ze vond het *niet* heerlijk. Ze vond het gênant en ze was bang. Ze zal er niets van zeggen omdat ze bang is haar baan te verliezen.'

'Als ze het niet fijn vond, waarom glimlachte ze dan?'

'Ze wordt betaald om tegen jou te lachen. Waarschijnlijk haat ze je. God weet dat ik dat soms doe. Maar je zult het wel gewend zijn om vrouwen te betalen om aardig tegen je te doen.'

Sweetie draaide zich naar Tony om en snauwde: 'Hou je wijf onder controle.'

Tony legde zijn hand onder Flora's elleboog. 'Kom mee. We gaan voordat je nog meer mensen beledigt.'

Flora liet zich uit haar stoel trekken, maar rukte zich van Tony los toen ze de dansvloer overstaken. Ze zag Violet staan treuzelen bij de personeelsingang tegenover haar, vanwaar ze het hele gesprek had gevolgd. Opstandig gaf ze Violet nog een brede glimlach en daarna liet ze zich met opgeheven hoofd door Tony naar buiten escorteren.

Pas toen ze voor haar kamer stonden zei hij iets, en toen had Flora al voldoende tijd gehad om spijt te krijgen van de scherpe manier waarop ze Sweetie had toegesproken waar al hun vrienden bij waren.

'Werkelijk, Flora,' berispte Tony haar, maar zijn toon was vriendelijk. 'Sweetie is een van mijn oudste vrienden.'

'Het spijt me als ik je voor schut heb gezet,' zei ze, 'maar zelfs jij moet toegeven dat hij te ver gaat met zijn botte flauwekul. Dat is niet gepast aan een tafel vol welopgevoede dames, en het is bijzonder gemeen tegenover lagere mensen als obers en serveersters, die zich niet durven verdedigen. Ik tolereer het niet meer. Spreek met hem en laat hem ermee ophouden.' Haar hart bonkte een beetje in haar borstkas, maar ze was blij dat ze haar zegje had gedaan.

'Ik kan hem nergens mee laten ophouden,' zei Tony.

'Dat kun je wel. Hij hangt aan jou. Dat doen ze allemaal. Hij is hier nog, nota bene. Hij had kunnen teruggaan naar Sydney, maar hij aanbidt de grond waarop jij loopt. Het niveau van het gedrag dat jij negeert is het niveau van het gedrag dat jij goedkeurt. Ik verafschuw de gedachte dat ik ga trouwen met een man die doet alsof hij zoveel onbeschoftheid niet eens ziet.'

Tony's wenkbrauwen gingen naar beneden, en Flora voelde een lichte schrik haar hart beroeren. Maar zijn woede leek weg te smelten, zijn ogen rimpelden aan de hoeken en zijn mondhoeken gingen omhoog alsof hij zijn best deed om te glimlachen. Toen begon hij te lachen.

Ze was te verbouwereerd om mee te doen.

'O, Florrie, wat ben je fel! Wat hou ik van je.' Hij nam haar in zijn armen en kuste haar voorhoofd en haar wangen, en daarna bracht hij zijn mond naar haar lippen.

Ze ademde uit. 'Dat was wel het laatste wat ik verwachtte.'

'Sweeties gezicht,' zei hij, 'dat was onbetaalbaar. Ik geloof niet dat hij ooit had verwacht dat je zo tegen hem zou spreken. Ja, hij verdiende het. Maar doe het alsjeblieft niet nog eens.'

'Ga je met hem praten?'

'Ik zal met hem praten. Ik zal ervoor zorgen dat hij zich gedraagt in jouw gezelschap, en in gezelschap van de andere dames.'

'Dank je, lieverd.' Ze kuste zijn wang, draaide zich om en wilde haar deur openmaken, maar hij greep haar bij de pols.

'Mag ik binnenkomen?' vroeg hij en de vraag leek bol te staan van bijbedoelingen.

Flora overwoog zijn verzoek. Hij had het natuurlijk eerder gevraagd, en zij had altijd nee gezegd. Maar op dit moment voelde ze zich sterk verbonden met hem, en haar bloed was warm en haar stemming goed. 'Je kunt *heel even* binnenkomen,' zei ze, terwijl ook zij een stevige laag bijbetekenissen in haar woorden legde. 'Begrijp je?'

Hij glimlachte en knikte. Ze opende de deur en ze gingen naar binnen.

Ze deed de lamp bij haar bed aan en ging midden in de kamer staan, niet goed wetend wat ze moest doen. Tony legde zijn handen om haar heupen en trok haar dicht tegen zich aan.

'Laat me je kussen. Echt kussen,' zei hij.

Ze bood hem haar gezicht en zijn lippen daalden hongerig neer, zijn tong schoot in haar mond. Vloeibare hitte rees op in haar lendenen. Ze zei tegen zichzelf dat ze zich moest ontspannen toen zijn handen over haar rug gleden, door haar rok heen haar billen vastpakten en haar tegen zich aan drukten. Al deze dingen had hij al eerder gedaan, als ze het hem toestond.

'Zullen we gaan liggen?' vroeg hij, dicht bij haar oor.

Woordeloos knikte ze en hij leidde haar naar het bed. Hij legde haar op haar rug en ging naast haar liggen, kuste haar wild, streelde haar haar, liet zijn lippen over haar hals dwalen. Ze sloot haar ogen en gaf zich over aan de sensaties. Het had iets geweldigs om zo gewaardeerd te worden door een man; een knappe, machtige man als Tony. Natuurlijk had Tony ook andere vrouwen op deze manier geapprecieerd, en die gedachte maakte haar verdrietig. Zou het niet fijner zijn geweest als ze de enige was met wie haar man ooit samen was geweest? Ze vroeg zich af of Will Dalloway haar even aantrekkelijk zou vinden als Tony.

Haar ogen vlogen open. Waar kwam die gedachte vandaan?

'Wat is er?' vroeg Tony, terwijl hij overeind kwam op een elleboog.

'Niets. Waarom?'

'Je verstijfde ineens.'

'O. Nee, er is niets. Alleen... je weet dat ik me moeilijk kan ontspannen als we...'

'Maar je vindt het toch fijn?'

'Nou en of.'

Hij bewoog zijn hand plagend over haar middel en liet hem over haar heup glijden. 'Vind je dat fijn?'

Ze glimlachte, knikte.

'Je bent zo mooi gevormd, Florrie. Miss Sydney, onze schoonheidskoningin, heeft de vorm van een potlood. Ik weet dat het mode is om dun te zijn, maar vrouwen horen heupen en billen te hebben. En borsten.' Zijn hand kroop omhoog naar haar borst.

Ze duwde hem weg. 'Impertinent,' zei ze vriendelijk, glimlachend.

'Je zult het fijn vinden. Dat beloof ik je.'

Ze sloot haar ogen. 'Wat ik niet zie is niet gebeurd.' Ze sidderde van verwachting. Ze had hem nooit eerder haar borsten laten strelen.

Zijn warme hand gleed soepel omhoog over haar ribben en sloot zich om haar linkerborst. Haar hartslag versnelde. Ze probeerde zich te concentreren op dit moment en er niet aan te denken met hoeveel andere vrouwen Tony dit had gedaan. *Hij houdt van me. Hij houdt van mijn vormen.* Opnieuw moest ze onwillekeurig aan Will denken en vroeg ze zich af of *hij* van vrouwen met heupen en billen en borsten hield.

Tony's hand verdween en verscheen daarna weer bij de onderkant van haar blouse, trok die uit haar rok en ging omhoog over haar baleinen. 'Wat zit je diep weggestopt,' zei hij. 'Ik wil je huid voelen.'

Dapper ging ze rechtop zitten, trok haar blouse over haar hoofd en ging weer liggen. Sloot haar ogen. 'Dit, maar niet meer,' zei ze.

Hij maakte de eerste paar haakjes van haar korset los en stak zijn hand erin. De gedachte dat hij haar daar aanraakte was bijna even opwindend als de aanraking zelf. Hij kneedde haar tepel tussen zijn duim en wijsvinger en ze hapte naar adem.

'Ik zei toch dat je het fijn zou vinden,' murmelde hij.

Ze ging rechtop zitten, duwde zijn hand weg. 'Genoeg,' zei ze.

Hij lachte. 'Te veel?'

'Te...' Ze kon niet op het woord komen. Ze wist alleen dat ze een sterke, kriebelende aandrang tussen haar benen voelde die ze nooit eerder had gehad, en ze was bang dat ze na nog een aanraking van Tony op alles ja zou zeggen.

'Over een paar maanden zijn we toch getrouwd,' zei hij. 'Het sneeuwt buiten en het is hier warm. Jij en ik, samen, verliefd. Waarom laat je me niet blijven?'

'Omdat ik zo niet opgevoed ben.'

Hij haalde zijn schouders op en kuste haar wang. 'Je bent mooi, weet je, op je eigen manier.'

'En jij bent knap, op een manier die iedereen ziet,' zei ze. 'Maar dat is niet waarom ik van je houd.'

Hij stond op terwijl zij haar blouse weer aantrok. 'Uiteindelijk krijg ik je toch wel,' zei hij.

'Ja, dat klopt. Maar niet nu.' Ze dwong zichzelf opzettelijk te denken aan Tony met die andere vreselijke vrouwen, om koud water op haar warme verlangen te gieten.

Hij ging weg en zij liep naar het raam om naar de vallende sneeuw te kijken. Zo veel sneeuw. Uren en urenlang. Het zou in de loop van de nacht vast ophouden. Dit was Australië, niet Zwitserland. Ze had gedacht dat sneeuw zeldzaam was, al wist ze natuurlijk niet zo veel van het klimaat in de bergen. Het licht van het hotel weerkaatste op de dwarrelende vlokken. Erachter lagen donkere straten. Nu stond ze zichzelf toe om aan Will te denken. Ze vroeg zich af of hij ook aan het raam van zijn kamer stond en de sneeuw zag neervallen in de donkere nacht. Ze liet zichzelf inbeelden van wel, en de gedachte maakte haar aan het glimlachen.

Maar toen zei ze tegen zichzelf dat het zo wel genoeg was en ging ze naar bed.

Violet werd wakker in een kou die domweg te veel was voor haar kleine radiator. Haar raam, dat op de beste momenten al klein was en niet veel licht doorliet, was volledig verdwenen onder de sneeuw. Ze rolde zich onder de dekens op tot een bal en klampte zich vast aan het laatste beetje slaap, waarin ze het warm had en haar toekomst zich met soepel gemak ontrolde. Het laatste wat ze wilde was uit bed komen voor de ontbijtdienst. Maar toen herinnerde ze zich dat de keuken zou gloeien van de warmte en de lekkere geuren en gooide ze de dekens van zich af. Ze liep naar de badkamer om zich te wassen en aan te kleden, en ging toen naar boven.

Juffrouw Zander was in de keuken, wat ongebruikelijk was. Meestal liet ze de koks en het bedienend personeel met rust, maar toen besefte Violet dat ze een ernstige discussie met Hansel voerde.

'Wat is er aan de hand?' vroeg Violet, terwijl ze naast Kok ging staan.

'De berglift zit vast. Ze denken dat de sneeuw de katrollen blokkeert.'

Juffrouw Zander draaide zich om, zag Violet staan en glimlachte tegen haar. 'Ik vraag me af of je vriend meneer Betts zin heeft om in de sneeuw te werken,' zei ze. 'We moeten hem repareren, anders hebben we niets te eten!'

'Sneeuwt het altijd zoveel?' vroeg Violet.

Juffrouw Zander schudde haar hoofd. 'Het sneeuwt *nooit* zoveel, Violet. Niet in de afgelopen achtenveertig jaar. Er is vannacht wel veertig centimeter gevallen. Als het vandaag niet stopt met sneeuwen, worden de wegen onbegaanbaar. Als de wind naar het zuiden draait krijgen we ook nog storm.'

'Hoe weet u dat?'

'Omdat ik ook al in Evergreen Falls woonde toen het de vorige keer zo sneeuwde. Ik was nog maar zes, maar ik herinner me de storm van die middag nog goed.' Juffrouw Zanders gezicht stond bezorgd. Dit was de eerste keer dat Violet haar zag zonder dat ze alles volkomen onder controle had.

Violet huiverde en ging naar de keukentafel, die dicht bij het vuur was neergezet. Kok zette een bord bacon voor haar neer. 'Eet op,' zei hij. 'De radiator in de personeelskamer is gesprongen, dus zullen we in de keuken moeten eten tot hij weer gemaakt is.'

Eten was wel het laatste waar ze zin in had, maar ze plukte toch wat aan de bacon. Er zat nu een baby in haar, die probeerde te groeien, en zij was daar verantwoordelijk voor.

Clive kwam binnen, gehaald door de laatste piccolo, en hij besprak met juffrouw Zander wat de beste manier zou zijn om de berglift weer in beweging te krijgen. Nadat juffrouw Zander druk was weggelopen, kwam Clive bij haar zitten.

'Goedemorgen,' zei hij terwijl hij wat bacon nam.

'Weet je zeker dat het veilig is om de berglift te repareren, met dit weer?'

'Natuurlijk. Het is alleen een beetje koud.' Hij glimlachte geforceerd. 'Je maakt je toch niet bezorgd over mij, hè, Violet?'

Ze keek naar haar bord. 'Ik wil niet dat je iets overkomt,' zei ze. Ze vroeg zich af wat Clive zou denken als hij wist hoe diep ze in de problemen zat.

'Wat lief dat je je zo'n zorgen maakt. Ik red me wel. Als ik de kabel aan deze kant in beweging krijg, wordt de sneeuw er over de hele lengte vanaf geschud. Volgens mij zitten de wieltjes van de katrollen gewoon vastgevroren en moeten ze geolied worden.'

'Nou,' zei ze, zonder hem aan te kijken, 'doe voorzichtig.'

Het werd drukker in de keuken toen de dag begon, maar er hing een terneergeslagen gevoel. Aanvankelijk viel het Violet niet op, zozeer werd ze in beslag genomen door haar eigen beslommeringen. Maar na het ontbijt zag ze dat het personeel aan het treuzelen was en voortdurend naar de ramen liep om naar de leigrijze hemel en de gestaag neervallende sneeuw te kijken. Clive kwam weer binnen. Hij had nog geen meter beweging in de berglift gekregen. Hij schudde de sneeuw uit zijn haar en van zijn handschoenen, met rode wangen en schitterende ogen. 'Ik heb nog nooit zoiets meegemaakt,' zei hij.

Om drie uur hoorden ze dat de wegen dichtzaten. Juffrouw Zander riep hen bij elkaar in de keuken en zei dat iedereen die de bergen uit wilde om naar Sydney te gaan direct moest gaan inpakken en om vijf uur de trein moest nemen.

'Ga jij?' vroeg Clive aan Violet.

Ze schudde haar hoofd. Hoe kon ze terug naar mama in deze toestand? Bovendien, hoe kon ze het verdragen om niet bij Sam te zijn? Dat zou wel gebeuren, maar nog niet. Nog niet.

Er ontstond koortsachtige activiteit. Tassen werden snel ingepakt en kamers in wanorde achtergelaten. Tegen de avond waren er van het personeel alleen nog juffrouw Zander, Kok, Clive en Violet over.

'Hoe gaan we dat ooit redden?' vroeg Violet.

'O, we redden het wel, lieverd,' zei juffrouw Zander. 'We zijn Miss Sydney en mevrouw Wright ook kwijt. Vier man personeel is meer dan genoeg voor zes gasten. Het is hoe dan ook maar voor even. De sneeuw zal afnemen en de wegen zullen weer opengaan, en dan komen ze allemaal weer terug. Maar ik kan ze met die vrieskou niet hier houden als er een kans is dat we van de buitenwereld afgesneden raken, vooral nu de berglift het niet doet.'

Violet liep naar de gootsteen, leunde op het koude porselein en keek uit het raam. Het werd donker en de sneeuw bleef maar vallen, zacht en onafgebroken, uit een witte hemel.

20

De wind draaide rond middernacht en gierde over het hotel. Violet werd er wakker van en sliep daarna onrustig, terwijl de binnendeuren klapperden, de ramen rammelden en de kou door alle kieren binnendrong die hij maar kon vinden.

Ze wist niet hoeveel tijd er verstreken was – misschien drie of vier uur – toen ze wakker werd van een donderend geraas. Instinctief rolde ze zich onder haar dekens op tot een bal terwijl de herrie doorging. De wind leek zijn krachten verdubbeld te hebben. Haar hart bonsde wild en ze was veel te bang om weer te gaan slapen. Was Sam vannacht maar bij haar. Met hem tegen haar lichaam gedrukt zou het allemaal niet zo erg lijken.

Violet wierp de dekens van zich af en trok haar kamerjas aan. Als ze naar zijn kamer sloop, zoals ze vroeger deed, zou de angst misschien verdwijnen.

Ze was net boven aan de trap vanuit de personeelskamers toen ze aan de andere kant van de foyer een licht in het donker op en neer zag gaan. Ze bleef even staan wachten en even later verscheen juffrouw Zander.

'Violet!' zei ze koeltjes. 'Goed dat je er bent. Je moet alle gasten wakker maken en bij elkaar roepen in de balzaal.'

'Wat? Waarom?'

Weer loeide er een windvlaag over hen heen, en juffrouw Zander greep Violet beschermend bij haar arm. Toen het voorbij was, duwde ze Violet zachtjes weg. 'Ga maar. Neem deze lamp mee,' zei ze. 'Een deel van het dak in de oostvleugel is ingestort. We hebben geen elektriciteit meer, en ook geen telefoon. De balzaal heeft een koepeldak.

Dat is de veiligste plek voor ons allemaal tot de storm voorbij is.'

Violet knikte en ging met de stormlamp de trap op. Nu zou ze Sam toch wakker maken, maar ze hoefde het niet heimelijk te doen. Maar er was ook geen tijd voor omhelzingen.

De damesverdieping kwam eerst en ze klopte op Flora's deur. 'Het spijt me. Wakker worden, mevrouw. Dit is een noodgeval.'

De deur ging een seconde later open. 'Violet?'

'Het spijt me dat ik u wek, mevrouw,' zei Violet, zich generend dat ze Sams zus in haar champagnekleurige ochtendjas zag staan.

'Alsof ik kon slapen. Wat is er aan de hand?'

'We moeten allemaal naar de balzaal. In de andere vleugel is een stuk van het dak ingestort. De veiligste plek is onder de koepel.'

'Natuurlijk, natuurlijk. Heb ik nog tijd om me aan te kleden?' Weer een immense windvlaag. Flora schudde haar hoofd. 'Ik ga geloof ik maar zo. Hier, ga jij het maar tegen de Powells zeggen, dan haal ik Sam, Tony en Sweetie. Dat spaart tijd.'

'Dank u, juffrouw Honeychurch-Black.'

'Flora,' zei Flora. 'Noem me maar Flora. Onze achternaam is zo'n mondvol.'

Violet glimlachte naar haar en Flora lachte terug in het grillige licht van haar lamp. Toen ging Violet snel de trap op om Lord en Lady Powell te wekken.

Tegen de tijd dat ze in de balzaal was, had juffrouw Zander de kamer verlicht met een stuk of zes stormlampen, brandde er een vuurtje in de haard en lagen er kussens en dekens opgestapeld bij het vuur.

'Kom binnen, kom binnen,' zei ze tegen Violet, die aarzelend een paar stappen achter de Powells bleef. 'Vanavond staan we niet op ceremonieel. Personeel en gasten samen. Veiligheid voor alles. Kijk, onze klusjesman en de kok zijn er ook al.'

Violet keek om zich heen naar Sam, die op een kussen bij het vuur strak naar haar zat te kijken. Toen hun blikken elkaar kruisten, lachte hij haar zwakjes toe. Haar ribben trokken samen en ze voelde heel duidelijk dat liefde eigenlijk een soort pijn was, die je aanvankelijk niet voelde door de euforie. Ze knikte hem toe en ging bij juffrouw Zander zitten, die aan een van de eettafels zat met een stuk papier en een pen en er zelfs in een dikke wollen kamerjas elegant uitzag.

'We moeten het een en ander herindelen, Violet,' zei ze. 'De jongens uit de oostvleugel moeten worden verplaatst.'

Violet keek op en zag Clive en Kok dicht bij elkaar zitten praten bij het kamerscherm.

'Nu de wegen en spoorwegen afgesloten zijn, onze berglift bijna zeker onbruikbaar is en we geen telefoon of elektriciteit hebben, kunnen we verwachten dat het wel even duurt voor er iemand naar het dak kan komen kijken. Hoe goed Clive ook is, die klus is te groot voor hem alleen. Daarom verplaats ik het mannelijke personeel naar de personeelskamers van de vrouwen, en jou naar de damesverdieping. Ik heb al met juffrouw Honeychurch-Black gesproken, die daar nu de enige vrouw is, en zij heeft er geen bezwaar tegen om de verdieping met jou te delen. Jij neemt de oostelijke badkamer en zij de westelijke, dus jullie komen elkaar zelden tegen. Ik zal mijn eigen spullen naar de bovenste verdieping naast de Powells brengen.' Terwijl ze sprak, maakte ze lijstjes. 'Het gas schijnt nog te werken, dus we kunnen wel koken en de kamers verwarmen.' Juffrouw Zander zweeg even, legde haar pen neer en niesde luid. 'O, in hemelsnaam,' zei ze. 'Het laatste wat ik nu kan gebruiken is ziek worden. Violet, voel eens aan mijn voorhoofd. Voel ik warm aan? Ik voel me de hele dag al verstopt en wollig.'

Violet legde haar hand tegen juffrouw Zanders voorhoofd. Ze gloeide. 'U bent erg warm,' zei Violet. 'U moet even gaan liggen. Ik kan alles hier wel regelen.'

'Nee, ik zal het met pure wilskracht verjagen,' wierp juffrouw Zander tegen.

Violet drong aan. 'U wordt alleen maar zieker als u geen rust neemt.'

'Wat komt dat slecht uit,' zei ze. 'En Will Dalloway kan net zo goed een miljoen kilometer weg zijn. Zelfs als het morgen stopt met sneeuwen zal de weg tussen hier en daar ontoegankelijk zijn. Misschien kan Clive in de ochtend, als de storm is gaan liggen, in Karls kantoor op zoek gaan naar een middeltje tegen de griep.' Ze niesde weer. 'Mijn hemel, wat een timing.'

Violet glimlachte naar haar. 'Ik zal een bedje voor u opmaken op de grond.'

'Nee, en dan bedoel ik néé. Ze mogen me hier niet zien liggen. Ik ben de enige hier die niet gaat liggen. Als Eugenia Zander instort, stort het hele hotel in. Ik leg alleen mijn hoofd heel even op tafel. Wil jij zo lief zijn om te kijken of iedereen prettig zit? We zijn hier veilig.' Toen legde juffrouw Zander haar hoofd zachtjes op tafel en sloot haar ogen.

Terwijl de wind boven hen gierde en de ramen liet rammelen ging Violet de gasten een voor een langs – ook de verfoeilijke man die iedereen Sweetie noemde – om kussens en dekens en kopjes thee aan te bieden. Sam zag zijn kans schoon om zachtjes over haar hand te strelen toen ze hem een kussen gaf, maar afgezien daarvan raakten ze elkaar niet aan en zeiden ze niets. Kok ging de keuken in om geroosterd brood en thee te maken en Clive hield het vuur gaande. Hij droeg een lange, bruine wollen ochtendjas en sloffen, en Violet voelde een steek van genegenheid toen ze een glimp opving van de man die hij privé was.

Niemand kon slapen, en een paar uur later glansde er een grauw licht achter de ramen. Toen de zon opkwam ging de wind plotseling liggen, en tegen de tijd dat Kok borden met steak en eieren voor het ontbijt had binnengebracht sneeuwde het niet meer.

Violet zag Clive naar de deur lopen en volgde hem. 'Waar ga je heen?'

'Even vijf tellen buiten kijken,' zei hij.

'Ik ga mee.'

Lord en Lady Powell hoorden het en gingen ook mee. Wat een vreemd groepje waren ze: de adellijke schrijvers, de serveerster en de klusjesman, allemaal in ochtendjas, die voorzichtig de voordeur van het hotel openden – zodat er een bult sneeuw die zich opgehoopt had naar binnen viel – en het daglicht in tuurden.

De hemel was bleekblauw en grotendeels helder, met grijze wolken die wegtrokken aan de horizon. De bevroren lucht was stil. Zwak zonlicht glansde mat in de sneeuw. Aan de oostvleugel leek er vanbuiten niets veranderd, maar Clive vertelde Violet dat er ongeveer twintig meter dakoppervlak was bezweken onder de wind en het gewicht van de sneeuw. Wat de rest van de wereld betreft: het was een heel ander landschap dan dat ze kenden. Waar eerst paden, wegen en spoorwegen hadden gelopen, lagen nu zacht glooiende sneeuwheuvels. Het was zo mooi dat Violet het bijna niet erg vond dat ze van de buitenwereld waren afgesneden.

'We hadden gisteren terug moeten gaan naar Sydney,' zei Lord Powell.

'Een verhuizing was voor mij een te grote verstoring geweest,' antwoordde Lady Powell. 'Mijn roman bevindt zich op een kritiek punt.'

Lord Powell zuchtte geërgerd. 'Trouw nooit met een kunstenares,' zei hij tegen Clive, en daarna schuifelde hij weer naar binnen, gevolgd door Lady Powell.

Clive wendde zich naar Violet. 'Sorry dat ik je hiernaartoe heb gebracht.'

Violet keek hem niet-begrijpend aan, en snapte toen pas wat hij bedoelde. 'Je hoeft je niet te verontschuldigen. Ik heb mijn eigen rotzooi veroorzaakt,' zei ze.

'Jij hebt het niet laten sneeuwen.'

'Dat is ook weer waar.' Maar al het andere kon ze alleen zichzelf verwijten.

Het was een merkwaardige dag; vreemd en stil. De gasten trokken zich terug in hun kamers en het personeel pakte in en verhuisde, zoals hun opgedragen was. Juffrouw Zander werd bleker met de minuut, tot ze zichzelf ten slotte terugtrok in haar nieuwe kamer boven aan de trap en Kok tot de volgende ochtend de leiding gaf.

Violet had geen tijd om te genieten van de luxe van haar nieuwe kamer. Toen ze klaar was met verhuizen had ze het druk met bedden opmaken en maaltijden serveren, en toen de avond viel rende ze rond om lampen in alle gastenkamers te zetten en te bedienen bij het kleine diner in de eetzaal, waar Sam niet bij aanwezig was. Ze bracht juffrouw Zander haar avondmaaltijd op bed en at daarna zelf in de keuken, met Kok en Clive. Ook Clive zag er niet goed uit.

'Jij toch niet ook, Clive?' vroeg ze.

'Het gaat wel. Zeg maar niets tegen juffrouw Zander.'

Zonder erbij na te denken stak Violet haar hand uit om zijn voorhoofd te voelen. Pas toen haar huid contact met de zijne maakte, dacht ze aan hun geschiedenis en besefte ze hoe intiem de aanraking kon lijken. Ze trok met een ruk haar hand weg. 'Je bent erg warm,' zei ze.

'Zo warm dat je je hand hebt verbrand?' vroeg hij grijnzend.

Ze was niet in de stemming voor grapjes. 'Je kunt maar beter naar bed gaan. Kok en ik redden het wel.'

Na een uur lang opruimen klom Violet eindelijk de trap naar de damesverdieping op. Vermoeid haalde ze haar spullen uit haar kamer en ging met de stormlamp naar de gastenbadkamer. Die was zo anders dan haar eigen kale, daglichtloze badkamer beneden dat ze de lamp op de grond zette en eens goed om zich heen keek. Glanzend witte en groene tegels, met hier en daar een gestileerde dennenboom erin gegraveerd. Lange, groene gordijnen die waren weggetrokken van een hoog raam. Een elegante witte wastafel met koperen kranen. Een diep bad met blinkende leeuwenpootjes. En de badmat: haar voeten leken er centimeters diep in weg te zakken. Twee grote radiatoren verwarmden de ruimte. Ze liet het bad vollopen en ging op het houten toiletdeksel met houtsnijwerk zitten wachten, terwijl ze de dag van zich liet afglijden.

Toen het bad vol was kleedde ze zich uit en liet zich in het water zakken. De lamp gaf een zacht, amberkleurig licht en ze sloot haar ogen en kantelde haar hoofd achterover om haar haar in het water te laten hangen. Ze was gewend zich te baden in een krappe kuip met afbladderend email, in een kamer zonder ramen en verwarming. Dit was puur genot.

Behalve... behalve...

Alles zou nu veranderen. Wanneer? Ze keek naar haar borsten. Die waren al zwaarder, de tepels donkerder. Zou Sam het zien? Zou ze binnenkort uit haar uniform barsten? Haar buik was nog vlak, haar heupbotten staken nog uit. Zou ze werkelijk opzwellen als een meloen? Zou ze echt bevallen van een krijsende baby? En dan?

Maar ze wist wat er zou volgen. Hetzelfde als haar moeder, dat zou er volgen: een lang en ondankbaar geploeter om een kind groot te brengen en op te voeden, terwijl haar jeugd en schoonheid vergleden. *Kijk naar mij,* zei haar moeder altijd. *Geen wonder dat ik eenzaam ben. Jij hebt me mijn uiterlijk en figuur ontnomen, en geen fatsoenlijke man wil ook maar iets met me te maken hebben.*

Dat stond haar te wachten.

Violet stond zichzelf toe om te huilen, voor het eerst in lange tijd. Echt huilen, met diepe, ademloze snikken die weerklonken in de badkamer. Maar na een paar minuten slikte ze ze in. Ze spetterde water op haar gezicht en klom uit bad. Ze droogde zich af bij het licht van de lamp. Ze wist niet zeker of Sam vanavond naar haar toe kwam, of dat zij naar hem zou gaan. Alles stond op zijn kop nu ze ingesneeuwd zaten, maar ze hunkerde naar de troost van zijn armen.

Toen ze in haar badjas de badkamer uit kwam, botste ze bijna tegen Flora op, die van de andere kant aan kwam lopen.

'O, het spijt me,' zei Violet terwijl ze haar hoofd boog.

'Nee, het spijt mij. Ik dacht dat dit... juffrouw Zander zei de oostelijke badkamer?'

'Dat zei ze ook tegen mij.'

'Ze zal wel veel aan haar hoofd hebben. Ik ga wel naar de andere. Niet dat ik...' Flora viel stil. 'Ik wil niet dat je denkt dat ik geen badkamer met je wil delen omdat je...'

'O. Nee, dat dacht ik helemaal niet.'

Flora keek haar wat beter aan. 'Is er iets met je? Het lijkt wel alsof je gehuild hebt.'

Violet schudde haar hoofd, maar zei op hetzelfde moment: 'Ja, ik zit zo in de penarie...' Daar kwamen de tranen weer. Wat deed ze nu? Ze kon toch niet bij Sams zus gaan uithuilen over haar problemen. Sam had altijd gezegd dat Flora hun geluk kapot zou maken, maar ze was zo aardig geweest en ze had zo'n lief, vriendelijk gezicht.

'Ach, jee. Ach, jee,' zei Flora, terwijl ze een arm om Violets schouder legde. 'Kom maar mee. Je moet nu even niet alleen zijn. Kom maar met mij mee.' Ze nam Violet mee naar haar keurig nette kamer en liet haar plaatsnemen achter het bureau. Flora knielde voor haar neer. 'Zou thee helpen?'

'Ik...'

'Thee zou helpen. Laat mij het even halen. Is er iemand in de keuken?'

'Kok, als het goed is.'

'Het zal wel een paar minuten duren. Beloof je dat je hier op me wacht? Nergens naartoe gaan.'

Violet knikte. Haar haar drupte op de kraag van haar ochtendjas. Flora gaf haar een klopje op haar schouder en haastte zich weg.

Violet probeerde haar gevoelens onder controle te krijgen. Ze was al wakker sinds de vroege uurtjes van de ochtend en haar extreme vermoeidheid zette alles in een nachtmerrieachtig licht. Haar hart verkrampte van wanhoop en uitzichtloosheid, en nu zat ze hier in Flora's warme kamer op thee te wachten. Als ze Flora niet beloofd had dat ze zou wachten, was ze er meteen vandoor gegaan.

Maar ze moest het aan iemand kwijt, en waarschijnlijk zou Flora het toch direct weten als Sam het hoorde. Ze kon het niet lang meer uitstellen om het aan Sam te vertellen.

Flora was in een oogwenk terug. 'Je kok had net thee voor zichzelf gezet,' legde ze uit. 'Die heeft hij aan mij gegeven. Erg vriendelijk.'

Violet zei niet dat het geen vriendelijkheid van Kok was, maar gehoorzaamheid. Gasten gingen altijd voor; juffrouw Zander accepteerde niet anders. Ze keek toe hoe Flora thee inschonk, een stoel tegenover Violet bijtrok en zei: 'Ga je gang, drink maar.'

Violet nipte een paar minuten zwijgend van de thee. Ze ging zich er inderdaad wat beter door voelen.

'Wil je me vertellen waarom je moest huilen?' vroeg Flora. 'Ik wil me niet opdringen, maar...'

'Ik zal het vertellen,' zei Violet, terwijl ze haar kop neerzette. 'Maar alleen omdat het met Sam te maken heeft.'

'Hij heeft je hart gebroken, hè? Dat heeft hij al eerder gedaan, bij anderen. Het spijt me. Ik zou je hebben gewaarschuwd, als ik had gekund.'

Violet schudde haar hoofd. 'Hij heeft mijn hart niet gebroken. Al vermoed ik dat hij dat wel gaat doen.' Haar stem brak en ze slikte een snik in. 'Maar het lijkt erop dat ik zijn baby ga krijgen.'

Flora's mond viel een beetje open en toen bleef ze lange tijd zo zitten in het lamplicht, met haar lippen in de vorm van een volmaakte, verraste O.

'Het spijt me,' zei Violet.

'Nee, nee,' zei Flora, weer tot leven gewekt. 'Nee, het spijt míj. Het zou Sam moeten spijten. Maar... o, lieve meid. Hier kan niets goeds uit voortkomen.'

'Wat bedoel je?'

'Mijn vader zal Sam onterven, als hij erachter komt.' Ze dempte haar stem tot een fluistertoon. 'En mij ook, vrees ik.'

'Echt waar?'

'Zonder enige twijfel. Mijn moeder heeft een groot hart, maar mijn vader is kleingeestig. Met mij komt het wel goed, ik ga trouwen met een rijke man. Maar Sam... Wat voor vader moet dat worden? O, wat een ellende. Wat een ellende. Hij kan niet van die pijp afblijven. Hoe kan hij nu vader worden?'

'Dus hij zal niet met me trouwen?'

'Hij heeft nooit met je kunnen trouwen,' zei Flora, maar ze zei het vriendelijk en daar was Violet dankbaar voor. 'Tenminste, het had wel gekund, maar dan zou hij niets meer gehad hebben.'

'Dan had hij mij gehad.'

'Ja, ja, dat tenminste wel. Maar... Violet, je kent Sam. Ik weet dat jullie samen zijn. Moet je je eens voorstellen. Stel je hem voor zonder een cent te makken. Hij kan niet werken. Hij komt op de meeste dagen nauwelijks zijn kamer uit. Dat is waarmee je getrouwd zult zijn.'

De volle wanhoop viel op Violet neer, verpletterde haar. Haar laatste beetje hoop dat zij en Sam hun kind in luxe zouden opvoeden was nu verdwenen. Ze legde haar hoofd in haar handen en snikte.

Uiteindelijk zei Flora: 'Ik heb een idee.'

Violet tilde haar hoofd op, veegde haar neus af met de rug van haar hand. 'Wat dan?'

'Als we het geheimhouden, kan ik je helpen. Ik kan niet voorspellen wat Sam zal doen, maar je kunt mij vertrouwen.'

'Ik begrijp niet wat je bedoelt.'

'Als we de baby geheimhouden voor mijn vader, hebben Sam en ik genoeg geld om je te helpen. We kunnen een huisje voor je kopen, je geld sturen. Maar je moet beloven dat je nooit iets doet waardoor mijn vader ontdekt...' Flora viel stil, beet op haar lip.

'Je kunt me vertrouwen,' zei Violet. 'Dat beloof ik. Ik zal niet veel vragen. Ik wil gewoon kunnen blijven werken. Ik wil gewoon een toekomst.' Weer begon ze te huilen, en Flora greep haar hand en streelde die zacht.

'Jij en je baby krijgen een toekomst, Violet,' zei ze. 'Daar zal ik voor zorgen.'

21

Violet werd de volgende ochtend met een licht gevoel wakker in het grauwe uur voor de dageraad. De wanhoop was verdwenen. Ze kroop nog even diep onder de dekens, genietend van het zachte matras, en speelde het gesprek met Flora opnieuw af in haar hoofd. Een klein, voorzichtig stemmetje waarschuwde haar dat ze Flora niet helemaal moest vertrouwen: misschien voelde ze nu sympathie, maar naarmate de jaren verstreken zou ze misschien steeds minder genegen zijn om te helpen. Maar dat was veel minder erg dan Violet had gedacht, want Flora had haar vooral laten inzien dat ze het wel zou redden. Ze zou *niet* zoals haar moeder worden. Ze was nog jong, ze kon werken, en ze was niet bang om hard te werken. Ze kon natuurlijk niet serveren met een dikke buik, maar misschien mocht ze van juffrouw Zander terugkomen als ze de baby had gekregen. Ze hoefde niet in het hotel te wonen, ze kon een flatje zoeken. Mama zou gewoon uit Sydney moeten overkomen en bij haar intrekken zodat ze op de baby kon passen als Violet dienst had. Als mama dat niet wilde was dat des te beter: in plaats van jurken te kopen kon Violet dan een meisje betalen als oppas. Of misschien hoefde ze helemaal niet in een hotel te werken. Misschien kon ze in een winkel terecht, ergens waar ze dure, mooie dingen verkochten zoals sjaals of hoeden of de domme schoonheidsartikelen van Miss Sydney. Als Flora echt een huisje voor Violet zou kopen, of zelfs maar één of twee jaar de huur zou betalen, was dat alleen maar beter. Violet had geen opleiding, maar ze was slim. Ze was niet hooggeboren, maar ze had een sterke wil. Haar moeders probleem was niet dat ze geen keuzes had gehad, maar dat ze geweigerd had om ze te zien.

Ze schrok op van een zachte klop op de deur. Ze gooide de dekens van zich af en luisterde, terwijl ze zich afvroeg of ze het zich verbeeldde. Juffrouw Zander zou, als ze op was, gewoon naar binnen lopen. Was dat Flora?

'Violet?'

Het was Sam. Ze stond op en verzamelde al haar moed. Ze moest het hem vertellen. Wat er daarna gebeurde zou ze wel zien.

Ze deed de deur open en hij viel bijna naar binnen en stopte zijn gebogen hoofd weg tegen haar schouder. 'O, Violet, Violet,' zei hij. Zijn huid was klam van het zweet, zijn lichaam trilde. Had hij dezelfde verkoudheid als waartegen juffrouw Zander en Clive vochten? Hoeveel langer kon ze nog gezond blijven met zoveel zieke mensen om haar heen?

Violet deed zachtjes de deur achter hem dicht en bracht hem naar het bed. 'Wat is er? Ben je ziek?'

Hij knikte. Hij was bleek, gekleed in een rode kamerjas vol zweetvlekken. 'Ik zit zonder.'

'Zonder?'

'Opium. Malley zou eergisteren terugkomen uit Sydney, met de laatste trein. Het kon niet door het weer. Nu rijden er geen treinen en we kunnen hier niet weg en...'

'Sst, sst, stil maar,' zei ze terwijl ze haar eigen hartslag probeerde te kalmeren. 'Hoelang heb je al niets gehad?'

'Ik heb mijn laatste pijp een dag geleden gerookt.' Hij wierp zich steeds tegen haar aan en drukte zijn wangen tegen haar borst. 'O god, Violet, o god. Het voelt alsof ik uit elkaar val.'

Door de nevel van haar schok heen besefte ze dat ze hem nu niet over de baby kon vertellen. 'Wat wil je doen?'

'Ik kan niets doen. Ik moet hierdoorheen. Misschien is het wel goed. Misschien is het goed. Ik zou er deze keer echt mee op kunnen houden. Wat denk jij, Violet? Ben ik sterker dan de draak?'

Ze legde zo veel mogelijk overtuiging in haar stem. 'Natuurlijk ben je dat. Ik ken geen ster die zo fel schittert als jij.'

'O god, o god.' Hij lag huiverend tegen haar aan. 'Elektriciteit. Afschuwelijke koude elektriciteit door mijn hele lijf. Onder mijn huid. Ik krijg nooit meer rust.'

'O, jawel. Jawel hoor.' Ze streelde zijn haar en probeerde hem te troosten.

Hij sprong overeind en begon in steeds kleinere cirkels door de kamer te lopen. 'Je weet het niet,' zei hij. 'Je weet er niets van. Jullie allemaal die het nooit geproefd hebben, jullie weten er niets van. Hoe kan ik nog bestáán zonder opium? Hoe moet ik de wereld ruiken en proeven? Er is niets meer op aarde dat me boeit als ik het niet heb. Ik kan er niet mee stoppen. Ik kan het niet.' Hij bleef plotseling staan. 'Je moet me helpen.'

'Ik zal doen wat ik kan.'

'Help me sterk te blijven. Het zal voorbijgaan. Dagen, misschien weken. Het zál voorbij gaan.'

'Ik weet zeker dat je je weer goed zult voelen.'

Hij ging voor haar op de grond zitten, zijn benen gespreid, en begon te snikken. 'Het is verschrikkelijk. Ik haat het. Het is verschrikkelijk.'

Ze ging naast hem zitten en wreef over zijn armen.

'Niet doen,' zei hij terwijl hij zich losschudde. 'Mijn huid kriebelt zo.'

'Je kúnt dit overwinnen,' zei ze.

'De wegen zijn afgesloten. De trein komt niet. Malley is er niet,' zei hij met een verschrikkelijke zucht, alsof hij gehoord had dat iedereen van wie hij hield gestorven was. 'Ik heb geen keus.'

Flora ging met hoofdpijn naar beneden voor het ontbijt. Ze had de vorige nacht amper geslapen, wakker gehouden door de gedachte dat Sam vader zou worden. Op een bepaalde manier verbaasde het haar dat het niet eerder was gebeurd; hij had volop de kans gehad om meisjes in de problemen te brengen. Maar Violet was niet zoals de andere meisjes, en dat zag Flora nu. Ja, Flora was zelf half verliefd op haar: Violets vaste blik en meisjesachtige kwetsbaarheid, gepaard met een levendige geest die zelfs haar vermoeide bewegingen nog een energieke elegantie meegaf. Ze twijfelde er niet aan dat Sam verliefd was, en deze keer oprecht. Maar het maakte helaas niet uit of het echte liefde was. Vader zou nooit een serveerster welkom heten in de familie Honeychurch-Black.

Violet was bij het ontbijt, in haar zwart-witte serveerstersuniform, en schonk thee in voor Lady Powell. Toen Flora haar toeknikte, keek Violet haar dringend aan, maar toen verscheen Tony en kreeg Flora niet de gelegenheid om Violet alleen te spreken. In plaats daarvan zat ze de maaltijd uit en verdroeg ze Sweeties botte klachten over hun isolement. Sam was niet naar beneden gekomen, wat Flora's angst verergerde dat Violet hem over de baby had verteld en dat hij zich nu wezenloos lag te roken.

Voor ze hun borden afruimde ging Violet voor de tafel staan en zei met dappere stem: 'Neem me niet kwalijk, dames en heren.'

Tony fluisterde iets tegen Sweetie, die hard lachte.

'Ik heb een mededeling van juffrouw Zander. Ik moet tot mijn grote spijt melden dat twee van de vier personeelsleden met griep in bed liggen, onder wie juffrouw Zander zelf. Alleen Kok en ik zijn niet ziek. De maaltijden worden geserveerd zoals altijd en ik zal mijn best doen om alle bedden zo snel mogelijk op te maken na het ontbijt. Maar we hebben nog steeds geen elektriciteit, geen telefoon en we weten niet wanneer de wegen weer schoon zijn of het treinstation opengaat. Dat kan vandaag zijn, of morgen, en juffrouw Zander denkt dat het niet later dan overmorgen zal zijn. Daarom vragen we uw geduld bij het vervullen van uw behoeften.'

Lord Powell zei verongelijkt: 'Maak je geen zorgen, meid. We veranderen heus niet in barbaren.'

'Ik voel me zelf ook niet zo lekker,' zei Lady Powell.

'Dit is absoluut onacceptabel,' bulderde Sweetie. 'Weet je eigenlijk wel hoeveel we betalen om hier te verblijven? Meer dan jouw jaarsalaris, durf ik te wedden.'

Flora keek vol bewondering toe hoe Violet weigerde zich te laten intimideren. 'Ik begrijp uw frustratie, meneer, en ik weet zeker dat juffrouw Zander u allemaal zal compenseren voor uw ongemak. Als u iemand van ons nodig heeft, zijn we waarschijnlijk in de keuken te vinden.'

'Rustig aan, Sweetie,' zei Tony soepel. 'De jonge meid kan moeilijk de elementen onder controle houden. Dank je, schat,' zei hij tegen Violet. 'Doe juffrouw Zander de groeten. Ze is een beste vrouw.'

Flora keek hem stralend aan, met een licht hart.

Ze rondden hun ontbijt af en Flora excuseerde zich, bleef wat achter en liep toen door de gang naar de keuken, waar Violet borden stond af te schrapen.

'Violet?' zei ze.

Violet draaide zich om, zag haar staan en liep naar de deuropening, haar handen afvegend aan haar schort. 'Er is iets met Sam,' zei ze.

'Wat is er gebeurd? Heb je het hem verteld?'

Maar Violet schudde haar hoofd al. 'Daar kreeg ik de kans niet voor. Hij kwam naar me toe... Hij is heel erg ziek. Hij zegt dat hij geen opium meer heeft. Hij ziet er verschrikkelijk uit.'

Flora onderdrukte een kreun. Ze wist wat er hierna zou komen. Ze had het al eerder gezien. 'God behoede ons allemaal,' zei ze. 'Dit wordt afschuwelijk.'

'Dat is het al.'

Flora klopte op haar arm. 'Maak je geen zorgen. Ik ga naar hem toe.'

Violet knikte en Flora haastte zich naar Sams kamer.

Toen ze hem daar niet aantrof, was Flora's eerste gedachte Will Dalloways waarschuwing voor zelfmoord. Maar terwijl ze stokstijf in de gang stond kwam hij uit de badkamer, bleek en bevend.

'Sam!' riep ze en ze rende naar hem toe om hem naar zijn kamer terug te brengen.

'Mijn darmen zijn veranderd in lava,' zei hij.

'Ga mee naar je kamer. Laat me je helpen.'

'Mij helpen?' riep hij, zijn stem hard en schril. 'En dan maak je me zeker net zoals jij? Begrijp je het niet? Ik kan niet zijn zoals jij. Ik kan niet bij de gewone meute horen die het niet weet.' Hij spreidde zijn trillende vingers. 'Ik heb... het paradijs gezien. Nu moet ik het opgeven.'

'Het zal een opluchting zijn als het voorbij is,' zei ze, terwijl ze zijn handen stilhield en hem meetrok naar zijn kamer.

Hij schudde haar ruw van zich af en rende snel de gang door, nogmaals naar de badkamer. Ze bleef staan waar ze stond en probeerde niet te luisteren naar de afschuwelijke braakgeluiden, de kreten van pijn en wanhoop. Na verloop van tijd kwam hij weer tevoorschijn en sjokte hij langs haar heen naar zijn bed.

Ze sloot de deur en trok het gordijn open.

'Nee,' zei hij. 'Geen daglicht. Dat doet pijn aan mijn ogen.' Hij wentelde zich van zijn ene op zijn andere zij, toen weer terug en stond toen op om te ijsberen. 'Alles doet pijn, zelfs die ellendige dekens. Pijn. Overal pijn.'

Ze kon niets bedenken om te zeggen wat ze nog niet gezegd had, dus keek ze hem gewoon aan en wachtte af. De achterkant van zijn hemd was doordrenkt van het zweet.

'De nachtmerries die ik heb gehad. O, laat God me die besparen. Die zelfmoordenaar, die helemaal blauw en koud mijn kamer binnenschuifelde. Steeds opnieuw kwam hij. Hij schuifelde naar mijn bed en strekte zijn handen naar me uit en begon te sissen. Dan werd ik wakker, maar elke keer viel ik weer terug in dezelfde gruwelen.' Hij begon te huilen. 'Alles is verloren, Sissy. Alles is verloren.'

'Niet alles is verloren, dat verzeker ik je,' zei ze. 'Vertrouw me. Heb ik niet altijd voor je gezorgd?'

Hij bleef staan, boog zich naar haar toe en kuste haar hoofd. 'Ja, dat klopt. Mijn lieve zus. Mijn lieve zus. Jij zult de pijn voor me wegjagen, hè? Malley is er niet, maar misschien heeft hij iets achtergelaten, iets wat...'

'Je bedoelt toch zeker niet dat ik door een meter sneeuw heen moet ploeteren, Sam?'

'Als je van me hield zou je het doen.'

'Ik hou van je en doe het dus niet. Dokter Dalloway heeft gezegd dat de ontwenningsverschijnselen je niet kunnen doden. Dus als dit je niet kan doden en je na afloop van die ellendige troep af bent, is je lijden verhelpen wel het laatste wat ik zal doen.'

Hij trok zijn hand terug en sloeg haar hard in haar gezicht. 'Lazer op!' riep hij.

Haar wang deed pijn, maar ze zei tegen zichzelf dat ze niet boos op hem moest worden. Dit was Sam niet; dit was de opium die zijn lichaam verliet en onderwijl elke vezel doorboorde. Ze stond op en sprak kalm. 'Je weet waar ik ben als je me nodig hebt. Ik kan je eten brengen, liefde, wat je maar wilt. Maar vraag me niet om je opium te brengen.'

Natuurlijk was het moeilijk om hem zo achter te laten, maar ze hield zich voor dat het zo het beste was. Als hij zelf moest bepalen wanneer hij met opium zou stoppen, zou er nooit een goede tijd of plaats komen. Maar hier, van de wereld afgesneden door bergen sneeuw, met bijna niemand om hen heen... Het was nagenoeg perfect.

Flora liep weg terwijl ze hem achter zijn deur hoorde snikken.

Violet liep met het theeblad de trap af naar de personeelsvertrekken waar ze een paar dagen geleden zelf nog had geslapen. Ze wist niet precies in welke kamer Clive zat, dus klopte ze zachtjes op alle deuren tot hij riep: 'Hier ben ik!'

Ze zette het blad op haar heup en duwde de deur open. Ze had net thee gebracht aan juffrouw Zander, die plat op haar rug lag met zulke hoge koorts dat haar nachtpon kletsnat was, maar toch nog opdrachten wist te geven terwijl Violet suiker door haar thee roerde.

'Kok is ervaren, maar hij is niet zo goed met mensen. Zorg dat jij bij elke maaltijd bent en tegen iedereen glimlacht. Stel ze gerust. Laat mijn naam vaak vallen. Ik ben morgenochtend weer op de been, dat weet ik bijna zeker. Heb je al iemand gehoord? Een tractor of een trein? Er moet snel iemand komen om de wegen vrij te maken. Ze zullen ons heus niet vergeten zijn.'

Clive had veel minder energie.

'Hoe voel je je?' vroeg ze terwijl ze het blad op het nachtkastje naast zijn bed zette.

'Ellendig,' zei hij en hij hoestte luid, alsof hij het wilde onderstrepen. Het was een diepe, vochtige hoest die Violet de stuipen op het lijf gejaagd zou hebben als ze niet een uur eerder bij Sam was geweest en gezien had hoe ziek hij was. Haar taken van vandaag leken een verspilling van de tijd die met Sam doorgebracht had moeten worden, om hem vast te houden, te strelen en gerust te stellen.

Evengoed zei ze: 'Hemeltje, wat een akelige hoest.'

'Ik ben over een dag of zo weer in orde. Voel jij je goed? En Kok?

We hoeven de gasten straks toch niet aan zichzelf over te laten, hè?'

'Zo ver zal het vast niet komen,' zei Violet met een glimlach. 'Kun je rechtop zitten? Dan schenk ik thee in.'

Hij kwam moeizaam overeind. Hij droeg een donkerblauwe pyjama, en een van zijn knopen ontbrak. Ze kon daardoor het beetje haar op zijn borst zien en dat maakte haar verlegen en bracht haar aan het blozen. Ze ging naar het theeblad, schonk hem een kop in en deed er een lepel honing bij.

'Dus je weet nog hoe ik mijn thee drink?' vroeg hij terwijl ze hem de kop aangaf. Ze zag dat hij zijn pyjamajasje rechttrok zodat het niet langer een gapend gat vertoonde.

Ze glimlachte. 'Natuurlijk. Zonder melk, met honing. Dat heb je me wel honderd keer verteld toen we in de Senator werkten.'

'Alleen maar omdat je me steeds melk gaf.'

'Wie drinkt er dan ook thee zonder melk? Alleen rare snuiters,' plaagde ze.

Hij glimlachte zwakjes en nipte van zijn thee. 'De Senator zou nooit insneeuwen en afgesneden zijn.'

'Een heleboel dingen zouden nooit gebeurd zijn in de Senator,' zei ze weemoedig, terwijl ze op het bed tegenover Clive ging zitten.

'Is alles goed met je, Violet?'

Ze zuchtte diep. 'Nee, maar lief dat je het vraagt.'

'Je kunt het wel aan mij vertellen, dat weet je. Ik zal luisteren.'

Ze keek hem aan en dacht terug aan de tijd dat ze hem net leerde kennen. Ze had hem lief en vrolijk gevonden, en ze was heel graag met hem uit gegaan. Maar haar hart was altijd wispelturig geweest, tot ze Sam ontmoette.

'Zijn we weer vrienden?' vroeg ze zacht.

Hij knikte. 'Het spijt me dat ik boos op je was. Het was uit bezorgdheid, niet uit jaloezie. Of dat hoop ik tenminste. Ik beschouw mezelf graag als een fatsoenlijk man.'

'Je bent ook een fatsoenlijk man,' zei ze. En toen, voor ze van gedachten kon veranderen, zei ze: 'Clive, ik ben zwanger.'

Die goeie kerel. Hij deed zijn uiterste best om niet te geschokt te kijken. 'Ah,' zei hij. 'Dat is een flinke kink in de kabel, lijkt me zo.'

Ze klemde haar tanden op elkaar om niet te gaan huilen en knikte ongelukkig.

'Gaat hij met je trouwen?' vroeg Clive.

'Ik weet het niet. Hij is nu ziek en ik heb het hem nog niet verteld.' Zo ziek. Zieker dan ze ooit had gezien. 'Maar ik vermoed... Ik vermoed van niet. Ik denk dat het nooit had gekund.'

'Ik trouw wel met je,' zei hij onmiddellijk.

Zijn aanbod trof haar diep. 'Waarom zeg je zoiets?'

'Omdat het waar is. Omdat je kind een vader nodig heeft en omdat ik altijd van je gehouden heb... Kom op, Violet, dat is toch allemaal geen verrassing?'

Violet liet haar hoofd zakken. Wat waren de dingen toch makkelijk geweest in de Senator, toen zij en Clive verliefd op elkaar waren. Als ze bij hem was gebleven, zou haar leven zich met zo weinig complicaties hebben ontrold. 'Ik kan niet met je trouwen, Clive, want ik hou niet van je. Flora heeft beloofd om me te helpen met de baby.'

'Maar houdt zij haar belofte?'

'Dat weet ik niet. Ik weet niets.' Ze wist niet eens of Sam zijn ziekte zou overleven. 'Het is allemaal een beetje... somber.'

Clive viel stil.

'Je bent écht een goed mens,' zei Violet.

'Maar jij ook,' antwoordde hij. 'Het goede komt vanzelf naar je toe.'

'Je vertelt het toch niet aan juffrouw Zander, hè? Ik bedoel, ik kan het niet voor eeuwig geheimhouden, maar je houdt het toch voor je?'

'Natuurlijk, Violet. Natuurlijk.'

Ze stond op. 'Ik kom straks je blad wel halen. Ik heb duizend dingen te doen.'

'Zorg goed voor jezelf.'

'Ik doe mijn best,' zei ze en ze ging de kamer uit. Ze bleef even in de schemerige gang staan om op adem te komen.

Er waren nog meer dingen te doen, maar Violet kon zich er niet van weerhouden om naar Sams kamer terug te gaan. Ze bleef voor zijn deur staan luisteren naar de stemmen binnen. Een vrouwenstem. Flora. Violet aarzelde en klopte zacht.

Flora deed de deur op een kiertje open. 'Ja?'

'Ik wilde graag zien hoe het met hem gaat.' Ze strekte haar hals om langs Flora heen te kijken. Sam lag languit op het bed.

Flora ging zo staan dat ze niets zag en sprak op fluistertoon. 'Dat zijn momenteel jouw zorgen niet. Kom hem weer opzoeken als hij weer beter is.'

Violet steigerde. Flora's toon was vriendelijk geweest, maar eronder lag staal. Wat oneerlijk van Flora om haar op die manier toe te spreken; ze had gedacht dat ze nu vriendinnen waren. 'Ik wil hem helpen beter te worden,' zei ze.

'Hij wordt vanzelf wel beter. Vertrouw me alsjeblieft.' Flora's stem was vastberaden, maar Violet proefde een lichte wanhoop. 'Hij zál beter worden. Het is beter als je hem niet zo ziet. Beter voor jullie allebei.'

Violet was nergens zeker van. Was dit gewoon weer een poging om hen uit elkaar te houden? Was Flora's bezorgdheid van de vorige avond gewoon een voorwendsel om informatie over hun relatie uit Violet los te krijgen? Waren haar beloften van hulp en geld onoprecht?

'Ga weg, alsjeblieft,' zei Flora, terwijl haar wenkbrauwen omhoogschoten. 'Dit is een familiekwestie.'

'En ik zal nooit familie zijn. Ik begrijp het,' zei Violet, en ze draaide zich om en liep de trap af. Ze hoopte half dat Flora haar terug zou roepen, maar dat deed ze niet.

De avond viel en ze waren nog altijd van de buitenwereld afgesneden. Violet dacht steeds dat ze een trein die het station naderde hoorde fluiten, of een tractor hoorde brommen. Elke keer racete ze naar het raam en deed het open, luisterend in de stille, koude lucht. Maar elke keer werd ze teleurgesteld. Het was weer licht gaan sneeuwen. Ze bleef zichzelf voorhouden dat de dingen weer normaler, meer onder controle zouden lijken als juffrouw Zander beter was. Maar bij elke maaltijd werden de overgebleven gasten geïrriteerder. Vooral die afschuwelijke man die Sweetie heette.

'Aardappels? Alweer?' zei hij terwijl ze zijn bord voor hem neerzette.

'Het spijt me, meneer, maar onze berglift werkt niet en we kunnen niet aan vers voedsel komen tot hij het weer doet.'

'Dit is nu al twee dagen zo!' bulderde hij. 'Waarom is er niet gewoon iemand naar het dorp gelopen om hulp te vragen? Haal juffrouw Zander. Ik wil haar precies vertellen wat ik hiervan denk.'

Violet beet op haar tanden. 'Juffrouw Zander is ziek en dat geldt ook voor een ander personeelslid. Kok en ik doen wat we kunnen. Bovendien ligt er tachtig centimeter sneeuw buiten en is het dorp kilometers ver weg.'

'Ja, wees niet zo onredelijk,' zei Lady Powell tegen Sweetie. 'Het is niet te harden, daarbuiten.' Toen wendde Lady Powell zich tot Violet. 'Hoor eens, ik proefde duidelijk poedermelk in mijn middagthee. Kun je me verzekeren dat ik morgen weer verse melk heb?'

Violet begreep niet hoe het kon dat zo'n intelligente vrouw als Lady Powell niet had begrepen waar de verse melk was gebleven. Ze wierp een blik op Flora en vroeg zich af of die haar te hulp zou schieten. Maar Flora zat met gebogen hoofd afwezig in haar eten te prikken.

'Zoals ik al zei,' herhaalde Violet langzaam, 'werkt de berglift die onze verse levensmiddelen uit de vallei omhoogbrengt niet.'

'Dus jullie hebben geen verse melk?'

Violet knikte. 'We hebben een heleboel dingen niet meer. Ik moet u vragen nog een dag of twee geduld te hebben. We zitten niet zo ver van de bewoonde wereld af, dus de toestand zal heus niet zo blijven.'

Lord Powell kwam tot leven. Zijn barse stem bulderde door de lege, met lampen verlichte ruimte. 'Me dunkt dat een hotel van dit kaliber zich beter op zo'n noodgeval had moeten voorbereiden.'

Violet was het uitleggen beu, was moe tot op het bot. Dus herhaalde ze gewoon dat zij en Kok deden wat ze konden en glipte ze weg naar de keuken.

'Ze zitten weer te klagen,' zei ze tegen Kok.

Kok, die aan de keukentafel zat met zijn hoofd in zijn handen, keek op. 'Ik geloof dat ik ook ziek word.'

De schrik vloeide door Violets lichaam. 'Nee. Ik kan niet als enige overblijven. Ik kan niet koken! Wat moet ik dan?'

'Misschien ben ik gewoon moe,' zei hij. 'Een nacht goed slapen helpt misschien.'

'Ga dan maar. Ga nu. Ik maak het hier wel af.'

Violet liet zich heel laat, heel moe, neervallen op haar bed. Ze liet haar deur open voor het geval Sam haar midden in de nacht zou willen opzoeken. Ondanks haar angst en onzekerheid viel ze direct in een diepe, droomloze sluimer.

Ze werd niet wakker van het kloppen. Ze werd niet wakker van de deur die openging. Ze werd pas wakker toen Sam op haar bed zat en aan haar schouder schudde. 'Violet, word wakker,' zei hij.

Ze sleurde zich uit haar slaap omhoog en stak haar hand naar hem uit. 'Wat is er?' vroeg ze. 'Ben je beter?' Ze kon geen details zien in het donker, maar er hing een onaangename lucht om hem heen. Een zure lucht, zo anders dan zijn gebruikelijke zoete geur dat ze zich heel even afvroeg of dit Sam wel was.

'Nee, ik zal nooit meer beter worden.' Hij begon te snikken en zij stak haar armen naar hem uit. Haar hand maakte contact met een koude, in het zweet badende rug. 'Laten we even licht maken,' zei ze terwijl ze uit bed stapte. Bij het licht van de stormlamp op het bureau naast het raam zag ze hoe ziek hij eruitzag. Zijn huid was wit, er lagen donkere schaduwen om zijn ogen, zijn lijf was zwak en bevend. Hij droeg alleen een onderhemd en een lange onderbroek.

Hij ging op haar bed liggen en kreunde. 'Mag ik vannacht hier blijven?'

'Natuurlijk.'

'Hij komt me halen. Hij weet dat het mijn kamer is. Ik kan daar niet naar terug, niet zolang het nacht is.'

'Over wie heb je het, Sam?'

'De geest. Hij is uit mijn dromen gestapt en nu staat hij in mijn kamer. Staat daar grijnzend in de hoek. Blauw van de kou, opgezet van het water.'

IJskoude schrik sloeg Violet om het hart. 'Sam, zeg me dat je weet dat het niet waar is.'

'Ik heb hem met mijn eigen ogen gezien. Ik ga niet terug.' Hij slaakte een kreet van pijn, sprong op en begon te ijsberen.

Ze ging naast hem staan en probeerde hem te kalmeren, maar hij duwde haar met geweld van zich af. 'Nee, houd me niet vast. Mijn armen en benen, ze vergaan van de kramp. Het enige wat ik kan doen is ze bewegen. De pijn is... o god, ik kan dit niet. Je moet me helpen. Dat moet.'

'Ik zou alles voor je doen.'

Hij ging weer liggen. Zijn armen schokten en zwaaiden om hem heen, alsof hij ze niet onder controle had. 'Kreeg ik maar een uur slaap. Een moment respijt,' hijgde hij.

'Wat kan ik doen? Zeg het maar. Ik doe alles.'

'Dood me.'

Violet deinsde terug. 'Nee.'

'Ik smeek het je. Ik smeek het. Ik wil niet meer leven, niet zonder mijn opium. Ik zag...' Hij hief zijn hand op en die schokte. 'Ik zag helemaal tot aan de grens van de werkelijkheid. Het was mooi, zo mooi. Wat is mijn leven nu? Pijn, eindeloze pijn. Ik kan mijn lichaam overal voelen afsterven.' Alsof dit een teken was begonnen zijn benen oncontroleerbaar te schokken en moest hij overeind komen en weer rondbenen. 'Dit is het enige wat er is,' zei hij, 'tot de pijn me doodt. Het zou zo'n genade zijn als jij een kussen op mijn gezicht drukt en me laat sterven.'

'Ik maak je niet dood.'

'Ik ga hoe dan ook dood. Hij komt me halen. Daarom is hij in mijn kamer. Hij komt me halen. Ik wil niet sterven terwijl hij me aan staat te grijnzen. Ik wil sterven terwijl ik een lief gezicht zie.'

Violet snikte. De gloed van haar angst verblindde haar. Hij zag er inderdaad uit als een man die dicht bij de dood was. Maar nog in geen miljoen jaar zou ze hem helpen sterven. Nee. Ze zou hem helpen in leven te blijven.

Violet wist precies wat ze moest doen.

22

Het was een ware hel om Sam de ontwenningsverschijnselen van de opium te moeten zien doormaken, maar Flora putte troost uit de woorden van Will Dalloway: de onthouding zou hem niet doden. *Een veel groter gevaar is dat hij het blijft gebruiken.*

Zodra het ochtend werd, stond ze op en ging ze voor zijn deur zitten. Hij wilde haar niet meer in zijn kamer hebben, maar ze hoorde hem. Ze hoorde hem kreunen en zijn voetstappen stampen terwijl hij steeds maar rondbeende om van de krampen af te komen die zijn benen teisterden. Ze hoorde zijn gekreun overgaan in geschreeuw, in smeekbeden aan God om genade, smeekbeden aan Flora om zijn dood. Elke kreet was een steek in haar hart, maar ze bleef daar de hele ochtend zitten en liet niemand bij hem komen. Kort na het ontbijt stond Violet boven aan de trap naar Flora te kijken, met smekende, betraande ogen. Maar Flora wuifde haar weg. Ze zou het later wel aan het meisje uitleggen. Het was beter zo.

En zo, terwijl er ruim een halve meter sneeuw lag, het eten langzaam opraakte en er geen elektriciteit was in de schemerige gang, ging Sam als een waanzinnige in zijn kamer tekeer en zat Flora met haar hoofd tegen de deur geleund te proberen haar hartslag kalm en regelmatig te houden. Nog één dag zo, misschien twee, en dan zou hij toch zeker – *zeker* – beginnen te herstellen.

De deur van Tony's kamer ging open. Hij had gezegd dat hij de geluiden uit Sams kamer niet kon verdragen, dus had hij zich op zijn kamer teruggetrokken om daar te lezen. Maar hier was hij dan. Hij liep de gang door met een glimlach op zijn gezicht.

'Hoe gaat het met de patiënt?' vroeg hij, terwijl hij op de vloer naast haar ging zitten. Hij stak een sigaret op. Hij en Sweetie waren direct weer gaan roken toen juffrouw Zander zich terugtrok.

'Hij scheurt zichzelf aan flarden,' zei ze, met een stem die bijna brak.

'Maar het is beter zo. Dat zei je zelf.'

'Ja. Als hij dit achter de rug heeft, kan hij herstellen. Ik ben blij met de sneeuwstorm. Ik ben blij dat we van de wereld zijn afgesneden. Hij kan er niet uit. Hij kan toch al bijna niet lopen, maar door de sneeuw en de kou gaat het helemaal niet, en dat weet hij.'

'Volgens mij ben jij de enige die blij is dat we ingesneeuwd zitten. Sweetie vliegt tegen de muren op.'

'Sweetie moet leren wanneer hij zich moet schikken onder de omstandigheden,' zei ze snuivend. 'Het is wel erg ongemanierd om de serveerster af te blaffen vanwege het slechte weer.'

Tony kneep zijn ogen een beetje dicht en blies een rookpluim uit. 'Je neemt het nogal voor die serveerster op. Hoe heet ze? Vera?'

'Violet.'

'Wil je haar toch als schoonzus hebben?'

Tony maakte waarschijnlijk maar een grapje om de sfeer wat op te klaren, maar Flora zat te diep in de put om dat te begrijpen. 'In een volmaakte wereld, Tony, zou Sam met Violet kunnen trouwen als hij dat wilde. Maar we weten allemaal dat dat niet gaat gebeuren.'

De stilte van de gang werd doorbroken door nog meer geschreeuw van Sam. 'Flora! Flora! Waar ben je! Zorg dat het ophoudt! Zorg dat het ophoudt!'

Flora's hart verkilde. 'O, wat is dit gruwelijk!' riep ze.

Tony sloeg zijn arm om haar schouder. 'Kom hier,' zei hij. 'Stil maar. Het komt wel goed. Dat heb je zelf vaak genoeg gezegd.'

Ze schudde hem van zich af – hij stonk naar rook – en riep terug door de deur: 'Ik zit hierbuiten! Het zal zo wel beter gaan.'

Sam begon aan de andere kant van de deur te bonzen. 'Laat me eruit. Hij is hier bij me! Hij zit hierbinnen! Laat me eruit!'

Flora sprong overeind. Tony keek haar niet-begrijpend aan.

'Hij hallucineert,' legde ze uit, voordat ze de deur op een kier deed en naar Sams bleke gezicht en zijn bezeten ogen keek. 'Hij zit niet op

slot, Sam,' zei ze. 'Ik heb je niet opgesloten. Ik zou je nooit opsluiten.'
Eerlijk gezegd had ze dat wel overwogen, maar zijn deur kon gemakkelijk van binnenuit opengemaakt worden.

'Hij is hier,' siste hij. 'Haal Violet. Violet kan hem wegjagen.'

'Violet heeft het druk. Wil je dat ik binnenkom?'

Hij rukte de deur open. Hij droeg alleen een onderhemd. Vanaf zijn middel was hij volkomen naakt, schaamteloos als een kind. 'In de hoek,' zei hij met zachte stem tegen Flora. 'Zie je hem?'

'Ik zie helemaal niemand, Sam. Waarschijnlijk is het maar een schaduw. Zal ik een lamp halen om in de hoek te zetten?' Zodra ze dat gezegd had werd ze bang dat hij hem om zou stoten en de kamer in vuur en vlam zou zetten.

'Een lamp helpt niet.'

'Waar zijn je kleren?' vroeg ze.

'Mijn kleren? Er zit een géést in mijn kamer te wachten tot hij me de dood in kan sleuren, en jij maakt je druk over mijn kleren? Hier!' Hij beende de kamer door en smeet een stapel kleren naar haar toe. Ze waren smerig en ze stonken ondragelijk. Het leek wel alsof hij alle broeken die hij bezat had bevuild. 'Geniet ervan!' schreeuwde hij, voordat hij haar naar buiten duwde en de deur weer dichtdeed.

Tony keek naar haar en de kleren. 'Wat ga je daarmee doen?'

'Kom mee naar de badkamer. Dan laat ik ze weken in het bad.'

'Laat iemand van het personeel dat toch doen.'

'Dit is te persoonlijk.' Ze liep de gang door naar de badkamer – de badkamer waarin de onfortuinlijke man was overleden, de man die nu rondspookte bij Sam. Ze liet Tony controleren of er niemand in zat – per slot van rekening was het de mannenbadkamer – en liet het bad vollopen om er de kleren in te leggen. Daarna waste ze haar handen zo grondig als ze kon en leunde ze tegen de wasbak. Tony bleef in de deuropening staan.

'In elk geval kan je vader tevreden zijn,' zei hij. 'Het bezoek aan het hotel heeft Sam straks genezen van zijn verslaving.'

'Van zijn "gezondheidsproblemen",' zei Flora. 'Vader heeft het nooit een verslaving genoemd.'

'Maar wist hij het?'

'Dat is moeilijk te zeggen. Maar ja, als dit allemaal achter de rug is en we naar huis gaan, zal vader tevreden zijn.'

'Tevreden over jou?'

Ze lachte bitter. 'Wat mij betreft zal hij niet al te óntevreden zijn, stel ik me voor. Hij zal me niet uit zijn testament schrappen, als dat is wat je bedoelt.'

'Dat is niet wat ik bedoel.'

Iets in hun onaangename omstandigheden, de manier waarop hun isolement hen van hun beschaving had beroofd, ontlokte haar de uitspraak: 'Zou je nog steeds met me getrouwd zijn? Als hij me had onterfd?'

'Ja,' zei Tony zonder enige aarzeling.

'Waarom?'

'Wil je dat ik tegen je zeg dat ik gek op je ben? Dat je onweerstaanbaar bent en de hemel doet stralen?'

'Ik wil dat je me de waarheid vertelt.'

Hij haalde zijn schouders op. Glimlachte. 'Een man heeft een echtgenote nodig. Hij heeft een vrouw nodig met een goede naam en een goed hart, iemand die hem bijstaat en niet moeilijk doet en doorgaat. Jij hebt een sterk moreel kompas, Florrie. Jij weet wat je moet doen. Je zult een goede echtgenote zijn en daarom hou ik van je.'

Er klonk weer een kreet uit Sams kamer en Flora wrong zich langs Tony heen om snel terug te lopen. Sweetie kwam zijn kamer aan de andere kant van de gang uit en riep bars: 'Kun je hem niet stil krijgen?'

'Hij is erg ziek,' protesteerde ze. 'Heb een beetje medelijden.'

'Medelijden is voor vrouwen en zwakkelingen,' antwoordde hij en hij sloeg zijn deur dicht.

Ze keek Tony veelbetekenend aan.

'Ik praat wel met hem,' zei Tony. 'Hij is gefrustreerd, dat is alles. Dat zijn we allemaal, hier opgesloten.'

'Heb een beetje medelijden, dat is het enige wat ik vraag,' zei ze nog eens, zachtjes, met een gebaar naar Sams kamer en het gekreun dat eruit opklonk. 'Hij is mijn kleine broertje.'

Violet was daas van het slaapgebrek. Ze was de hele nacht wakker gebleven, met Sam in haar kamer. Hij was pas weggegaan toen hij Flora 's ochtends in de badkamer hoorde. Toen had Violet nog een uur geslapen voor ze gewekt was door Kok, die had gezegd dat hij nu ook ziek was en dat Violet dus in haar eentje het ontbijt moest maken en serveren.

Clive was zwak, maar hij stond op om haar te helpen en ging daarna regelrecht terug naar bed. Juffrouw Zander was alarmerend bleek maar vastbesloten dat dit haar laatste dag in bed zou zijn. Op haar verzoek liet Violet de gasten weten dat het hotel nu officieel niet-operationeel was. Ze zou haar best doen om crackers en sandwiches voor hen te maken die ze in de keuken klaar zou zetten, maar de eerstvolgende vierentwintig uur was dat alles wat ze van haar konden verwachten.

Lord Powell en Sweetie begonnen tegen haar te schreeuwen, maar ze vertelde hun eenvoudig, zoals juffrouw Zander haar had opgedragen, dat er deze week niets in rekening gebracht zou worden voor hun verblijf. 'En mag ik u eraan herinneren,' zei ze met een gebaar naar de regen buiten het raam, 'dat het u altijd vrij staat om naar het dorp te lopen en een andere plek te zoeken om te logeren?' Dat had juffrouw Zander haar zeker niet opgedragen om te zeggen, maar ze genoot van de gezichten van de mannen toen die beseften dat al het geschreeuw van de wereld hun omstandigheden niet konden verbeteren.

Na het ontbijt wilde Violet bij Sam gaan kijken, maar Flora zal alweer voor zijn deur, als een overijverige waakhond. Violet probeerde haar onrust de kop in te drukken terwijl ze crackers en brood maakte in de keuken, waar het houtfornuis de kou op afstand hield. Maar haar gedachten gingen steeds terug naar Sam, naar de groteske dans die zijn spasmes hem dwongen te maken, en naar haar eigen vastberadenheid om iets te vinden wat hem kon helpen.

Ze zou andere kleren nodig hebben. Haar modieuze winterlaarzen zouden niet warm en droog genoeg zijn, daarbuiten in die sneeuw. Haar doel lag op ongeveer drie kilometer afstand en ze schatte in dat de sneeuw tot aan haar dijen zou reiken. Ze zou een soort wandelstok nodig hebben. Een waterdichte jas. Haar plannen gingen rond in haar hoofd terwijl ze mengde en kneedde en bakte en het voedsel in de keuken klaarzette zodat de gasten zichzelf konden bedienen.

Toen trok ze haar warmste kleren aan, wikkelde al haar sjaals om zich heen, trok handschoenen aan en zette een muts op, en ze ging de keukendeur uit naar Clive's werkplaats.

De sneeuw kwam op sommige plekken tot aan haar enkels en op andere tot haar dijen. Het leek een eeuwigheid te duren voor ze er was, en ze begon te betwijfelen of ze Malleys huis wel kon bereiken. En stel dat het lukte? Waarschijnlijk was hij er niet, en zelfs als hij er was had hij misschien geen opium voor Sam.

Ze overwoog terug te gaan, maar toen herinnerde ze zich hoe Sam had gesmeekt om zijn dood, hoe hij zeker wist dat hij zou sterven van de pijn. Ze geloofde hem. Hij rook al naar de dood. Het licht in zijn ogen was al gedoofd. Zij was niet zoals Flora, die alleen maar zat toe te kijken terwijl hij langzaam stierf. De gedachte sterkte haar en ze vocht zich een weg door de sneeuw tot ze bij de werkplaats was.

Juffrouw Zander had haar alle sleutels gegeven nu Kok ziek in bed lag, en ze draaide de deur van het slot en duwde hem open. Er viel een berg sneeuw naar binnen toen ze dat deed, en ze stapte eroverheen de werkplaats in terwijl haar ogen de ruimte al aftastten. Ze wist dat ze het ergens had gezien... ah, ja. Bij het visgerei. Een waterdichte overall en oude rubberlaarzen. Ze trok haar jas uit en haalde ze van de hanger.

Zittend op de houten vloer maakte Violet de veters van haar eigen laarzen – nu nat en koud – los en trok de overall aan. Haar rok kroop omhoog en ze propte hem onhandig in de pijpen, trok het borststuk omhoog en maakte het vast. Hij was veel te wijd. Ze trok haar jas weer aan en maakte hem zo strak mogelijk dicht. Toen liet ze haar voeten in de rubberlaarzen glijden. Ze zwom erin, dus trok ze de laarzen weer uit en trok de twee extra paar mannensokken aan die ze in de was had gevonden. Toen haar voeten weer in de laarzen staken, waren ze nog steeds te groot, maar het moest maar zo. Ze trok de pijpen van de overall over de laarzen heen en bond ze bij haar enkels stevig dicht. Toen nam ze een bezem uit de houder en trok de borstel eraf.

Met de bezemsteel als wandelstok zette ze haar eerste paar passen buiten in de sneeuw.

Ze waadde bij de werkplaats weg, bij het hotel vandaan. Ze kon niet zien waar de wegen lagen, dus zocht ze naar andere herkenningspunten. Bomen, straatnaamborden, het treinstation. Haar dijen deden al pijn toen ze nog niet eens buiten het zicht van het hotel was. De kou drong zelfs door tot in de waterdichte overall en haar voeten schuurden in de laarzen. Toch zette ze door, tilde haar voeten op uit de diepe sneeuw, dreef zichzelf voort terwijl haar heupen kreunden en haar knieën brandden, tegen beter weten in hopend dat ze de goede kant uit ging. Soms was er een stukje waar de sneeuw maar tot haar knieën kwam en kon ze even uitrusten. Maar op andere plekken kwam hij bijna tot aan haar middel en moest ze zwaar op de bezemsteel leunen om zich erdoorheen te werken. Een lichte regen begon te vallen en hield toen weer op, maar ze merkte het nauwelijks. Met haar tanden op elkaar zette ze door, op weg naar het enige waardoor Sam zich beter zou voelen.

Er was niemand in het station. Niemand bewoog zich bij de kleine huisjes langs de straat.

Toen ze de vorige keer met Sam naar Malleys huis was gegaan, had het hun iets meer dan een halfuur gekost om er te komen. Deze keer duurde het anderhalf uur voordat zijn huis in zicht kwam. Haar hart bonkte luid en haar longen barstten zowat van de inspanning. Maar ze herkende het huis gemakkelijk genoeg. De lange bank stond nog op de veranda en ze hoopte dat dat betekende dat Malley thuis was.

Ze schudde dankbaar de sneeuw van zich af toen ze de veranda op stapte en haalde diep adem voordat ze stevig aanklopte.

Ze wachtte. Haar adem dampte. De koude stilte spon zich uit.

Ze klopte nog eens. Niets.

Een luid gemiauw deed haar opschrikken. Ze keek om zich heen en zag een rode kat rondlopen over de veranda. Ze ging op haar hurken zitten. 'Hallo, Poes. Je zult wel honger hebben.' Toen zag ze verschillende muizenskeletjes onder de bank liggen en besloot dat

Poes misschien helemaal geen honger had. Violet liet zich op de bank zakken en steunde met haar hoofd in haar handen. Ze was niet helemaal hierheen gekomen om met lege handen terug te gaan. Ze had gehoopt dat het makkelijk zou zijn, maar niets aan deze onderneming was makkelijk. Ze tilde haar hoofd op. Het enige wat ertoe deed was Sam. Ze wist wat haar te doen stond.

Ze kwam overeind en liep naar de hoek van de veranda, waar een lamp stond. Hij had een zware, koperen voet. Ze draaide de glazen kap eraf en liep met de lampenvoet naar de deur. Met al haar kracht sloeg ze ermee op de deurklink. Er klonk een luid gekraak, dat weerkaatst leek te worden door alle sneeuwvlokken om haar heen. Ze wachtte met bonzend hart tot iemand het zou horen. Tot er iemand naar buiten zou komen en tegen haar zou schreeuwen.

Er kwam niemand.

Ze tilde de voet op en sloeg nog eens op de klink. Deze keer kwam hij een beetje los. Nog een klap en hij viel eraf, rinkelend op de vloer nadat hij bijna op haar voet was gevallen.

Ze schopte zachtjes tegen de deur en hij zwaaide naar binnen open. Het rook schimmelig en vochtig in het huis, alsof het al een jaar afgesloten was in plaats van een week. Diep daarbinnen hing de vage geur van iets wat lag te rotten. Het was er stil, afgezien van het tikken van de klok op de schoorsteenmantel.

Op de avond dat ze hier met Sam was geweest was Malley naar een achterkamer gegaan om de opium te halen, dus liep Violet door een lichtloze gang met een versleten loper naar twee kleine kamers en een badkamer.

Ze had geen idee waar ze moest zoeken. De slaapkamer was smerig, met overal rondslingerende kleren en een sterke geur van kattenpis. De gordijnen waren dicht en waren verschoten tot een kleur tussen beige en grijs in. Ze trok ze open en het stof dwarrelde op in het zwakke daglicht.

Er stond een wankele klerenkast, met de deuren halfopen. Violet deed ze helemaal open en keek erin. Nog meer kleren op een prop op de bodem. Lege kleerhangers. Ze doorzocht de kleren – ze leken allemaal op Chinese pyjama's – maar vond niets.

Daarna doorzocht ze het gebutste nachtkastje, maar opnieuw zonder succes, en dus ging ze naar de volgende kamer.

Deze zag er veelbelovend uit. Hier lagen de dingen die Sam gebruikte om opium te roken in laden en kasten opgeslagen. Bladen, lampen, pijpen, tangen en lucifers. Maar geen flesjes. Ze was zich er sterk van bewust dat de klok doortikte en ze moest ook nog het hele eind terug. Juffrouw Zander zou woedend zijn. Violet was het laatste personeelslid dat kon werken en ze was nu al bijna twee uur weg. Haar handen werden wanhopig, overhaast, doorzochten de laden en gooiden uit pure frustratie dingen op de grond.

Niets. Niets. Niets.

Wat was het een vergissing geweest om hiernaartoe te gaan. Ze beende de hal in op haar te grote laarzen, bijna in tranen bij de gedachte dat ze het hele stuk terug moest lopen, dat Sam misschien doodging omdat zij de drugs niet kon vinden die hij nodig had. Ja, op een dag zou hij ermee moeten stoppen, maar dan langzaam en geleidelijk met een dokter in de buurt, zodat zijn lichaam niet uit elkaar zou vallen en hem voortijdig zijn graf in zou slepen.

De badkamer. Dat was de enige achterkamer die ze nog niet had doorzocht.

Een schimmelgeur. Haar in de wasbak. Een kastje naast het bad. Ze deed het open. Flessen, tientallen flessen. Ze pakte ze er een voor een uit en zag dat ze allemaal leeg waren. Toen zag ze iets wat ze herkende: een groenlederen etui. Op de avond dat ze naar Malley waren gegaan had hij Sam iets uit dat etui gegeven, en Sam was direct genezen.

Ze pakte het uit het kastje, vouwde het open. Medische spullen erin. En een klein flesje, halfvol.

'O, goddank,' zei ze ademloos terwijl ze het etui weer dichtvouwde en in haar overall stopte. Haar lichaam verzette zich tegen het idee dat ze de ijskoude wereld buiten weer in moest, maar nu ze Sams geneesmiddel had, moest ze opschieten.

Flora bewaakte zijn deur nog steeds. Violet kon het wel uitschreeuwen van frustratie. Haar bloed was ijskoud van de lange terugtocht door de sneeuw. Haar haar was vochtig van de motregen en haar hart bonkte van de inspanning. Flora keek op toen Violet de trap op kwam, maar Violet deinsde snel terug, voordat ze gezien werd. Ze ging terug naar de keuken om te wachten, probeerde zich bezig te houden met groente schillen en wassen en nog meer brood bakken. Al het vlees was op en ze waren aan hun laatste dozijn eieren bezig. Ze had geen idee wat ze de gasten moest voorzetten voor het diner, dus maakte ze sandwiches met komkommer en waterkers terwijl ze wachtte tot het nacht werd, wanneer Flora zou slapen en Violet naar Sam toe kon.

Ze hoefde niet te wachten tot de nacht. Om zes uur kwam Tony aan de keukendeur naar het diner informeren.

'Dit is alles,' zei ze, wijzend op de schaal sandwiches.

'We zijn maar met zijn vijven voor het diner,' zei hij. 'Dat is genoeg. Zet maar thee voor erbij.'

Ze kwamen beneden dineren – dat betekende dat Flora niet meer bij Sams deur zat. Violet kookte water, serveerde de thee en de sandwiches in de eetzaal en rende toen de trap op.

Ze klopte zachtjes op Sams deur.

'Ga weg,' zei hij zwak.

'Ik ben het, Violet!' riep ze.

Hij deed de deur open. 'Violet? Je bent er! Waarom ben je niet eerder gekomen?'

'Ik mocht je niet zien van je zus.'

Hij viel weer op bed. 'Ik ben zo zwak als een baby. Ik heb zoveel pijn.'

'We hebben niet veel tijd,' zei ze snel. 'Flora komt terug zodra ze gegeten heeft. Maar Sam, ik ben bij Malley geweest.'

Hij ging overeind zitten, zijn hele lichaam gespannen. 'Was hij thuis?'

'Nee, maar ik heb dit gevonden. Weet je nog?' Ze hield het groene etuitje omhoog.

Hij trok het uit haar hand. 'Violet. Violet. Mijn lief. Mijn redder.' Hij kuste haar en zijn mond smaakte zuur. 'Je hebt hiervoor de sneeuw getrotseerd?'

Ze knikte trots en schrok toen ze voetstappen op de trap hoorde. 'Ik moet weg. Weet je hoe het moet?'

'Volgens mij wel. O, ik voel me nu al beter, gewoon doordat ik weet dat er een eind aan komt. Goddank. Het eind is in zicht. Snel. Ga. Ik kom je vanavond opzoeken in je kamer.'

'Ik kan niet wachten om je weer gezond bij me te hebben.' Dan kon ze hem eindelijk vertellen over de baby.

'Je hebt me gered,' zei hij.

'Ik hou van je.'

'En ik hou van jou. Ik zal altijd van je houden.'

Violet ging de kamer uit en haastte zich naar de trap zodat ze niet vlak bij Sams kamer zou worden aangetroffen. Maar het was niet Flora die omhoogkwam; het was Clive.

'Ah, daar ben je,' zei hij.

'Je bent weer uit bed.'

'Ik voel me een stuk beter.'

'Je ziet er nog steeds niet goed uit. Blijf nog maar een avond in bed, ja? Er staan sandwiches in de keuken. Ik breng wel een bord en wat thee op je kamer.' Haar tred was veerkrachtig toen ze samen de trap af liepen. Sam zou snel weer beter zijn. Op dit moment kon niets haar klein krijgen.

Flora's maag knorde nog na het lichte diner. Ze had de lunch overgeslagen en op iets warms en voedzaams gehoopt. Maar ze zou niet klagen, niet tegen Tony en zeker niet tegen Sweetie, die met haar meeliep naar de mannenverdieping boven. Via Violet had juffrouw Zander hun verzekerd dat hun moeilijkheden niet veel langer zouden duren. Bovendien had Sam al dagen niet gegeten en was hij er veel slechter aan toe dan zij.

'Dus je gaat hier weer de hele avond zitten, hè?' vroeg Tony.

Flora luisterde aan de deur. Het was stil. 'Misschien hoeft dat niet. Zo te horen slaapt hij eindelijk.'

'Hij zal zonder twijfel snel weer gaan kreunen,' zei Sweetie. 'Waarschijnlijk precies als ik probeer te slapen.' Hij beende naar zijn kamer en sloeg de deur stevig achter zich dicht.

Flora vroeg Tony om bij de deur te blijven luisteren terwijl zij zich ging baden en omkleden in haar nachtpon en kamerjas. Toen ze twintig minuten later terugkwam trof ze Tony zittend op de vloer aan, met zijn hoofd tegen de deur en zijn ogen dicht.

'Heeft hij zich nog verroerd?' vroeg ze.

'Nee. Dat is een goed teken, toch, dat het stil is?'

'Ik denk van wel. Misschien betekent het dat het ergste voorbij is. Het duurt nu al drie dagen. De vorige keren dat hij het geprobeerd heeft, hield hij het maar één of twee dagen vol. Ik vind het een heerlijk idee dat hij slaapt. Nu kan ik misschien ook wat slapen. Wat een afschuwelijke dagen hebben we gehad.'

Tony streelde haar hand. 'Ik ben blij dat het voorbij is. Denk je dat hij er vanaf nu vanaf zal blijven?'

'Het is te hopen. Hij kan erg koppig zijn, maar hij zal vast niet nog eens zulke akelige onwenningsverschijnselen willen doormaken.' Ze glimlachte naar Tony. 'Je vind het toch niet erg? Dat je toekomstige zwager een opiumverslaafde is?'

Hij haalde zijn schouders op. 'Elke familie heeft een zwart schaap.'

Ze geeuwde. 'Ik denk dat ik vanavond maar vroeg naar bed ga. Zou ik niet even bij hem moeten kijken?'

'Misschien is het beter om hem te laten rusten.'

'Ik kan het heel stil doen.'

Tony kwam overeind. 'Ga maar, dan.'

Ze deed de deur zo zachtjes mogelijk open. Het was donker in de kamer, dus wachtte ze even tot haar ogen aan het duister gewend waren. Ze kon Sam op bed zien liggen, de donkere vlek van zijn haar op het kussen, zijn lichaam boven op de dekens uitgespreid.

Er was iets mis. Haar hart wist het eerder dan haar hoofd. Haar hartslag versnelde, maar ze wist niet precies waarom. Tot ze luisterde. Echt luisterde.

Hij was veel te stil. Te bewegingloos.

'Sam,' zei ze luid. Ze dacht dat hij daardoor wakker zou worden, maar dat kon haar niets schelen omdat dat eenvoudig zou betekenen dat hij wel ademde, maar dat zij dat niet kon horen vanwege het geluid van haar eigen luid bonkende hart. 'Sam!' riep ze, terwijl ze naast hem neerknielde en hem heen en weer schudde. Tony kwam naar binnen met de stormlamp en toen zag ze Sam pas echt, uitgespreid op bed in een verslapte houding, eindelijk vrij van de kwellingen van zijn ontwenning.

Met een huid zo koud als steen.

23

2014

Ik kwam net onder de douche vandaan en was me op een ochtenddienst aan het voorbereiden toen de telefoon ging.

Deze ene keer dacht ik niet dat het mijn moeder wel zou zijn en kreunde ik niet. Deze ene keer rende ik erheen, met de handdoek losjes om mijn natte lichaam, terwijl ik een spoor van natte voetafdrukken achterliet. Want Tomas kwam vandaag terug.

'Hallo?' zei ik ademloos, terwijl ik het water langs mijn nek omlaag voelde druipen.

'Ik ben net in Sydney aangekomen,' zei hij.

'We zijn in hetzelfde land,' antwoordde ik. 'Dat voelt fijn. Ik moet tot drie uur werken.'

'Dan kom ik om drie uur langs bij het café.' Een momentje stilte, toen: 'Ik kan niet wachten om je te zien. Ik heb je gemist.'

'Idem,' zei ik, opgelucht. Aangezien het grootste deel van onze relatie zich laat in de nacht had afgespeeld, via langeafstandsgesprekken en appjes, wist ik niet zeker hoeveel recht ik op hem had, of het acceptabel was om te zeggen dat je iemand na twee dates al miste.

De dag kroop om. Ik keek steeds op de klok, maar die leek maar niet vooruit te gaan. Op mijn werk werd ik bestookt door chagrijnige klanten, en dankzij een verstopt stoompijpje van de koffiemachine struikelden Penny en ik een groot deel van de dag over werklieden en moesten we ons voortdurend verontschuldigen omdat het zo lang duurde voordat de koffie klaar was.

Maar toen begon de lunchdrukte af te nemen, en om drie uur

precies ging de voordeur open en waaide de koele lucht van buiten naar binnen. Daar stond Tomas.

Mijn hart sprong op. 'Hoi,' zei ik vanaf de andere kant van het café.

Penny gaf me een duwtje in mijn rug. 'Ga maar.'

Ik knoopte mijn schort los, propte hem in mijn tas, bevrijdde mijn haar uit de strakke paardenstaart die ik op het werk droeg en liep naar de andere kant van het café om hem te begroeten.

We stonden tegenover elkaar, met vijftien centimeter verlegenheid tussen ons in, en hij zei: 'Fijn om je te zien.'

'Ja,' zei ik. Wat hoorde ik nu te doen? Ik had geen idee.

Hij pakte mijn hand en zei: 'Kom mee.'

Ik zwaaide naar Penny, die twee duimen naar me opstak, en liep achter Tomas aan naar buiten.

'Ik heb het uitzicht gemist,' zei hij. 'Kunnen we naar het panoramaterras gaan?'

'Natuurlijk.'

We staken de weg over, nog altijd hand in hand. De middagzon stond achter ons en gaf ons lange schaduwen. We wachtten tot een buslading toeristen de parkeerplaats af was en toen liepen we het grote houten uitkijkterras op dat aan de rotswand was verankerd en een vol, schitterend uitzicht bood op de bergen en de dalen onder de voortdurend veranderende schaduwen van de wolken.

'Ah, wat mooi,' zei hij terwijl hij eindelijk mijn hand losliet.

'Mooier dan Kopenhagen?' Ik had nog altijd hoop dat hij in Australië zou willen blijven.

'Er zijn plekken in Denemarken die nog mooier zijn,' antwoordde hij met een twinkeling in zijn ogen, en toen nam hij me in een omhelzing en ik gaf me er dankbaar aan over. Zijn geur, zijn warmte en zijn harde lichaam bedwelmden me. Ik hief mijn gezicht op om gekust te worden en hij drukte zijn mond op de mijne. Een briesje stak op en liet de droge bladeren ritselen op de houten planken. Ik kreeg kippenvel op mijn armen.

Tomas liet me los. 'Laten we even gaan zitten om te praten,' zei hij. 'We hebben veel te bespreken.'

Ik kroop naast hem op het bankje, met mijn knieën onder mijn kin. 'Over ons mysterie? Die brief van Eugenia Zander is een raadsel voor me. Als ik maar terug kon naar het hotel...'

Maar hij schudde zijn hoofd al. 'Sorry. Ik ben vandaag op mijn werk geweest en mijn bezoekrechten van de westvleugel zijn officieel ingetrokken.'

'Ah. Dat is mijn schuld, hè?'

'Technisch gesproken is het de mijne. Ik heb jou de sleutel gegeven en gezegd dat je erin kon. Het spijt me dat ik je in de problemen heb gebracht.'

'Het spijt me dat ik jóú in de problemen heb gebracht.'

Hij haalde zijn schouders op. 'Dat soort dingen boeien me niet. Ze betalen me veel geld en dat zullen ze blijven doen. De ontwikkelaar heeft gewoon gezegd dat het een veiligheidsrisico is, en dat is dat. Ik ga niet meer naar binnen voordat ik met tekenen begin.' Hij raakte zacht mijn wang aan. 'Bovendien, wat zou je er verder nog kunnen vinden dat zou helpen?'

'Brieven. Dossiers. Alles wat me kan vertellen wat er met Violet Armstrong is gebeurd. Ik moet weten of zij en Sam nog lang en gelukkig hebben geleefd.'

'Als dat zo was, betwijfel ik of het hotel daar gegevens over zou hebben. Hoe dan ook, dat is niet waar ik het over wilde hebben.'

Ik hoorde de ernstige toon in zijn stem en ging zo staan dat ik hem recht aankeek. 'Ga door,' zei ik en zijn ogen werden ernstig en ongelukkig. Dit was het moment waarop hij het vast en zeker uit ging maken, omdat het allemaal te moeilijk was of hij terugging naar zijn ex-vrouw. Ik zei tegen mezelf dat ik maar gewoon moest luisteren zonder hem te onderbreken en dat ik het misschien moest beschouwen als een antropologisch experiment: *zo voelt het om gedumpt te worden.* Dat was nieuw voor me. Alles was nieuw.

'Ik moet je iets uitleggen over Sabrina en mij. Ik neem aan dat je het ongewoon hebt gevonden dat ik... zo ver ging voor een vrouw van wie ik vijf jaar geleden gescheiden ben.'

Ik haalde mijn schouders op. Ik wist niet wat ik anders moest zeggen of doen.

Hij wreef met zijn hand over zijn kin. 'Ik had je dit uiteindelijk toch wel verteld. Als we wat verder waren. Als we elkaar wat beter kenden. Maar Lauren, ik vind je echt leuk. Ik zie echt een soort toekomst met je, hoe gek dat ook klinkt na een relatie gebaseerd op appjes.'

Dit was onverwacht. Nu was ik volkomen perplex en dat moet op mijn gezicht te lezen zijn geweest, want hij zei: 'Het spijt me. Ik ben heel onduidelijk en ik moet tot de kern komen. Er is iets belangrijks met mij wat jij niet weet, en dat ga ik je nu vertellen.'

'Oké,' zei ik, terwijl ik aanmoedigend probeerde te kijken. De wind blies door de eucalyptusbomen en liet ze boven ons trillen en schudden. Het zou al snel te koud worden om buiten te zijn. Ik wilde dat ik een vest had meegenomen toen ik vanochtend van huis ging.

'Sabrina en ik trouwden toen we tweeëntwintig waren. We trouwden omdat dat... min of meer moest.'

Heel even wist ik niet wat hij bedoelde, maar toen begreep ik het plotseling. 'O. Ze was zwanger?'

'Ja. Om precies te zijn: we hadden een baby. We hadden een dochter.' Zijn gezicht verstrakte en ik zag dat hij zijn best deed om niet te gaan huilen.

Mijn hele lichaam huiverde van warmte: hij had een dochter gehad, maar toen we elkaar net leerden kennen had hij gezegd dat hij geen kinderen had. Dus dat betekende... 'O nee,' zei ik. 'Ze is gestorven?'

'Ze was nog maar klein,' fluisterde hij. 'Het was een week voor haar derde verjaardag. Ze heette Emilia. Emmy, zo noemden we haar. Ze viel uit een raam op haar crèche. De schoonmaker had het niet goed dichtgedaan; de leidster lette even niet op. Het was een opstapeling van ongelukken. Niemands schuld, eigenlijk. We hebben niemand iets verweten.'

'Wat verschrikkelijk,' zei ik, met het gevoel dat ik in een oceaan was gestapt en de bodem niet kon voelen. Dit was volwassenheid, een plek waar mensen te maken hadden met pijn, geschiedenis en gevolgen. Ik pakte zijn hand en kneep er stevig in.

'Nadat Emmy gevallen was,' ging hij verder, 'ademde ze nog, haar hartje klopte nog. Sabrina en ik zagen haar in het ziekenhuis.' Hij zwaaide afwerend met zijn hand. 'Ik hoef jou niet te vertellen hoe moeilijk het is om iemand van wie je houdt zo te zien. Kleine Emmy vocht, dag na dag, en niet één keer, nog geen seconde, verliet Sabrina haar zijde. Ze zei: "Ik blijf hier tot ze wakker wordt of tot ze sterft," en die eed heeft ze gehouden. Ik was uitzinnig van verdriet. Ik kon mezelf er haast niet toe zetten om naar het ziekenhuis te gaan. Ik kon niet naar Emmy kijken. Ze leek niet meer op mijn kleine meisje. Ik bleef tot laat weg, ik ging naar mijn werk alsof er niets aan de hand was. Ik was bijna letterlijk mijn verstand kwijt. Zes dagen lang. Zes dagen maar. En toen stierf Emmy.' Hij schudde zijn hoofd en veegde zijn tranen weg. 'Na vijftien jaar is het nog altijd even nieuw en verschrikkelijk,' zei hij.

'Dus daarom ging je naar Sabrina,' zei ik.

'Ja. Ik vond dat er iemand bij haar moest blijven tot ze wakker werd of tot ze stierf. Net zoals zij er was geweest voor onze dochter, toen ik dat niet kon.'

'Ik kan me niet voorstellen hoe zo'n verlies moet voelen,' zei ik.

'Ongeveer zoals jouw verlies,' zei hij. 'Maar dan met een snufje onmacht en zelfverwijt erdoor.' Hij glimlachte wrang.

'En daarna kon je huwelijk het niet overleven?'

'Sabrina en ik hadden heel verschillende manieren om te rouwen. Ik huilde en tierde. Zij probeerde het te begrijpen, alsof ze het niet meer zou hoeven voelen als ze het begreep. Ze sloeg een weg in waar ik haar niet kon volgen. Spirituele leiders en rare religies en goeroes die haar geld afhandig maakten en haar de valse hoop gaven dat ze contact kon maken met Emmy aan gene zijde. We waren eigenlijk nog erg jong. We hebben het niet gered.' Hij spreidde zijn vingers. 'We hebben het niet gered.'

'Wat erg.'

'Zo is het leven, Lauren. Misschien realiseer je je dat niet zo omdat je zo teruggetrokken bij je familie hebt geleefd, met het onvermijdelijke gevolg dat al je aandacht daarnaartoe ging. Maar het is een grote rotzooi in de buitenwereld. Een grote, onvoorspelbare rotzooi, en je kunt nooit zeggen wat er hierna gaat gebeuren.' Hij schudde zijn hoofd. 'Sabrina werd wakker, ongeveer een kwartier voordat ik wegging om naar huis te gaan. Ik kon nog iets tegen haar zeggen. Ze kon niet praten, maar ik zag in haar ogen dat ze wist waarom ik daar was. Het komt wel weer goed met haar.'

'Daar ben ik blij om.'

Hij glimlachte. 'Het voelt goed om dat gezegd te hebben.'

'Tomas, je kunt me alles vertellen wat je wilt.'

Hij kneep in mijn hand en zijn blik ging naar het uitzicht. Ik keek een tijdje naar hem. Ik had geen idee wat ik na zo'n belangrijke onthulling moest doen of zeggen, maar ik herinner me dat ik zelf graag wilde dat mensen gewoon bij me zaten toen Adam net gestorven was, zonder vragen te stellen of troost te bieden. Gewoon bij me zitten en een tweede kloppend hart zijn. Dus dat deed ik.

Ik zat naast hem en liet mijn hart kloppen.

Toen de middag langzaam overging in de avond kreeg Tomas steeds meer last van zijn jetlag en moest hij naar huis, dus ging ik ook. Het was heel stil en ik had veel om over na te denken. Wat Tomas had gezegd over de onvoorspelbaarheid van de wereld druiste zo sterk in tegen de levenslange lessen van mijn moeder dat het me bijna de adem benam. Ik had een leven op een enkel spoor geleid: hou Adam zo lang mogelijk in leven. Ik kon wel begrijpen dat mijn moeder ons allemaal zo wilde laten denken, maar dat betekende wel dat ik me had aangepast en niet meer om me heen keek. Ik had veel gemist. Adam had nog meer gemist. Maar Adam had iets specifieks gemist, iets wat te maken had met de Blue Mountains. En Anton Fournier wist wat dat was. Kon ik hem maar overhalen om het aan me te vertellen.

Terri-Anne Dewhurst belde me later die avond om te zeggen dat ze de brieven had ontvangen en om nogmaals haar dank uit te spreken.

'Je had gelijk, ze zijn echt een beetje pikant,' zei ze.

'Er zit in elk geval een hoop passie in. Hoor eens, na de laatste keer dat we elkaar spraken vond ik een kopie van een brief die de bedrijfsleidster van het hotel aan je overgrootmoeder heeft geschreven. Mag ik hem aan je voorlezen?'

'Natuurlijk.'

Ik las haar de brief voor en liet na de zinsnede dat alle betrokkenen er nooit meer over zouden spreken een stilte vallen voor wat extra dramatische nadruk. Maar Terri-Anne had geen nadruk nodig om opgewonden te raken.

'Een doofpot!' riep ze. 'Wat spannend!'

'Heb je enig idee?' vroeg ik, terwijl ik me op de bank liet vallen en op mijn rug naar het plafond ging liggen kijken. De tailleband van mijn pyjama had zijn elasticiteit verloren en hing er onflatteus bij. Ik was blij dat Tomas thuis in bed zijn jetlag uit lag te slapen.

'Nee, maar ik durf te wedden dat oma het wel wist en er nooit iets over gezegd heeft. Zo was ze wel.'

'Ik blijf me maar afvragen of het zo eenvoudig was dat Sam en Violet samen wegliepen.'

'Maar dat is niet tragisch,' zei Terri-Anne. 'Ze zei specifiek "de tragische gebeurtenissen".'

'En was het voor jouw familie in die tijd dan niet tragisch als Sam met een serveerster wegliep?'

Ze dacht even na. Toen zei ze overtuigd: 'Nee. Tragisch had destijds een vastomlijnde betekenis, niet zoals nu, nu de journalisten het voor van alles gebruiken. Het betekende iets rampzaligs – dood, verwoesting. Ik denk dat er iemand gestorven is.'

'Violet?'

'Misschien.'

'Ik kan hier verder niets doen,' zei ik. 'Ik ben min of meer in de problemen gekomen doordat ik het hotel in en uit sloop.'

'Laat dat maar aan mij over. Ik heb veel contacten en veel middelen. Ik zal eens zien of ik meer kan achterhalen over Violet Armstrong: waar ze geboren is, wat er van haar geworden is. Als ik Violet kan vinden, vind ik Sam misschien ook.'

'Laat het me weten als je iets interessants vindt,' zei ik. 'Ik ben er nu zo bij betrokken.'

'Dat doe ik,' zei ze. 'Dat beloof ik.'

Mevrouw Tait zou de volgende dag geopereerd worden en ik belde na de lunchdrukte in het café met het ziekenhuis en kreeg te horen dat ze wakker was en 'uitrustte'.

Na mijn werk liep ik naar het bloemenstalletje voor de kruidenier om iets voor Lizzie te kopen. Toen ik aan kwam lopen, zag ik twee whippets aan een geel fietsenrek voor de winkel gebonden staan. De honden van Anton Fournier.

Ik bleef staan en knielde neer om ze te aaien. Ze werden gek van vreugde, kwispelden en likten mijn handen. Ze waren duidelijk verwend en gelukkig, wat duidde op een baasje met een goed hart. En als Anton een goed hart had, zou hij zeker met me praten. Uiteindelijk.

Ik keek de winkel in, maar zag Anton niet. Ik bleef staan, besluiteloos, tot er een man de winkel uit kwam die zich bukte om de honden los te maken – en het was Anton niet.

'Geweldige honden zijn dat,' zei ik, en ik probeerde mijn nieuwsgierigheid te verbergen terwijl ik naar hem keek. Lizzie had het over een 'jongen' gehad die op Antons huis paste, maar ik had aangenomen dat hij jonger was, een tiener misschien, terwijl deze man ongeveer mijn leeftijd had, met kort, keurig haar en een zacht gezicht.

'Dat klopt,' zei hij met een glimlach. 'Ze mogen je wel.'

'Ik ken ze al,' zei ik.

Hij trok een wenkbrauw op. 'O, echt?'

Ik haalde diep adem en stak mijn hand uit. 'Ik heet Lauren. Anton heeft me vorige week van zijn stoep geschopt.'

De man glimlachte, nam mijn hand en schudde die hartelijk. 'Ik ben Peyton. Ik heb er alles over gehoord.'

Door zijn glimlach ontspande ik me voldoende om te vragen: 'Weet jij waarom hij zo'n hekel aan me heeft?'

Hij liet mijn hand los en ging verder met het losmaken van de honden. 'Ik weet alles. Ik weet alles over Adam, over het verleden. Het hele verhaal. Maar het is niet aan mij om het je te vertellen.'

'Anton wil het niet doen.'

'Natuurlijk wel. Als hij er klaar voor is. Zo is Anton.'

'Is er iets wat ik kan doen?'

Peyton wikkelde een hondenriem om elke pols. Romeo en Juliet trokken aan de riem, klaar om te gaan. 'De brief die je gestuurd hebt heeft veel indruk gemaakt,' zei hij. 'Hij denkt erover na.'

'Echt? Wil je zeggen dat je me hebt gesproken? Dat ik je heb gesmeekt? Want ik zweer je dat ik helemaal niets weet. Ik heb geen flauw idee wat er is gebeurd tussen Adam en Anton en mijn familie, maar ik wil het écht weten. Helpt het als ik ga smeken?'

Hij glimlachte weer. Hij had een prachtige glimlach, heel warm en ontspannen. 'Ik zal hem zeggen dat je gesmeekt hebt, maar ik weet niet of hij er sneller door zal beslissen. Hij houdt er niet van als iemand zegt wat hij moet doen. Oké, ik kan die honden maar beter thuisbrengen voor ze mijn armen uit de kom trekken.'

'Bedankt,' zei ik.

'Dag.' Hij draaide zich om en begon al weg te lopen, maar toen bleef hij staan en keek nog even om. 'Hij zal uiteindelijk wel met je praten. Maak je geen zorgen.'

'Hoe weet je dat?'

'Omdat jij Adams zusje bent. Dat betekent meer voor hem dan je je kunt voorstellen.'

Ik keek hem na. Andere mensen kwamen de winkel uit, keken me aan en liepen weg. Ik stond daar zeker al een hele tijd. Toen zocht ik een bos bloemen uit voor Lizzie en ging naar binnen om ze af te rekenen.

Ik kwam bij het ziekenhuis op het moment dat de middag net overging in de avond. Lizzies dochter Genevieve zat in een roze stoel naast Lizzies bed op de rand van haar duimnagel te bijten. Lizzie lag half onderuitgezakt met een doezelige en verzaligde blik op haar gezicht.

'Hoi,' zei ik.

Genevieve keek op. 'Pijnstillers,' zei ze, met een gebaar naar Lizzie. 'Ze is een beetje slaperig en in haar eigen wereld.'

'Ah. Hallo, Lizzie,' zei ik terwijl ik me vooroverboog om Lizzies droge wang te kussen. 'Ik heb bloemen voor je.'

'Zet ze in het water,' zei ze met dikke stem. 'Genevieve, laat ze door de zuster in het water zetten. Anders gaan ze dood. Ik wil niet dat ze doodgaan. Ze zijn van de jonge Lauren.'

'Maak je geen zorgen, mam,' zei Genevieve, terwijl ze de bloemen aannam en ze op het nachtkastje legde. 'Ik zal het vragen aan de eerstvolgende verpleegster die binnenkomt.'

'Is de operatie goed gegaan?' vroeg ik aan Genevieve. Zij was zo'n indrukwekkende vrouw van achter in de veertig die er goed uitziet met een zijden sjaal om. Ik had nooit een zijden sjaal kunnen dragen zonder eruit te zien alsof ik verdronk.

'Ze heeft het geweldig goed doorstaan. Ze is erg gezond voor haar leeftijd. We zijn allemaal blij.'

'Hebben jullie het over mij?' vroeg Lizzie, maar haar ogen waren dicht.

Genevieve haalde haar schouders op. 'Ze is er niet echt bij.'

'Misschien moet ik dan maar gaan.'

'Vind je het erg om tien minuten te wachten? Ik snak naar koffie, of naar wat voor koffie moet doorgaan in de kantine hier. Ik ga even een kop halen en dan kom ik meteen weer terug.'

'Prima,' zei ik.

'Dank je.' Genevieve haastte zich weg. Ik nam haar plaats in op de roze stoel en boog me voorover om Lizzies hand aan te raken.

'Ik ben zo blij dat alles goed met je is, Lizzie,' zei ik.

'Er zit nog leven in het oude besje. Niet zoals mijn moeder. Die ging zomaar liggen en stond niet meer op,' lispelde ze, en viel toen stil. Ik zat naast haar naar haar adem te luisteren en dacht al dat ze in slaap was gevallen, maar toen begon ze weer te praten. 'Genevieve, ik moet je iets vertellen.'

'Ik ben Genevieve niet, ik ben Lauren,' zei ik.

Maar ze luisterde niet. 'Je opa: hij was mijn echte vader niet. Ik ben er kapot van. Ik wilde dat ze nooit iets gezegd had.'

'Wie heeft ge...' begon ik, maar hield mijn mond toen ik besefte dat deze boodschap niet voor mij was bestemd. 'Lizzie, ik ben Genevieve niet. Ik ben Lauren. Genevieve is koffie gaan halen en ze komt zo terug, dus dan kun je het haar vertellen.'

Lizzie deed één oog halfopen en keek me aan. 'Lauren. Je bent een beste meid.'

'Dank je.'

'Zet die bloemen in het water.'

'Zal ik doen.'

Ze viel weer stil, en deze keer hoorde ik aan haar melodieuze gesnurk dat ze in slaap was gevallen. *Hij was mijn echte vader niet. Ik ben er kapot van.* Arme Lizzie. Ze sprak altijd met zoveel genegenheid over haar vader. Maar ik nam me voor dat ik me er deze keer niet mee zou bemoeien. Lizzie was oud en verdiende privacy.

Al snel daarna kwam Genevieve terug. De geur van sigarettenrook zei me dat ze meer had genomen dan alleen koffie.

'Weet ze dat je rookt?' vroeg ik.

Ze schudde haar hoofd. 'Ze zou zo teleurgesteld zijn.'

'Maar ze rookte vroeger zelf ook.'

'O ja?'

Ik stak mijn handen omhoog. 'Ik heb al te veel gezegd. Het is niet aan mij om familiegeheimen te delen. Toen je weg was, dacht ze dat ik jou was en probeerde ze me iets over je opa te vertellen.'

'O, ja. Dat weten we al. Op haar sterfbed heeft oma aan haar opgebiecht dat opa niet haar biologische vader was. Ik vrees dat ze het heel slecht opnam en er nooit overheen gekomen is. Ze was dol op opa. Ze vertelde het ons alsof het een groot geheim was, iets waarvoor je je moet schamen. Niemand van ons weet wie de 'echte' vader was. Natuurlijk vinden we het niet erg. Grappig dat ze er nu over begint.'

'Nou, als ze het liever geheim had gehouden kan ik wel doen alsof ik het niet heb gehoord.'

'Dank je. Dat zou veel voor ons betekenen.'

Ik verliet het ziekenhuis en liep de koelte van de late namiddag in, hopend dat Tomas vanavond niet te moe voor gezelschap zou zijn.

24

De volgende dag was het een gekkenhuis op het werk. Om tien uur kwam er onaangekondigd een buslading Roemeense toeristen langs, en Penny en ik renden ons rot om koffie te maken en bananenbrood voor ze te roosteren. Te midden van dat alles hoorde ik mijn telefoon gaan en wist ik dat het mijn moeder was, en ineens was ik onuitsprekelijk boos op haar.

Dat. Eeuwige. Gebel.

Ik negeerde het en beloofde mezelf dat ik haar zou zeggen dat ze me niet meer de hele tijd moest bellen. Ik had ook een leven en ze stoorde me steeds.

Toen ik op een rustig moment naar mijn telefoon keek, zag ik dat zij het helemaal niet was geweest. Het was een nummer dat ik niet herkende en de beller had een bericht achtergelaten. Ik drukte de telefoon tegen mijn oor om het af te luisteren.

'Lauren,' zei een vriendelijke stem. 'Met Anton Fournier. Ik ga overmorgen naar Hongkong, maar als je morgen om elf uur naar mijn huis kunt komen, zal ik met je praten. Ik hoop je dan te zien.'

Elf uur. Ik stond ingeroosterd voor een dienst. Ik wilde hem niet terugbellen en onderhandelen uit angst dat hij nerveus werd en zei dat ik helemaal niet hoefde te komen. Dus ging ik in plaats daarvan naar Penny toe.

'Mag ik morgen alsje-alsje-alsjeblieft om halfelf weg? Dan kom ik uiterlijk om halfeen weer terug.'

'Maar we hebben het zo druk gehad. Stel dat we nog meer toeristen krijgen?'

'Ik weet niet wat ik moet zeggen. Een man die de sleutel tot ons familiegeheim heeft is bereid om dan met me te praten en ik geloof niet dat het tijdstip onderhandelbaar is.'

'Is het Anton Fournier?'

Ik knikte.

'Doe maar,' zei ze. 'Ik val wel voor je in. Het kan onmogelijk erger worden dan vandaag.'

Ik wist dat ik nog één ding moest doen voor ik naar Anton ging. Ik moest mijn moeder nog een kans geven om me haar kant te vertellen van wat er was gebeurd. Tijdens mijn pauze ging ik naar buiten en belde haar op, zittend op een bank met uitzicht op het hotel.

'Mam, met mij.'

'Is alles...'

'Alles is in orde,' zei ik snel. 'Maar ik moet je iets vertellen.'

'Ja?' zei ze langzaam, achterdochtig.

'Ik heb morgen een afspraak met Anton Fournier.'

'De man die je lastigviel? Ben je helemaal gek geworden?'

'Hij viel me niet lastig. Ik viel hem juist lastig. Hij moest me van zijn terrein af schoppen. Laatste kans, mam. Vertel me wat er is gebeurd.'

'Ik weet niet waar je het over hebt.' Toen veranderde haar stem, werd klaaglijk. 'Als je van me hield, zou je niet gaan. Dan zou je niet met hem afspreken.'

Ik blies luid uit en liet mijn ogen naar de kamers in het hotel dwalen, de vroegere westvleugel. Daar was vele, vele jaren geleden iets voorgevallen en Flora Honeychurch-Black had geweigerd erover te praten. Haar kleindochter Terri-Anne probeerde het nog altijd uit te knobbelen. Lizzies moeder had op haar sterfbed onthuld dat Lizzies vader haar echte vader niet was, en Lizzie droeg de pijn en de schande nog steeds met zich mee. Familiegeheimen hadden zoveel macht, en ik was niet van plan om mijn moeder het onze in de doofpot te laten stoppen. Er vloog een zwerm vogels over me heen en ik keek ernaar, wachtend tot mijn moeder zou toegeven.

'Ik heb altijd gedaan wat het beste voor jou en Adam was,' zei ze ten slotte.

'Wat jij dácht dat het beste was,' zei ik.

'Alles gaat toch wel goed, hè?' Haar stem klonk nu defensief.

'Ik weet het niet. Wat denk jij? Ik ben bijna eenendertig en ik heb nog nooit seks gehad en ik kan niet autorijden. Is dat goed?'

Een beladen stilte. Ze was boos.

'Mam?' zei ik, op een toon die verzoenend bedoeld was.

'Spreek hem dan maar. Denk maar niet dat het mij iets kan schelen,' snauwde ze, en toen werd de verbinding verbroken.

Ik stak mijn telefoon in mijn zak en ademde diep de frisse berglucht in. Deze keer zou ik me geen schuldgevoel laten aanpraten. Ik was vastbesloten de waarheid te achterhalen.

Tomas, bijgekomen van de jetlag, stond om zeven uur op de stoep. Ik had mijn appartement schoongemaakt, een hartige taart gebakken (rundvlees en champignons), een geurkaars aangestoken, een mooie nieuwe katoenen bloes aangetrokken en mijn tanden misschien wel twee of drie keer gepoetst (van de zenuwen was ik de tel kwijtgeraakt). Want het was zover, dit was het grote moment: onze derde date.

'Kom binnen,' zei ik en ik probeerde werelds te klinken in plaats van doodsbang. Onze relatie had zo'n rare start gehad en ik wilde heel graag dat alles vanaf nu goed zou gaan.

Hij kuste mijn wang en gaf me een fles wijn. 'Niet in één keer opdrinken,' zei hij met een glimlachje.

'Heel grappig,' antwoordde ik, terwijl ik achter hem aan naar binnen liep en de wijn op het aanrecht zette. 'Je ziet er uitgerust uit.' Hij zag er inderdaad heel goed uit, in een donkergroene broek en een chambray blouse.

'Ik voel me prima. Ik functioneerde vandaag normaal op het werk, wat altijd een goed teken is.'

'Nog nieuws over de westvleugel?'

Hij schudde zijn hoofd. 'Niet tot januari. Het duurt nog twee maanden tot ik klaar ben met de oostvleugel en dan sturen ze me voor de rest van het jaar naar huis.'

Mijn stemming zakte in. Hij had me al gewaarschuwd, maar ik was het maar liever vergeten. Ik glimlachte vrolijk om het te verbergen. 'Glaasje wijn?'

'Goed idee.'

We probeerden de fles allebei op hetzelfde moment te pakken, en stootten hem van het aanrecht op de keukenvloer. Na een harde klap vloeide de rode wijn uit over de tegels.

'O, sorry!' riep hij uit, naar het aanrecht rennend om een doek te pakken.

Ik hurkte neer en begon de stukken glas op te rapen. 'Jee, wat een rotzooi,' zei ik.

'Hier, laat me je helpen.'

Toen hij naast me neerknielde, raakten onze knieën elkaar aan.

En er gebeurde iets. Ik kan het niet uitleggen, maar met die kleine aanraking laaide er een vlam in me op. Begeerte was zo vreemd voor me dat ik het haast niet herkende toen het me overviel. Ik beleefde het eerst als bezorgdheid: meestal mijn eerste emotie. Maar hij had het ook gevoeld en hij keek me indringend aan. Hij met de doek in zijn hand, ik met de kapotte fles.

Toen, in zwijgende overeenstemming, lieten we die dingen los en raakten elkaar aan. Zijn vingers gingen naar mijn wang, trokken me naar hem toe en hij kuste me terwijl we overeind kwamen en onhandig de keuken uit liepen, over de gemorste wijn heen stappend.

We vielen samen neer op de bank, ik boven op hem, met onze lippen tegen elkaar. Ik kon amper lucht krijgen, maar dat kon me niet schelen. Zijn mond, zijn tanden, zijn tong – ik verkende ze allemaal met onbekommerde passie.

Mijn handen gingen naar zijn borst en ik begon zijn overhemd los te knopen. Toen duwde hij me zachtjes van zich af en keek me aan. 'Weet je het zeker?' vroeg hij zacht.

'Ik weet het zó zeker.'

'Ik weet dat het jouw eerste keer is. Ik vind het niet erg als je nog even wilt wachten.'

'Ik ben dertig. Hoeveel langer moet ik nog wachten?' zei ik lachend.

Hij trok me neer in zijn warme armen. De hartige taart brandde uiteindelijk aan, maar we vonden het geen van beiden erg.

De volgende ochtend was ik eerder dan Tomas wakker en hees ik mezelf op een elleboog om te kijken hoe hij sliep. Ik was nog nooit naast iemand wakker geworden. Mijn ogen prikten, alsof ik zou gaan huilen. Het leek zoiets eenvoudigs om zo lang te hebben moeten missen.

Hij begon te bewegen, alsof hij voelde dat ik naar hem keek. Hij knipperde met zijn ogen, deed ze open en zag me naar hem kijken. Toen de herkenning en de herinnering kwamen, verscheen er tederheid – kwetsbaarheid – op zijn gezicht, en dat gaf mij een gevoel alsof ik viel. Viel op iets warms en zachts.

'Ik hou van jou,' zei hij met een schorre ochtendstem.

'Ik hou ook van jou,' antwoordde ik.

Ik stond tien minuten te vroeg voor Anton Fourniers poort. Ik wilde nog niet naar binnen gaan en aankloppen voor het geval het hem zou storen dat ik er al voor onze afgesproken tijd was, dus bleef ik op de stoep onder een eik rondhangen. Ik nam mijn hartslag op. Honderd slagen per minuut. De spanning had me in zijn netelige greep.

Ik haalde een paar keer diep adem en keek nog eens op mijn horloge. Er waren maar twee minuten verstreken.

'Kom je nog binnen?'

Ik draaide me om. Anton stond achter het hek met zijn honden naast zich.

'Ik zag je al vanuit het huis,' zei hij en hij gaf me een half glimlachje.

'Ik wilde je niet storen als je nog niet klaar voor me was.'

'Kom binnen,' zei hij. 'Dan maak ik iets te drinken voor ons.'

Ik liep achter hem aan de lange oprit op. Romeo en Juliet snuffelden aan me en renden toen weg, kwamen weer terug en roken nog eens. We liepen de treden voor het huis op en door de open deur naar binnen.

'O, wauw,' was het enige wat ik kon zeggen toen ik zijn huis vanbinnen zag. De hele achterwand was van glas en bood een onbelemmerd uitzicht op de vallei.

'Ja, ik vind het geweldig,' zei hij. Hij droeg een wijd katoenen shirt, een katoenen broek met omgeslagen pijpen en had geen schoenen aan. 'Als er onweer aankomt is dit de beste plek van de wereld om te zijn. Jammer dat ik zoveel reis.'

'Iemand zei dat je muziekproducent was.'

'Lang niet zo exotisch,' zei hij terwijl hij door zijn open keuken drentelde. 'Hoofd marketing voor Azië. Ik ben praktisch toondoof.' Hij zette zijn waterkoker aan. 'Ik drink niets wat cafeïne bevat, vrees ik. Wat dacht je van vruchtenthee?'

'Dat wil ik wel proberen.'

Hij haalde een blikje uit de voorraadkast en zette dat op het marmeren kookeiland tussen ons in. Het geluid weerklonk door de woonruimte, helemaal tot aan het hoge plafond. Terwijl hij de thee zette keek ik om me heen. Kunst aan de muren, voornamelijk abstract. Stijlvol, modern meubilair. Boekenkasten vol thrillers in paperback.

'Je lijkt helemaal niet op Adam,' zei hij tegen me terwijl hij mijn blik zorgvuldig ontweek.

'Nee. Hij lijkt meer op mijn moeder.'

Zijn mond verstrakte tot een rechte lijn en ik wist dat het mijn moeder was die hem zo kwaad had gemaakt. Maar dat had ik natuurlijk zelf al geraden.

'Ik bedoel: hij léék op mijn moeder,' corrigeerde ik mezelf. 'Ik praat nog steeds over hem alsof hij er nog is.'

'Ik kan niet geloven dat hij er niet meer is. Je brief was prachtig.'

'Dank je. Hij kwam recht uit mijn hart.'

De ketel begon te fluiten. 'Maak het jezelf maar gemakkelijk. Ga zitten. Dit moet een paar minuten trekken.' Hij schonk de theepot vol en zette hem op een blad met kopjes, een pot honing en plakken worteltaart. Ik koos een plek uit waar ik niet te veel vlekken zou maken als ik knoeide – níét op de witte bank – en dus met mijn rug naar het prachtige uitzicht. Een van de honden krulde zich aan mijn voeten op de vloer op.

'Ze mag je,' zei hij terwijl hij het blad op de salontafel tussen ons in zette. 'Dat is een goed teken.'

'O ja?'

'Het is geen gek idee om te vertrouwen op de mening van een hond over iemand,' zei hij. 'Het spijt me dat ik zo onaardig tegen je was toen we elkaar voor het eerst ontmoetten. Ik wist niet hoeveel jij te maken had met wat er is gebeurd.'

'Wat is er dan gebeurd?'

Hij ging onbevreesd op de witte bank tegenover me zitten. 'Weet je zeker dat je dat van mij wilt horen? Je kunt het ook aan je ouders vragen.'

'Dat heb ik geprobeerd. Mijn moeder klapte dicht. Eerst deed ze alsof ze niet wist wie jij was.'

Hij rolde met zijn ogen. 'Natuurlijk,' zei hij.

'Dus vertel het me maar. Alles. Alsjeblieft.'

'Oké. Waar zal ik beginnen...' Hij schonk thee in en gaf me een kop. Het smaakte subliem: als warme aardbeien met een scheutje limoen. 'Hoe goed kende je Adam?' vroeg hij.

'Heel goed.'

'Ik bedoel... Wist je iets van zijn liefdesleven?'

Ik schudde mijn hoofd. 'Nou, nee. Dat leek hij niet echt te hebben nadat hij ziek was geworden. Ik neem aan dat hij wel graag een vriendinnetje had gewild, maar...'

'Nee,' onderbrak hij. 'Dat wilde hij niet.'

Ik keek hem aan, niet-begrijpend. Toen zette hij zijn theekop neer en spreidde zijn vingers. 'Lauren, Adam was homo.'

'O ja?' Toen viel alles op zijn plek. 'O. Dus jullie waren...'

'Verliefd, ja. Tot over onze oren. Kalverliefde, denk ik. We gingen helemaal in elkaar op. Het was een van de mooiste periodes van mijn leven. Hij was mijn soulmate.' Zijn gezicht vocht tegen de tranen. 'Hij was een heel, heel bijzondere jongen. God, ik mis hem nog steeds.'

Ik zat daar roerloos, totaal verbouwereerd. Ik had geen idee gehad, niet het minste vermoeden, dat mijn broer homo was. Hoe kon dat? Ik zou hem er nooit om veroordeeld hebben; waarom had hij het me niet verteld?

Maar ik wist natuurlijk waarom. Vanwege mijn moeder. Mijn bemoeizuchtige, overbezorgde moeder.

'Wat heeft ze met je gedaan?' vroeg ik.

'Je moeder? Adam heeft het haar verteld,' zei hij. 'Ze ging door het lint. Ze zei tegen Adam dat het maar een fase was waar hij doorheen moest. Ze dacht dat ik hem op een bepaalde manier had betoverd. Ze zei dat hij nooit een normaal leven zou krijgen als hij bij mij bleef en dat ze alleen maar wilde dat alles makkelijk voor hem zou zijn. Ze deed alles wat in haar macht lag om Adam ervan te overtuigen dat hij geen homo was.' Hij haalde zijn schouders op. 'Alsof je de vloed wil overhalen om niet op te komen. Je familie verbrak het contact met hem en Adam was diepbedroefd. Ik zei dat hij naar ze toe moest gaan om ze zelf te zien en alles in orde te maken. Dus dat deed hij. Dat was de laatste keer dat ik hem heb gezien.' De pijn in zijn stem klonk rauw.

'Hij werd ziek.'

'Ja, hij werd ziek terwijl hij bij jullie in Tasmanië zat. Ik belde elke dag, maar je moeder liet me niet met hem praten. Ze wilde niet eens zeggen dat ik gebeld had en zei dat ik hem met rust moest laten. Ik schreef brieven. Ik weet niet wat daarmee is gebeurd.'

'Die heeft ze onderschept,' zei ik. 'De post was waardeloos in die tijd. We lieten alles bij het postkantoor in het dorp bezorgen en daar ging mijn moeder elke dag de post ophalen. Ze liet het nooit door iemand anders doen.'

'Zo. Eén mysterie opgelost. Uiteindelijk vloog ik naar Hobart, huurde een auto en kwam gewoon langs.' Hij zweeg even, dronk van zijn thee. De andere hond sprong naast hem op de bank en Adam nam een paar seconden om hem over zijn flank te aaien en op adem te komen. 'Je vader deed open. Hij wist er ook van. Je moeder kwam naar buiten. Ik probeerde Adam te roepen, maar ik weet niet of hij het gehoord heeft. Ze zeiden dat hij me niet wilde zien, dat hij zich op zijn genezingsproces wilde richten en dat ik dat moeilijk voor hem maakte, dat ik niet welkom was in jullie familie en dat ook nooit zou zijn.'

Ik vond het moeilijk om dat aan te horen. Ik was zo teleurgesteld in mijn ouders, vooral in mijn vader.

'Ik ging naar huis. Ik stuurde nog meer brieven, belde minder vaak.

Toen ik na een jaar nog steeds niets van hem had gehoord begon ik te denken dat ze misschien de waarheid spraken. Dat hij me misschien echt niet wilde zien. Misschien gedroeg ik me als een krankzinnige stalker. Dus... liet ik hem gaan.'

'Je liet hem gaan.'

'Ja.' Hij zakte voorover.

Ik zag het nu: die eerste paar jaar van Adams ziekte, zijn verdriet, de verlorenheid die altijd om hem heen hing, dat kwam niet alleen door zijn ziekte. Dat kwam door een gebroken hart. 'Dat is... echt verschrikkelijk,' zei ik.

'Ja. Klopt. Maar beschouw me alsjeblieft niet als een tragisch mens. Mijn leven ging door. Ik ontmoette Peyton; we hebben twee verwende honden. Adam is degene die tragisch is. Hij heeft waarschijnlijk gedacht dat ik hem in de steek heb gelaten toen hij ziek was. Dat was wel het laatste wat ik zou doen. Het allerlaatste. Ik wilde erbij zijn. Ik wilde hem verplegen. Ik wilde hem vasthouden als hij bang was. Maar ik heb geen van die dingen kunnen doen, hem geen enkele troost kunnen bieden.'

Ik liet de woorden in de grote kamer hangen. Buiten schoof er een wolk voor de zon, die de kamer tijdelijk verduisterde en toen weer verdween. Een straal zonlicht viel op de rug van de hond aan mijn voeten. Ze bewoog even en viel toen weer in slaap.

'Het spijt me,' zei ik. 'Ik wist er niets van en ik was misschien te jong om er iets aan te doen. Maar het spijt me evengoed. Voor jou, voor Adam.'

Hij plooide zijn lippen tot een halve glimlach. 'Geloof het of niet, dat betekent veel voor me.'

'Als het enige troost voor je is: mijn moeder had zich precies zo kunnen gedragen als jij een meisje was geweest.'

'Dat is geen troost. En ik denk dat je ongelijk hebt.'

Daar dacht ik over na. 'Ja. Misschien wel.' Ook al was ik niet degene die tussen Adam en Anton stond, ik voelde me ziekmakend schuldig. 'Maar weet je? Ik ben erg blij dat Adam jou heeft gehad, al was het dan maar kort. Ik ben blij dat hij tot over zijn oren verliefd is geweest. Ik ben blij dat hij heeft mogen proeven van dat leven. Hij is altijd aan je blijven denken. Hij had een enorme poster van de watervallen in zijn slaapkamer hangen. Het was het eerste wat hij zag als hij 's morgens wakker werd, en het laatste wat hij zag voor hij 's avonds ging slapen.'

Deze keer brak er echt een glimlach door op Antons gezicht. Hij was ongelofelijk knap, precies de woest aantrekkelijke persoon die mijn broer verdiende. 'Dat is fijn.'

'Je moet niet vergeten,' ging ik verder, 'dat hij op het laatst niet meer wist of hij nog wakker zou worden. Dus misschien was je op een andere manier een troost voor hem.'

'Dat zou ik graag denken.'

'Hier,' zei ik terwijl ik de foto van hen tweeën uit mijn handtas haalde. 'Die hoor jij te hebben.'

Hij pakte hem van me aan en keek er lange tijd naar, terwijl zijn ogen troebel werden. Toen keek hij naar me op en zei: 'Wil je hier met je vader en je moeder over praten?'

'Op mijn erewoord, ja.'

Mijn moeder nam niet op, dus kreeg mijn arme vader de volle laag.

'Je moet begrijpen,' protesteerde hij toen ik even adem haalde, 'dat je moeder dacht dat het zo beter was.'

'En jij? Ik had nooit gedacht dat jij discrimineerde.'

'Dat doe ik ook niet. Het is alleen... je moeder kan zo overtuigend zijn. Op een bepaalde manier had ze gelijk. Het is moeilijk om anders te zijn, en Adam had misschien wel een van de moeilijkste manieren uitgekozen om anders te zijn.'

'Hij koos niet, pap. Hij was wat hij was. Jij en mam hebben twee harten gebroken. Jullie hebben twee mensen geluk ontzegd.'

'We waren gewoon bezig om Adam in leven te houden.'

'Een leven zonder liefde. Dat was niet aan jullie. Hoe hebben jullie verhinderd dat Adam contact met Anton opnam?'

Er viel een korte stilte. Mijn vader worstelde waarschijnlijk met zijn geweten, met zijn angst voor wat mijn moeder zou zeggen. Toen zei hij eenvoudig: 'Hij vroeg ons elke dag of we Anton wilden bellen. Wij zeiden dat we dat gedaan hadden en dat Anton had besloten dat zijn ziekte te veel gedoe gaf. We wisten dat het nog maar een korte relatie was – van nog geen jaar. We dachten dat het op die manier minder moeilijk zou zijn, voor hen allebei. Je vergeeft het ons toch wel?'

Ik zuchtte geïrriteerd. 'Ik ben zo ontzettend kwaad op jullie. Zeg tegen mam dat ze me een tijdje niet hoeft te bellen.'

'Niet gemeen zijn. Je weet hoeveel zorgen ze zich altijd maakt.'

'Zeg maar tegen haar dat ik ontmaagd ben, op de derde date. Door een gescheiden man. Zeg maar dat ik verliefd op hem ben en dat ze daar helemaal niets aan kan veranderen.' Toen hing ik op, met bonzend hart. Ik voelde me niet zo fijn als ik had gedacht nu ik mijn woede de vrije teugels had gegeven. Ik was alleen maar verdrietig.

Tomas hield me bezig. Het werk hield me bezig. Anton en Peyton nodigden ons op een avond uit voor het eten en Tomas bleek een zwak voor honden te hebben. Alweer een reden om van hem te houden. Zonder de last van de eindeloze telefoontjes van mijn moeder begon ik me anders te voelen. Meer als mezelf. Ik voelde een ongelofelijke vrijheid, mogelijkheden die wenkten. Tomas begon erover dat ik mee zou kunnen gaan naar Denemarken als hij daar voor een halfjaar naartoe ging, 'gewoon om eens te kijken'. Het leek geen buitenissig idee meer, iets wat alleen een onverantwoordelijk mens zou doen. Waarom zou ik niet naar Denemarken gaan? Waarom zou ik niet 'gewoon eens kijken' of Tomas en ik voor elkaar bestemd waren?

Acht dagen na haar operatie kwam Lizzie Tait weer thuis. De laatste keer dat ik haar in het ziekenhuis had opgezocht had ze zeker geweten dat ze nog minstens een week moest blijven, dus was het een verrassing toen ze op mijn deur klopte.

'Lizzie!' riep ik terwijl ik haar omhelsde. 'Je bent er weer. Hoe voel je je? Kom binnen. Wil je een kop thee?'

'Ik ben sinds gisteravond terug,' zei ze. 'Ze hebben me eindelijk laten gaan en mijn kinderen zijn weer naar hun verschillende bestemmingen vertrokken. Nee, ik wil geen thee. Ik ga van mijn eenzaamheid genieten. Ik wilde alleen even langskomen en je bedanken voor je bezoekjes. Dat betekende heel veel voor me.'

'Graag gedaan,' zei ik.

'Genevieve zei dat ik op een bepaald moment alles door elkaar haalde en tegen jou praatte alsof jij haar was. Klopt dat?'

Ik koos mijn woorden zorgvuldig. 'Je was een beetje high. Het leek wel alsof je helemaal de weg kwijt was. Ik heb niet zo goed gelet op wat je zei.'

'Nou, het spijt me als je het gênant vond. Maar ik...' Ze zweeg abrupt en richtte haar blik over mijn schouder op iets in de keuken. Ik draaide me om zodat ik kon zien waar ze naar keek. Het was de schets van Violet Armstrong, die ik op de koelkast had gehangen.

'Hoe kom je...' Ze viel stil en wrong zich langs me heen. Ze liep de keuken in en bleef voor de tekening staan, als aan de grond genageld. Haar gezicht was wit, maar ik wist niet of dat door de tekening kwam of door haar verblijf in het ziekenhuis.

'Gaat het wel?' vroeg ik.

'Waar heb je die vandaan?'

'Dat is een lang verhaal. Is alles goed met je? Je ziet eruit alsof je een geest hebt gezien.'

'Die vrouw,' zei ze, terwijl ze naar het portret wees. 'Dat is mijn moeder.'

Koude elektriciteit stroomde door me heen. 'Je moeder?' En toen viel het kwartje. 'O god, Lizzie. Ik weet wie je vader is.'

25

1926

'Flora?' Tony kwam dichterbij met de lantaarn.

De werkelijkheid veranderde steeds van vorm. Ze stond in een spiegelkasteel. 'Hij is zo koud,' zei ze.

'O mijn god,' zei Tony, en toen rende hij naar de deur en riep: 'Sweetie! Sweetie! Kom hier!'

'We moeten hem naar een warme plek zien te brengen,' zei Flora.

'Nee, Flora. Hij is...'

'De keuken. Dat fornuis zal nog wel branden. Als we hem maar op een warme plek hebben.'

'Florrie. Florrie. Hij is dood.'

'Nee, hij is alleen koud.' Ze legde haar oor op zijn borst en luisterde of ze een hartslag hoorde, maar het geluid van haar eigen hart was oorverdovend.

Sweetie verscheen in de deuropening. 'Wat is er?' Toen zag hij wat er binnen gebeurde en zoog scherp zijn adem in.

Flora draaide zich om. Waarom deden ze niets? Waarom stonden ze daar maar een beetje naar adem te happen? 'Ik zei: Breng hem naar de keuken!' gilde ze.

'Dat maakt niets...'

'Alsjeblieft, Tony, alsjeblieft.'

Tony keek Sweetie aan en Sweetie keek Tony aan, en ze leken ineens te beslissen dat ze het gingen doen, al was het maar om haar stil te krijgen. Tony tilde Sam op en Sweetie nam zijn benen.

'Doe voorzichtig met hem,' zei Flora, terwijl ze achter hen aan de kamer uit en de trap af liep. 'Hij krijgt makkelijk bloeduitstortingen.'

Geen van beide mannen zei iets. De trap af, daarna de gang door naar de lege keuken.

'Leg hem bij het fornuis,' zei Flora, terwijl ze naar de houtstapel liep en een armvol extra blokken pakte. Ze deed het deurtje van het fornuis open en gooide ze erin, kijkend naar de bewegingen van haar eigen handen keek alsof alles heel normaal was, al wist ze diep vanbinnen dat niets meer normaal was.

Sam lag voor het fornuis op de stenen vloer. Tony en Sweetie stonden een stukje achter hem, met de armen over elkaar geslagen. Flora knielde naast Sam neer en legde haar handen om zijn gezicht. 'Sam,' zei ze. 'Sam, je moet nu wakker worden.'

Niets. Maar hij werd alweer warmer. Toch? Hij was alleen koud, dat was alles. Koud en in slaap.

'Sam?' zei ze nog eens, en haar eigen stem joeg haar angst aan vanwege het spoortje hysterie dat erin doorklonk. Achter dat spoortje lag een kolkende diepte waar ze niet in mocht vallen. Ze sloeg hem zacht in zijn gezicht. 'Alsjeblieft, Sam. Alsjeblieft.'

Tony knielde naast haar neer, pakte haar hand en legde die op Sams ribben. Ze probeerde haar hand weg te trekken, maar hij hield hem stevig vast. De momenten gingen in ontstelde stilte voorbij.

Sams borstkas bewoog niet. Geen in- en uitademing.

'Hij ademt niet,' zei Flora.

'Hij is dood,' antwoordde Tony.

'Nee, maar hij...'

'Ja. Ja, Flora. Hij is dood.'

Flora trok haar hand los uit Tony's greep en liet zich boven op Sam vallen, terwijl er een dierlijke kreet aan haar longen ontsnapte. Hij leek zo klein onder haar, als een kind. Ze kon haast niet huilen, kon alleen maar steeds opnieuw 'nee, nee, nee,' zeggen. Achter haar staken Tony en Sweetie een sigaret op en bespraken wat ze moesten doen, onbewogen alsof ze dit een zakelijke kwestie was. Ze zeiden steeds maar 'het lijk', en Flora dacht dat ze ging gillen zonder ooit te kunnen stoppen. Op een fluistertoon die niet zacht genoeg was, zoals mannen dat doen, zeiden ze het steeds weer. '*Het lijk* kan hier niet zomaar in een kamer liggen.' 'Als we *het lijk* in het zwembad leggen, zal het misschien op verdrinking lijken.' 'Maar als ze *het lijk* dan onderzoeken zullen ze geen water in de longen aantreffen.' Enzovoort. En Flora zat de hele tijd gevangen in de barse kerker van haar eigen gedachten, niet meer in staat om er iets van te begrijpen vanaf het moment dat ze het bleke, stoffelijke overschot vond. Ze huiverde in de kille bries die door de open deur waaide en de hoge eucalyptussen in de donkere vallei belaagde.

'Als die oude hier lucht van krijgt,' zei Tony, zijn woorden onderstrepend met een korte trek van zijn sigaret, 'draait hij de geldkraan dicht en krijgt Flora niets.'

Ze wilde zeggen dat ze niet om geld gaf, dat de dood nog nooit zo groot en aanwezig en definitief had geleken als op dit moment, nu ze naast het stoffelijk overschot stond van een echt mens, iemand die gisteren nog ademde en huilde. Haar lippen bewogen, maar er kwam geen geluid.

'Wat wil je doen, Florrie?' vroeg Sweetie.

'Het heeft geen zin om met haar te praten,' zei Tony en hij schudde zijn hoofd in het zwakke licht van de stormlamp. 'Ze heeft een paar teugen whisky nodig om bij haar positieven te komen. Luister, het enige wat we zeker weten is dat dit niet bekend mag worden. Het moet een ongeluk lijken. Een val tijdens een wandeling door het bos.'

'In die sneeuw? Dat gelooft toch niemand?'

'Bedenk eens wat voor reputatie deze overledene had,' zei hij, en – o lieve god – hij drukte zachtjes met de punt van zijn lakleren schoen tegen het lichaam zodat het iets omhoogkwam en daarna terugzakte op de vloer. 'Niet bepaald een modelburger.' Tony leek zich te realiseren dat Flora meeluisterde en hield zich in. 'Het spijt me, Florrie. Ik ben alleen praktisch. Je moet ons vertrouwen.'

Flora knikte, in shock, maar ze kon de situatie niet bevatten.

'Hoe ver moeten we het lijk dan wegbrengen?' vroeg Sweetie.

'Tot zo dicht mogelijk bij de watervallen.'

Sweetie knikte en nam de slappe benen in zijn grote handen. Flora wilde helpen, maar Tony duwde haar weg, zacht maar beslist.

'Wacht jij maar hier. We hebben nu toch niets aan jou, en het is moorddadig koud. Ik zit niet te wachten op twee lijken.' Hij schoot zijn peuk door de deur naar buiten en die viel met een boog in de sneeuw, een kortstondige vonk die snel doofde.

Flora keek hen na. Ze sjouwden het donker en de kou in, werden kleine figuurtjes aan de rand van de tuin en verdwenen toen onder aan de stenen treden die naar de vallei leidden. Het was gaan regenen. Dikke druppels vielen vanuit de kolkende nachthemel zachtjes op de sneeuw. Ze stond bij de deur, met vingers die gevoelloos werden, te kijken of ze al terugkwamen.

De regen zou hun diepe voetsporen in de sneeuw wegspoelen, samen met het eventuele spoor van slappe, dode armen die tussen hen in sleepten. Maar de regen zou ook over het lichaam stromen, een doorweekte lijkwade, een natte begrafenis. Flora sloeg haar handen voor haar gezicht en huilde, om haar shock en teleurstelling en verlies, en om de verschrikkingen die zonder twijfel nog zouden komen. *Arme Violet*, zei ze in gedachten steeds opnieuw. *Arme, arme Violet.*

En arme Sam. Will had ongelijk gehad: de ontwenningsverschijnselen hadden hem toch gedood. Als ze had geweten dat dat kon, zou ze het nooit zo ver hebben laten komen. Haar knieën begonnen te knikken. Ze kon hier niet in de kou staan blijven wachten. Ze moest even liggen. Flora sleepte zich de trap naar Sams kamer op, sloot de deur en ging op Sams bed liggen, waar ze de geur van zijn haar en huid in zijn kussen diep inademde en snikte en snikte en snikte.

Violet nam de laatste sandwich van de schaal en schonk zich nog een kop thee in. 'Het is niet echt genoeg, hè?' zei ze. 'Sandwiches als avondeten.' Ze zat op het onopgemaakte bed tegenover Clive. Hij was weer naar bed gegaan zoals ze hem had opgedragen en daar was ze blij mee. Zijn hoest was nog niet beter.

'Ik zal de berglift morgen wel aan de praat krijgen,' zei hij. 'Met die regen zal er al veel sneeuw gesmolten zijn en dan is alles snel weer normaal. Eieren en verse melk en bacon uit het dal.'

'Hoe dol ik ook ben op bacon,' zei Violet, 'ik geloof niet dat je morgen al gezond genoeg bent om te werken in die kou. Bovendien, wie weet wat er beneden op de boerderijen gebeurt?'

'Misschien heb je gelijk.'

'Wacht gewoon tot juffrouw Zander weer op de been is. Zij zal de orde herstellen. Iedereen gedraagt zich barbaars, ondanks wat Lord Powell zei. Kijk ons eens – dineren in jouw slaapkamer, nota bene.'

Hij lachte, hield zijn hoofd schuin en keek haar aan. 'Je lijkt vanavond erg vrolijk, Violet.'

'Ik voel inderdaad een zekere lichtheid,' antwoordde ze.

'Fijn om je te zien glimlachen. Gisteren leek je nogal wanhopig.'

'Zolang er nog leven is, is er hoop,' zei ze luchtig. 'Nou, ontspan je maar. Ik breng het blad boven.'

'Jij zou ook moeten uitrusten.'

'Ik voel me prima. Het is fijn om het druk te hebben. Dan pieker ik niet.' Ze schonk hem een beheerste glimlach, tilde het blad op en liep weg.

Ze was de trap al op en bijna in de keuken toen ze sigarettenrook rook. Die kon alleen van Tony of Sweetie zijn, die in de afgelopen twee dagen allebei waren gaan roken. Ze bleef aarzelend in de gang staan. Wat deden ze in de keuken? Ze hoorde zachte stemmen en kroop dichter naar de deur, met haar schouder tegen de muur, om te luisteren.

'Maar zal Flora de waarheid niet rondvertellen?' zei Sweetie. Ze herkende zijn verfoeilijke stem nog van zijn laatste beledigingen.

'Florrie is een praktische meid. Als haar vader ontdekt dat Sam aan de opium is overleden, komt er geen geld meer.'

Violets bloed werd koud.

'Gaat het je om haar geld?'

'Nee. Nooit. Het gaat me om haar naam. Eerlijk gezegd is dat het enige wat me aan haar interesseert. Ik laat die liever niet bezoedelen door de stomme dood van een stomme jongen die niet weet wanneer het genoeg is.'

Violet probeerde te begrijpen wat ze zeiden. Ze nam aan dat ze het hypothetisch bedoelden. Sam was niet dood. Sam was beter. Zij had hem beter gemaakt. Ze leunde tegen de muur en wist niet of ze naar binnen moest lopen en opheldering moest vragen, of blijven luisteren tot ze iets hoorde wat alles goedmaakte, iets wat het angstaanjagende gesprek zou verklaren.

'Dus als ze zijn lijk vinden...'

'Maar gebeurt dat wel? Het ligt ergens in de vallei, helemaal beneden. Ver van alle wandelpaden. Niemand zal het vinden.'

'O god,' mompelde ze. 'O god, nee.' Haar medicijnen waren te laat gekomen. Dat was Flora's schuld! Ze had Violet binnen moeten laten! Ze had eerder hulp voor hem moeten halen!

'Dus we hebben zijn lijk gedumpt en nu verdwijnt hij gewoon?'

'Het is beter... gemakkelijker zo. We zullen zeggen dat hij is gaan wandelen en gewoon niet terug is gekomen. Flora zal er ook gelukkiger mee zijn, uiteindelijk, al weet ze dat nu misschien nog niet. Ze was ontzettend dol op die knul. Ik heb haar nog nooit zo overstuur gezien.'

Violet begon te trillen. Ze kon haar ledematen niet meer onder controle houden. Het theeblad gleed uit haar handen en viel op de vloer. Het geluid was oorverdovend. Haastige voetstappen. Tony en Sweetie.

'Hoeveel heb je gehoord?' begon Tony te schreeuwen.

'Is Sam dood?' vroeg ze. 'Alsjeblieft, zeg me dat hij niet dood is.' Hete paniek vloeide door haar heen, maakte het moeilijk om te zien of te denken.

'Hoeveel heeft ze gehoord?' zei Sweetie terwijl hij haar om haar middel pakte en haar half tillend, half sleurend de keuken in trok.

Angst schopte tegen haar hart. 'Ik heb niets gehoord,' protesteerde ze. 'Ik weet niet waar jullie het over hebben.'

'O, in godsnaam, ze wéét het, Tony.'

'Ik weet niets.'

Tony had zijn handen voor zijn gezicht geslagen. 'Wat een onhándige complicatie!'

Sweetie gooide Violet over zijn schouder. Ze bonkte op zijn rug, bang om voorover op haar hoofd te vallen, maar nog banger voor wat hij haar ging aandoen. 'Ik regel het wel,' zei hij. 'Ga jij maar naar Flora toe.'

'Doe alleen niets st...'

'Ga maar. Ik regel het wel.'

Toen hobbelde Violet mee op Sweeties schouder, de keukendeur uit en de kou in.

'Kun jij je mond houden?' zei hij over zijn schouder.

'Ik zweer je dat ik niets zal zeggen.'

'Dat betwijfel ik. Je was toch verliefd op hem?'

'Is hij echt dood?'

'Zo dood als een pier, popje.' Hobbel, hobbel, hobbel, over de besneeuwde grond terwijl de regen om hen heen viel. Het licht van de stormlamp in de keuken verdween in de verte. Ze hoorde het kraken van metaal op metaal en probeerde haar hoofd te draaien om te zien waar ze waren. Hij hield een potige arm om haar knieholten geslagen.

De berglift. Hij had de deur van de berglift opengemaakt en probeerde haar in de kleine ruimte te werken.

'Nee!' krijste ze.

'Hou je bek,' riep hij terug, en hij sloeg haar op haar kaak en pakte haar vast. Hij duwde haar. Haar armen en benen schaafden over de metalen randen rondom de deur. Ze duwde terug, maar hij duwde nog harder met zijn grote armen, waarvoor de hare geen partij waren.

'Niet doen!' riep ze. 'Alsjeblieft, niet doen!'

'Blijf hier tot we bedacht hebben wat we met jou gaan doen.'

Hij sloeg de deur dicht en ze hoorde de roestige grendel op zijn plek geschoven worden. Wanhopig bonkte ze tegen de deur, krijsend tot haar keel er rauw van was. Het duurde een paar minuten voor ze besefte dat hij weg was, terug naar de keuken – naar de bediening van de berglift.

Langzaam, krakend over de bevroren kabels, verschoof de bak tot boven de vallei.

'Nee!' gilde ze. 'Niet doen!'

Toen bleef hij hangen, zachtjes schommelend in de koude nachtlucht.

De deur van Sams kamer ging open tot op een kier en toen Flora opkeek zag ze Tony staan, zijn gezicht bars in het lamplicht.

'Ik dacht wel dat ik je hier zou vinden,' zei hij.

'Ga weg.'

'Florrie...'

'Jullie hadden hem niet buiten moeten leggen.'

'Dat was beter. Voordat iemand anders zag dat hij dood was.' Hij liep naar haar toe en streelde zacht over haar rug door de ochtendjas. 'Kom. Ga naar je slaapkamer. Het is hier verschrikkelijk.'

Ze ging overeind zitten en keek om zich heen. Hij had gelijk. Overal lagen kleren en hingen zure luchtjes, er lag een omgevallen stoel en andere dingen lagen op hun kop: de bewijzen van zijn laatste, afschuwelijke dagen.

Toen vielen haar ogen op een groen foedraal, opengevallen, dat naast het bed lag. Flora knielde om het beter te bekijken. Een medicijnflesje. Een injectienaald. 'Tony, hij heeft iets genomen.'

'O ja?'

Ze hield de spuit tegen het licht. 'Er zit bloed op. Hij heeft iets genomen. Dat heeft hem gedood.'

'Wat heeft hij dan genomen? Hoe komt hij daaraan?'

'Ik weet het niet.' Had Sam zelfmoord gepleegd? Waren de pijn en de angst hem te veel geworden?

Tony nam haar de spuit uit handen en wikkelde hem samen met het flesje en de andere instrumenten weer in het groene etui. 'We moeten dit ook kwijt zien te raken.'

Ze snauwde. 'Heb je dan geen gevoel? Is het verbergen van wat er gebeurd is het enige wat je interesseert?'

Ze zag hoe Tony zijn eerste reactie inslikte, die waarschijnlijk ongeduldig was. In plaats daarvan zette hij haar zachtjes op haar voeten neer en zei: 'Je moet hier nu weg. Hij is er niet meer, en je zult hem niet terugkrijgen door in zijn smerige bed te gaan liggen.'

Flora liet zich door hem naar buiten leiden, de koude gang door en daarna de trap op naar de damesverdieping. Toen ze langs Violets deur liepen overwoog Flora heel even om aan te kloppen, om Violet het vreselijke nieuws te vertellen. Dan kon Flora tenminste huilen met iemand die net zoveel van Sam had gehouden als zijzelf. Maar Tony leek haar aarzeling aan te voelen en duwde haar met vaste hand de deur langs.

'Naar je kamer, Florrie,' zei hij. 'Je moet rusten. Je hebt een verschrikkelijke shock gehad.'

Toen zat ze op haar eigen zachte bed, omringd door haar eigen spullen. De laatste keer dat ze naar die dingen had gekeken – haar correspondentiemap, haar inktpot, haar schoenen, haar paraplu – was Sam nog in leven geweest; stond haar leven nog niet op zijn kop.

Tony viste een heupflesje uit zijn zak en gaf het aan Flora. 'Hier. Neem twee slokken whisky.'

'Ik wil het niet.'

'Doe gewoon wat je gezegd wordt,' snauwde hij. 'Je helpt niemand, ook Sam en zijn nalatenschap niet, in deze toestand.'

'Wat bedoel je?'

'Drink. Nu.'

Ze bracht de fles naar haar lippen en goot iets van de brandende drank in haar mond. Slikte. Nam nog een slokje. Tony gebaarde dat ze moest doorgaan. Nog een slok. Nog een. Toen begon haar maag te branden en gaf ze de fles aan hem terug.

Tony trok een stoel bij naast haar bed en ging zitten, met zijn knieën uit elkaar en zijn handen uitgestrekt naar de hare. Hij kneep te hard in haar vingers.

'Het spijt me, Florrie. Ik wilde dat ik iets kon doen om het beter te maken.'

'Dat kun je. We moeten zo snel als we kunnen naar buiten gaan, zijn arme lichaam terugvinden en hem een fatsoenlijke begrafenis geven.'

Tony schudde zijn hoofd al voor haar zin af was. 'Nee, dat kan niet.'

'Hij hoort daar niet te liggen, in de kou en de regen! Hij moet fatsoenlijk begraven, fatsoenlijk herdacht worden. Hij is mijn kleine broertje. We hebben zijn lichaam nodig en we moeten een arts vinden die ons kan vertellen hoe hij gestorven is en...'

'Luister goed,' onderbrak Tony haar. 'We kunnen niemand ooit vertellen wat er echt met Sam is gebeurd.'

'Maar we weten niet wat er is gebeurd. Dat is het nou juist.'

'Hij is ofwel gestorven aan illegale drugs, ofwel door zelfmoord. Dat is wat er gebeurd is. In beide gevallen komt er alleen maar ellende van als je vader erachter komt.'

'Dat kan me niet schelen,' zei ze. 'Begrijp je het niet? Dat doet er nu allemaal niet toe. Het interesseert me niet wat vader doet.'

'Dat zou je wel moeten interesseren.'

'Waarom? We hebben toch geld genoeg? Zeg alsjeblieft dat het niet om geld gaat.'

Tony schudde zijn hoofd. 'Nee.'

'Wat is het dan?'

Hij leek wel een eeuwigheid stil te blijven zitten, terwijl hij naar haar keek in het lamplicht. Boven hun hoofd begon het harder te regenen. Uiteindelijk zei hij: 'Ik ben niet van plan om te trouwen met zo'n familieschandaal.'

'Wat?' In haar verwarring begreep ze niet wat hij zei, maar ze vermoedde dat het iets belangrijks en afschuwelijks was.

'Mijn vader zal net zo geschokt en boos zijn als de jouwe.'

'Die dingen hebben zo weinig betekenis dat het gewoon lachwekkend is. *Mijn broer is dood.*'

'Een van de redenen dat het huwelijk zo gunstig voor ons is, is de naam Honeychurch-Black. Mijn vader staat nog maar een generatie van de arbeidersklasse af. Je hebt geen idee hoeveel het voor hem betekent om die naam in de familie te krijgen.'

Er viel een steen op haar hart. 'En jij? Vind jij dat ook zo belangrijk?'

Hij haalde zijn schouders op. 'Het is niet onbelangrijk. Kijk niet zo geschokt, Florrie. Ik ben alleen maar praktisch. Jij en ik zijn praktische mensen, nietwaar?'

'Ik geloof mijn eigen oren niet.' Flora's hoofd leek ineens vol te zitten met krankzinnig flapperende vogelvleugels.

'Het is gewoon makkelijker zo. We hoeven niemand iets uit te leggen. Er hoeven geen criminele activiteiten gemeld te worden en Sam laat bij zijn dood alleen herinneringen achter als een jonge, wat grillige, maar uiteindelijk oprechte man. Jouw vader blij, mijn vader blij, het leven gaat door.' Hij liet dit even tot haar doordringen en zei toen: 'Sam zou het zo gewild hebben.'

Ze snoof afkeurend. 'Sam zou dit verafschuwen. Hij had een bloedhekel aan zulke hypocrisie.'

'Nee hoor. Hij was net zo erg als wij allemaal. Grof tegen het personeel, achter de serveersters aan. God, hij is nog geen uur dood en jij maakt al een heilige van hem.'

Ze was in de war door de whisky en het verdriet. Had hij gelijk? Ze leefde in zo'n vreemde wereld van geld en privileges, allemaal tegen de prijs van het verlies van individualiteit en persoonlijke vrijheid. Het leed geen twijfel dat zo'n groezelige dood als die van Sam de reputatie van de familie zou schaden. Maar wat wreed van Tony om daar nu over te beginnen, om haar te vertellen wat een belangrijke rol haar naam had gespeeld bij zijn keuze om met haar te trouwen.

'Wat zeg je ervan, Florrie?'

'Ik wil er niet meer over praten,' zei ze. 'Laat me met rust. Ik moet huilen en slapen en... overal over nadenken. Een leven zonder Sam.' Ze schudde haar hoofd. 'Ik kan het me niet voorstellen.'

'Gebruik je verstand,' zei hij. 'Je bent een verstandige meid.' Hij boog zich voorover en kuste haar wang. 'Je weet waar ik ben als je me nodig hebt.'

De deur sloot achter hem en zij had de aanvechting om hem na te roepen dat hij nooit meer terug hoefde te komen.

De regen kletterde neer.

Violet zat met haar knieën onaangenaam onder haar kin gestoken en een gekromde rug. Rillend, almaar rillend. De rillingen begonnen bij haar huid, onder haar uniform en haar kousen en hemd en onderbroek, en verspreidden zich daarna steeds dieper in haar. Haar bloed rilde. Haar spieren rilden. Haar beenmerg rilde. Haar ingewanden rilden. De regen lekte aan de bovenkant van de bak naar binnen en druppelde er via de vloer weer uit, nadat het water langs haar rug was gelopen en een natte vlek op haar rok had achtergelaten. De bak stonk naar ijzer, modder en bloed – een herinnering aan het feit dat hij vaak was gebruikt voor de levering van een kwart varken of enkele zakken aardappelen.

Ze had een uur lang geschreeuwd, maar haar stem was hier boven de vallei geen partij voor de regen. Maar met de regen kwam warmere lucht. Af en toe stak er een enorme windvlaag op, die de kou van de sneeuw joeg en om haar metalen gevangenis gierde, maar ze wist zichzelf vooral voor bevriezing te behoeden door tot een bal opgerold te blijven liggen, met haar hoofd naar beneden.

Na een uur hield ze op met schreeuwen en begon ze te bidden. Ze bad dat Clive 's morgens wakker zou worden en eigenwijs de berglift kwam repareren. Dat hij niet naar haar vermaningen zou luisteren om in bed te blijven. Dat zijn plichtsbesef sterker was en dat hij haar zou vinden en haar naar de politie zou brengen, waar ze aangifte kon doen van wat er met Sam was gebeurd en van wat Sweetie en Tony hadden gedaan. Ze moest naar een veilige plek; ze had een baby in haar buik, Sams baby. Als ze dit overleefde – en ze was vastbesloten om dit te overleven – dan zwoer ze dat ze alles zou doen wat in haar macht lag om dit kind een zo veilig en gelukkig mogelijk leven te geven.

Deze gedachten bleven maar rondmalen terwijl de nacht zich voortsleepte. Soms doezelde ze even weg op haar knieën, en soms werd ze wakker, herinnerde zich waar ze was en wat er gebeurd was en begon ze opnieuw te huilen. Het rillen ging de hele tijd door. Niet van de kou, niet van angst, maar van verdriet. De genadeloze rillingen van iemand die kwijt is geraakt wat voor haar het dierbaarste in de hele wereld was, onherroepelijk en voor altijd.

26

Flora werd wakker met pijn in alle spieren van haar lichaam. Ze keek slaapdronken om zich heen. Ze lag boven op haar dekens, nog in haar kamerjas. De gebeurtenissen van de vorige nacht kwamen bij haar terug en ze besefte wat deze pijn veroorzaakte. Verdriet. Haar hele lichaam rouwde.

Ze ging rechtop zitten en keek op de klok naast het bed. Het was zes uur in de ochtend, nog grauw buiten het raam, en de regen viel gestaag. Ze stond op en keek naar buiten. De sneeuw smolt tot een vuilgrijze smurrie. Als ze wilden, konden ze vandaag weg. Naar het dorp. Misschien zouden de treinen weer rijden.

Wat had het voor zin om weg te gaan? Weggaan waarheen? Naar huis zonder Sam? Naar haar huwelijk zonder Sam? De rest van haar leven zonder Sam?

Op zware voeten sleepte ze zich naar de badkamer, met zware handen trok ze haar kleren voor die dag aan en daarna ging ze met een zwaar hart doen wat ze wist dat ze moest doen.

Flora klopte zachtjes op Violets deur, gespannen voor het geval dat Tony het zou horen. Geen reactie. Ze klopte nog eens, een beetje harder, een beetje dringender, en zei: 'Violet? Ik moet je spreken.'

Maar Violet hielp natuurlijk beneden het ontbijt klaar te maken. Dat arme meisje had amper een moment rust gehad sinds het was gaan sneeuwen. Flora ging de trap af en bleef onderaan staan luisteren. Alles was stil. Heel stil. Ze liep door de hal en ging naar de keuken. Leeg. Het fornuis was koud.

Het eerste kwetsbare twijgje van bezorgdheid beroerde haar hart. Waar was Violet? Ze nam aan dat Violet overal in het gebouw kon zijn, groot en uitgestrekt als het was. Maar ze zou toch het ontbijt moeten maken. Dus nam Flora een stoel en ging in de koude keuken zitten wachten. Haar maag knorde. Wat verlangde ze naar de dagen van de drukke eetzaal, de volle schalen met warm eten, de eindeloze potten hete thee.

Ze verlangde naar de problemen die ze vroeger had, toen Sam gewoon een man was die te veel opium rookte, maar nog wel warm was en ademde.

Haar eigen adem stokte weer en ze moest haar best doen om lucht in haar longen te krijgen. Dit ging zo niet. Ze mocht zich niet laten overmannen door de schok. Hij was dood. Nu moest ze doen wat ze moest doen, te beginnen met het op de hoogte brengen van de moeder van zijn ongeboren kind.

Maar Violet kwam niet.

Eindelijk hoorde ze voetstappen in de gang en ze stond op, klaar om Violet tegemoet te treden. Ze keek ernaar uit om samen te huilen. Maar degene die in de keukendeur verscheen was niet Violet. Het was de klusjesman die de tekeningen maakte. Meneer Betts.

'Mevrouw?' zei hij, verrast om haar te zien.

'Ik zoek Violet.'

'Ik heb haar vanochtend nog niet gezien. Ik vermoed dat ze nog op haar kamer is.'

'Ze is niet op haar kamer.'

Hij fronste. 'O?'

'Is ze bij juffrouw Zander?'

'Ik kom net bij juffrouw Zander vandaan. Ze is nog te ziek om uit bed te komen. Violet was daar niet.'

Flora sloeg haar hand voor haar mond. Sam was dood, Violet vermist. Hadden ze een of ander dwaas liefdesverbond gesloten?

'Wat is er aan de hand, mevrouw?'

Ze deed een stap naar hem toe en sprak zachter. 'Meneer Betts, wat ik u ga vertellen kan een schok voor u zijn.'

'Wat is er dan?'

'Afgelopen nacht is mijn broer overleden.'

Zijn gezicht betrok. 'Mijn oprechte condoleances, juffrouw Honeychurch-Black. Gaat u alstublieft zitten. Kan ik thee voor u zetten? Misschien is de sneeuw al zo ver gesmolten dat ik de dokter uit het dorp...'

'Luister. Ik maak me zorgen over Violet. Zij en mijn broer waren...'

'Ik weet het,' zei hij, eenvoudig maar veelbetekenend.

'Sam sterft, zij verdwijnt. Ik ben bezorgd dat ze... iets stoms heeft gedaan.'

Ze zag de spanning door zijn magere lijf schieten. 'Acht u dat mogelijk?'

'Ze waren jong en verliefd. Ik wil niet dat zij ook sterft, meneer Betts. Ze heeft iets...' Ze begon weer te huilen, maar hield zich toen in. 'Het spijt me. Ik ben mezelf niet.'

'Het is een vreselijke schok geweest, mevrouw. Dat zoiets gebeurt op een moment als dit, terwijl we geen hulp van buiten kunnen halen, is hoogst ongelukkig. Maar maakt u zich geen zorgen over Violet. Ik weet zeker dat ze hier ergens is, en als ik haar vind, zal ik haar naar u toe sturen voor... het nieuws.'

'Wilt u dat doen?'

'Laat mij u intussen een ontbijt op uw kamer brengen. Ik zal het juffrouw Zander laten weten van uw broer, en zodra het kan zullen we de dokter halen. Zorg voor uw broer. Doe wat er nodig is om hem weer bij uw familie te krijgen.'

Zijn inlevende woorden deden pijn aan haar kwetsbare hart. Deze man, even laaggeboren als zij hooggeboren was, wist beter wat er moest gebeuren dan haar verloofde. 'Ik... geef me wat tijd. U kunt het juffrouw Zander nog niet vertellen. Ik had het niet eens tegen u mogen zeggen. Kunt u het vergeten?'

'Mevrouw?'

Ze legde haar handen tegen haar slapen en kon zich er maar net van weerhouden om te gaan schreeuwen. 'Meneer Betts...'

'Clive,' zei hij. 'Noemt u me Clive.'

'Clive, ik ben in mijn hele leven nog nooit zo ongelukkig en onzeker geweest. Kun je het mij met mijn mensen laten regelen, en jij met de jouwe? Ik zal zorgen voor alles wat er met Sam moet gebeuren. Zoek jij Violet.'

'Natuurlijk, mevrouw.'

'Flora,' zei ze. 'Ik heet Flora.'

Ze haastte zich terug door de hal en over de trap. Clive had gelijk. Ze moest met Tony spreken en hem ervan overtuigen dat ze terug moesten gaan om Sams lichaam te halen. Ze wilde hem daar niet zomaar laten liggen, als een wild dier. Ze wilde doen wat Clive had voorgesteld: juffrouw Zander inlichten, de dokter bellen – Will zou komen. Will zou weten wat hij moest doen.

Boven aan de trap bleef ze staan. Ze hoorde stemmen uit Sams kamer komen. Zijn deur stond open. Een verschrikkelijke huivering ging door haar heen, toen ze zich Sams hallucinaties herinnerde over de dode man die tot leven kwam.

Maar het was Tony's stem, en die van Sweetie. Ze luisterde lang genoeg om zich te realiseren dat ze zijn kamer ontdeden van bewijsmateriaal.

'Alle pijpen,' zei Tony. 'De lamp ook. Alles.'

Nee, niet Sams dierbare spullen. Ze vermande zich al om naar binnen te lopen en te eisen dat ze daarmee ophielden, maar toen nam ze een moment om na te denken.

Tony zou er niet mee ophouden. Sweetie ook niet. Ze hadden geen enkel medeleven voor haar of voor Sam. Ze waren eraan gewend om hun eigen zin te krijgen en zouden haar uiteindelijk klein krijgen met hun weigering, hun gezamenlijke wil. Het enige wat Tony interesseerde was een schandaal vermijden, zodat hij in haar vaders gunst kon blijven. Hij leek ineens een vreemde, een knappe man zonder hart die zijn kille aard maskeerde met een praktische buitenkant. Haar verloofde? Ze zou zijn gedrag van een vijand verwachten, niet van een bondgenoot. Ze huiverde van haar verschrikkelijke eenzaamheid.

Er was er maar één die naar haar zou luisteren, die haar zou zeggen wat ze nu moest doen.

Flora ging naar haar kamer om zich zo warm mogelijk aan te kleden voor de voettocht door de sneeuw naar Will Dalloways huis.

Violet vocht om haar lichaam en geest bij elkaar te houden. Haar achterste was gevoelloos, haar ruggengraat deed pijn en haar gewrichten brandden van het urenlang in dezelfde houding opgevouwen zitten. Het vocht dat zich onder in de bak had verzameld was ijzig koud geworden. Haar vingertoppen waren zo koud dat ze erop moest zuigen om ze niet gevoelloos te laten worden. Zelfs het kleinste béétje verzachting werd haar ontzegd. De nacht verstreek, de regen kletterde neer en ze zat nog altijd in haar ellendige gevangenis met haar angst, haar verdriet en haar honger, en ze vroeg zich af of iemand haar ooit nog zou komen halen.

Maar op een bepaald moment rond zonsondergang dreef ze weg in een half wakende, half slapende toestand waarin ze vreemde dromen had van gangen waarin het spookte. Ze had geen idee hoelang deze mistige sluimering duurde, maar ze schrok wakker bij de eerste glinstering van het daglicht door de kieren van de bak. Nu haar hoofd niet langer tolde van vermoeidheid en angst begon ze zich af te vragen of ze met brute kracht uit de kist zou kunnen breken. Het enige wat de deur dichthield was een grendel aan de buitenkant: een eenvoudige grendel die moest voorkomen dat de deur openviel terwijl de verse levensmiddelen de berg op werden getakeld. Dode varkens en zakken aardappelen probeerden niet te ontsnappen, dus het hoefde niet de sterkste grendel ter wereld te zijn.

Violet schoof naar achteren, zodat haar rug tegen het metaal drukte. Nu zat ze precies in de natte plek en het ijzige water doorweekte haar kleren in een oogwenk. Maar nu kon ze haar benen tenminste een paar centimeter strekken, wat de krampende pijn in haar knieën verzachtte. Toen trok ze haar benen strak tegen zich aan en schopte hard tegen de deur.

Beng!

Het geluid leek oorverdovend en de berglift schudde woest. Violets hartslag versnelde en ze zat even heel stil terwijl de bak weer tot stilstand kwam. Toen ze keek, zag ze dat ze de onderkant van de deur bijna drie centimeter had weten te verbuigen. Ze kon daglicht zien, en vuile smeltende sneeuw in de diepte, ver in de diepte.

Opnieuw trok ze haar benen als een springveer in en – *beng!*

Het schommelen was nu heftiger, maar de hoek van de deur stond nu bijna negentig graden naar buiten gebogen. Ze haalde haar schouders op en begon te worstelen om zich om te draaien, waarbij ze met haar kleren aan de metalen wanden bleef hangen, zodat ze haar gezicht bij het gat kon krijgen dat ze had gemaakt. Ze hing minstens tien meter boven de grond. Zelfs als ze de grendel los kon breken, zou ze er nooit uit kunnen springen. Moest ze dan maar wachten? Uiteindelijk zou er iemand komen. Clive zou komen om de berglift te repareren.

Ze bracht haar mond bij het gat en begon zo hard te roepen dat het pijn deed aan haar keel. 'Help! Help me!' Nu haar stem niet in de bak zat opgesloten kon ze hem door de vallei horen galmen. Iemand moest haar wel horen.

Violet schreeuwde zo lang als haar stem het uithield, en daarna leunde ze met haar hoofd tegen de deur en huilde hulpeloos.

Na wat een eeuwigheid leek – ze zou niet kunnen zeggen hoelang, omdat ze elk gevoel voor tijd kwijt was – ging er een schok door de bak.

Ze schrok, meteen alert. Ze had geen windvlaag gevoeld. Had iemand haar gehoord? Was het Clive?

De bak schokte weer en begon aan zijn lange, hortende reis terug naar het hotel. 'Dank u, God, dank u,' zei ze. Ze had warmte nodig, het houtfornuis, hete thee, iets substantieels om te eten.

Langzaam, langzaam terug. Toen zag ze de grond. Ze zag mannenschoenen, en de angst vlamde in haar op omdat het niet Clive's schoenen waren. Clive had nooit zulke dure schoenen gehad. De tijd leek te vertragen terwijl de man aan de grendel prutste.

Alles wat er daarna gebeurde, voltrok zich in een schokkerig, te fel verlichte waas. De deur ging open en daar stond Sweetie, Tony's ploertige vriend. Tony was nergens te bekennen en iets aan dit feit veranderde Violets maag in water. Met Tony viel tenminste nog te praten. Maar deze man liet haar duidelijk merken dat hij haar amper als een mens beschouwde. Voor ze kon schreeuwen stak hij zijn armen uit en hield haar mond dicht met zijn grote hand, en vervolgens sleurde hij haar uit de bak, ondanks haar pogingen om te trappen en van zich af te slaan, en smeet haar op de grond. De wereld zag er heel anders uit dan de avond daarvoor. De glanzend witte sneeuwhopen waren weggesmolten tot een vieze smurrie. Hij drukte haar met een voet op haar rug tegen de grond, met haar mond in de sneeuw gedrukt zodat ze geen adem kon krijgen en niet kon schreeuwen, en bond haar handen achter haar rug. Toen trok hij haar hoofd omhoog aan haar haar en bond een doek – Een stropdas? Een sjaal? – tussen haar tanden en daarna nog eens over haar mond. Ze probeerde om hulp te roepen, maar haar enige geluid was een schor gehijg.

Hij tilde haar ruw in zijn armen, met haar gezicht naar beneden. Ze schopte zo hard als ze kon maar hij liep door, de treden af naar de wandelpaden. Violet boog haar polsen heen en weer om haar boeien wat losser te maken, maar hij rammelde haar ruw door elkaar en zei: 'Hou daarmee op als je weet wat goed voor je is.'

Ze hield op, en haar hartslag raasde in haar eigen oren. Ze wist niet wat hij van plan was en ze wilde hem niet nog bozer maken.

Onder aan de wegwijzer lag nog steeds een berg sneeuw opgehoopt. Op andere plekken was de sneeuw ongelijkmatig gesmolten. Ze keek naar Sweeties voeten. Soms kwam de sneeuw tot boven zijn enkels, maar nooit tot boven zijn knie. Hij moest inmiddels kletsnatte voeten hebben, en koude ook. Goed zo. Ze hoopte dat hij boette voor de afschuwelijke dingen die hij voor haar in petto had, wat ze ook waren.

Ze liepen het kronkelende wandelpad af. Ze kon de watervallen al horen. Ze dacht aan de middag dat ze Sam daar had ontmoet, de duik die ze bij de waterval hadden genomen, bijna naakt. Het leek pijnlijk recent en tegelijkertijd verschrikkelijk lang geleden. In een onschuldiger tijd. Voor de dood en... wat deze ochtend ook zou brengen.

Als hij haar niet gekneveld zou hebben, was ze nooit stil geweest. *Wat ga je met me doen? Ik ben zwanger, je mag me geen pijn doen. Ik heb je niets gedaan, laat me gaan.* Maar ze zou vooral geschreeuwd hebben. Alle namen die ze kon bedenken. Clive. Flora. Tony. Juffrouw Zander. Want ze was bang voor wat hij van plan was. Ze wist niet hoe ver hij zou gaan om haar te straffen, om haar het zwijgen op te leggen.

Wat ze zich nooit had kunnen voorstellen was dat hij van plan was haar te doden.

Toen ze de poel naderden, laaide de paniek als een vuur in haar op. *Nee, nee.*

'Ik heb je hier met hem gezien,' zei Sweetie bars. 'Je dacht dat niemand keek, maar ik keek wel. Ik zag je. Uitgekleed als de hoer die je bent. Later deed je alsof je te fatsoenlijk, te keurig voor mij was. Maar ik weet wat je werkelijk bent.'

Ze bokte heftig met haar lijf, probeerde zich uit zijn armen los te worstelen, maar hij had haar stevig vast.

'Dus als Tony tegen me zegt dat we moeten zorgen dat jij je mond zult houden, weet ik wel hoe ik dat moet aanpakken.' Hij waadde het water in en smeet haar in het diepste deel van de poel.

Ze zonk en zonk, terwijl ze als een gek met haar benen trappelde, met haar armen onbruikbaar achter haar rug gebonden. Ze vocht tegen de touwen om haar polsen, kon ze niet loskrijgen. Haar hart klopte verwoed, haar longen zaten verstopt en vol wanhoop. Ze krulde zich op terwijl ze steeds dieper wegzonk en probeerde haar armen onder haar heupen door te brengen zodat ze ze voor haar lijf kon trekken. Het lukte niet. Ze schopte tegen de bodem van de poel, zette zich af, maar het oppervlak was domweg te ver en ze had geen lucht meer.

Woest trok ze haar handen uit elkaar, trekkend en trekkend, in de hoop dat ze de knopen niet strakker aantrok. Langzaam kwamen ze los. Ze duwde haar handen voor zich door het water en zwom naar boven. Voor zich zag ze borrelend, woelig water en ze wist dat de waterval daar neerviel. Als ze achter de waterval bovenkwam, zou Sweetie haar misschien niet zien.

Lucht. Ze had lucht nodig. Maar ze moest voorzichtig ademen.

Haar gezicht brak door de waterspiegel en ze trok de stropdas van haar mond. Ze hapte naar lucht. Water stroomde haar mond in en ze ging weer onder. Ze had hem niet gezien. Was hij al weg? Ze dook weer op en hief alleen haar gezicht uit het water op. Ze haalde adem, keek om zich heen. Alles werd vervormd door het gordijn van vallend water. Sweetie was nergens te zien.

Toch bleef ze achter de muur van water. De zijden stropdas waarmee hij haar handen had vastgebonden hing nu slap aan een van haar polsen. Ze wachtte tot haar hartslag kalmer zou worden, maar dat gebeurde niet. Nu was ze nat, ijskoud en buiten. Ze kon niet terug naar het hotel – Sweetie zou daar zijn, en ze wist niet of Tony en Flora in het complot zaten – maar als ze hier bleef, zou de kou haar zeker doden. Het enige begaanbare pad liep terug naar het hotel. Verder was het overal ruw terrein, bedekt met sneeuw.

Haar lichaam begon te rillen met zulke enorme, schokkende bewegingen dat ze bang was ter plekke in het water te sterven. Ze moest eruit. Ze moest naar de Grot der Geliefden.

Violet zwom naar de ondiepe kant van de poel en liep er struikelend uit. Haar lichaam voelde aan alsof het uit elkaar zou trillen. Ze kon nauwelijks lopen en haar adem ging moeizaam. Overal om haar heen viel de regen neer. Viel en viel, alsof de hemel het niet kon verdragen om de gruwelen te zien die zich beneden afspeelden en ze wilde wegspoelen. Violet had beschutting nodig, en snel ook.

Ze begon het pad op te lopen. Haar voeten glibberden onder haar weg in de papsneeuw. Haar longen brandden. De lange spieren in haar dijen voelden aan alsof ze in boter waren veranderd. Ze had kippenvel en zag blauw.

Violet begon te vermoeden dat ze het niet zou halen. Ze ging op een grote steen zitten.

'Sam, Sam,' zei ze. 'Wat moet ik nu?'

Haar gebroken hart sleepte haar lichaam mee. Ze legde haar gezicht op haar knieën en wachtte op de dood. Maar toen vermande ze zich: zij was niet de enige die dood zou gaan. Sams kind zou met haar sterven.

Ze zoog moeizaam lucht in haar longen, zei tegen haar hart dat het steviger moest slaan en dwong haar bloed om helemaal tot in haar tenen en vingers en neus door te stromen. 'Sta op,' zei ze tegen zichzelf. 'Sta op.'

Ze stond op. Ze liep nog een stukje, en dwong zichzelf toen om nog een stukje verder te gaan. Ze stopte en rustte, en dwong zichzelf toen nogmaals.

Toen hoorde ze een geluid dat haar hele lichaam warm maakte. Een stem. Niet de afschuwelijke stem van Sweetie.

De stem van Clive. 'Violet? Violet?'

'Hier!' riep ze met een stem die zo zwak was dat ze er bang van werd.

Toen hoorde ze voetstappen, dreunende voetstappen, terwijl hij zo snel als hij kon door de smurrie en de sneeuw holde. Hij was er, handen grepen haar schouders. 'Je bent doornat. We moeten je naar het hotel zien te krijgen.'

'Nee. Heb je Sweetie gezien, op weg naar beneden?'

'Ik heb niemand gezien. Hoezo?'

'Hij heeft me de hele nacht in de berglift opgesloten en vanochtend heeft hij geprobeerd me te verdrinken.'

'Wat? Ik... Violet, we moeten je op een warme plek zien te krijgen. Je ziet blauw.'

'Ik kan niet terug naar het hotel. Ik weet niet wat er gebeurt. O, Clive. Sam is dood. En Tony en Sweetie denken dat ik er iets over weet en ze zijn tot alles in staat om het verborgen te houden.'

'De grot,' zei hij.

'Daar was ik naar op weg.'

Hij legde zijn arm om haar heen. 'Kom mee, dan. De regen uit.'

Toen ze hem niet bij kon houden, tilde hij haar op zodat haar voeten rakelings over de sneeuw sleepten en zette haar even later weer neer zodat ze zelf een paar stappen kon doen. Ze klampte zich hongerig aan hem vast, aan zijn lichaamswarmte. Ze beklommen de laatste paar rotsachtige treden naar de grot en toen waren ze eindelijk de regen uit.

Clive was zijn overjas, sjaal, muts en handschoenen al aan het uittrekken. 'Doe die natte kleren uit,' zei hij.'

'Ik kan me bijna niet bewegen,' antwoordde ze, terwijl haar trillende vingers over haar knopen sprongen.

Hij kwam naar haar toe en bleef een paar centimeter voor haar staan. Zijn gezicht stond verdrietig en ze begon te huilen.

'Hij is er niet meer, Clive, hij is er niet meer.'

'Ik weet het. Ik heb vanmorgen zijn zus gesproken.' Hij overbrugde de afstand tussen hen en maakte haar knoopjes een voor een los, zo voorzichtig en geduldig als een ouder die een kind uitkleedt. Hij liet de jurk van haar schouders glijden en hij landde aan haar voeten. Voor het fatsoen liet hij haar haar ondergoed aanhouden. 'Het spijt me als je je hier ongemakkelijk bij voelt,' zei hij, terwijl hij zijn eigen overhemd en broek uittrok zodat hij daar in zijn lange onderbroek stond, 'maar je moet kleren aan.' Hij bood ze haar allemaal aan. 'Trek dit aan.'

Ze gebaarde dat hij zich om moest draaien en ze wurmde zich uit haar natte ondergoed, kousen en schoenen. Toen wikkelde ze zijn kleren om zich heen en bond de broek om haar middel vast met de vochtige stropdas die nog om haar pols zat. Daarna zijn overhemd, sjaal, jas. Directe opluchting. Hij trok zijn rubberlaarzen uit, dezelfde die zij had gedragen op haar genadetocht naar Malley, plus zijn sokken, en bood ze haar aan.

'Dan krijg jij het koud.'

'Ik ben niet kletsnat. Ik red het wel.'

Ze trok de laarzen aan maar sloeg de sokken af. Blote voeten in deze kou was te veel om van hem te verlangen. Ze nam zijn muts en handschoenen dankbaar aan en zakte toen op de bodem van de grot in elkaar. Hij ging naast haar zitten, met zijn schouder tegen haar aan gedrukt.

'Je vindt het toch niet erg?' zei hij, doelend op hun nabijheid. 'Lichaamswarmte.'

'Natuurlijk vind ik het niet erg.' Ze leunde tegen hem aan. Minuten verstreken. De regen viel in stromen neer, maar zij zaten droog. De rillingen begonnen af te nemen. Haar vermoeide hersenen begonnen te kalmeren.

'We zullen naar het dorp moeten lopen,' zei Clive. 'Als het stopt met regenen.'

'Het lijkt alsof het nooit meer zal stoppen.'

'Je ziet er zo moe uit,' zei hij.

'Ik heb niet geslapen. Ik heb pijn en verdriet en angst.'

'Je kunt nu wel slapen.' Hij trok haar naar beneden, verschoof wat zodat hij tegen haar aan lag met zijn armen om haar heen. 'Slaap maar. Je bent warm en veilig.'

De bodem van de grot was koud en ruw onder haar, maar de vermoeidheid tot in haar botten reageerde op zijn vriendelijkheid, zijn warmte. 'Ik doe even mijn ogen dicht,' zei ze.

'We kunnen elkaar wel warm houden,' zei hij.

Ze lag daar met haar ogen open en Clive's arm om haar middel. Ze keken naar de regen, die buiten eindeloos bleef vallen. Haar blik ging naar het uitgekerfde stenen hart, met Sams initialen er nog bij. Sam was weg, maar het teken van haar liefde zou daar lang na vandaag nog altijd staan, lang nadat de baby was geboren, lang nadat ze gestorven was. Iets aan die gedachte bracht een glimlach op haar gezicht en de sluier van de slaap daalde neer.

27

Flora had zich zo goed mogelijk ingepakt, en natuurlijk had ze een paraplu bij zich. Maar ze had er niet op gerekend dat de regen eronder zou spatten en dat er smeltende sneeuw in haar laarzen zou komen.

Ze was blij toen ze zag dat er nog meer mensen buiten waren; dat de grote, isolerende sneeuwval zijn greep op de wereld kwijt was. Een man die in lagen warme, waterdichte kleding was gehuld, veegde de sneeuw van het treinperron en een tractor maakte de wegen aan weerszijden van het treinspoor sneeuwvrij. De rails zelf waren ook vrij, dus zonder twijfel zouden de treinen binnenkort weer rijden. Waarschijnlijk vandaag al. Het leven begon weer.

Maar niet voor Sam.

Flora was doornat en ijskoud toen ze de treden voor Will Dalloways huis beklom en ze bedacht voor het eerst dat hij er misschien niet eens was, dat hij een van die slimme mensen zou kunnen zijn die voor de sneeuwstorm naar Sydney waren geëvacueerd. De gedachte perste de adem uit haar longen. Ze hief vermoeid haar hand op en greep de klopper met haar handschoen. Ze gaf drie harde tikken en stapte naar achteren om te wachten.

Bijna onmiddellijk hoorde ze voetstappen binnen. De deur ging open en daar stond Will.

'Flora,' zei hij, verrast.

'Will, je moet me helpen.'

'Kom binnen. Kom binnen. Ik heb een vuur aan in de zitkamer. Wat is er gebeurd?'

Ze liep achter hem aan naar binnen, de deur door met PRIVÉ erop.

Zijn huis was warm en netjes. Hij trok de oorfauteuil dicht bij het vuur en bood hem haar aan.

'Ga zitten,' zei hij.

'Mag ik mijn schoenen uittrekken?'

'Natuurlijk. Ik kan niet geloven dat je in dit weer bent gekomen. Ik heb al in dagen niemand gezien.'

Ze knoopte haar schoenen los en trok ze uit. Haar kousen waren doorweekt, maar ze had liever natte kousen aan dan dat ze ze uittrok waar Will bij was, en hij leek het niet te merken. Ze strekte haar voeten uit naar het vuur en de warmte was doordringend en aangenaam.

Wil trok een poef naast haar en ging erop zitten. 'Wat brengt je hier?'

Flora haalde diep adem en het hele verhaal kwam eruit. Sams ontwenningsverschijnselen, de vondst van zijn lichaam, Tony die haar onder druk zette om het lichaam in de wildernis kwijt te raken, Violets verdwijning. De hele tijd raakte hij haar niet aan en maakte hij geen geluid. Hij luisterde, geschokt maar stil, met zijn ogen strak op de hare gericht. Haar stem leek eindeloos te spreken in de warme, door het vuur verlichte kamer, tot hij uiteindelijk zachter werd en stilviel.

'O, Flora,' zei hij. 'Ik weet niet hoe ik mijn medeleven moet uitdrukken.'

'Kun je me helpen?'

'Ik zal doen wat ik kan. Waar wil je mijn hulp het liefst bij hebben?'

'Hoe is hij gestorven? Je zei dat de onthouding hem niet zou doden.'

Will knikte verdrietig. 'Dat etui met de naald die jij hebt gevonden. Dat klinkt alsof iemand een injecteerbaar middel voor hem heeft gevonden om zijn pijn te verzachten. Er is een injecteerbaar opiaat dat heroïne heet, en dat werkt heel snel. Helaas is het veel sterker dan wat hij gewend is. Als je te veel inspuit...'

'Dus dat heeft hem gedood?'

'Ja. Dat zou ik denken.'

'Maar hoe komt hij eraan? Hij kon het hotel niet uit. Hij kon amper zijn kamer uit...'

Flora zat doodstil toen het antwoord haar duidelijk werd. Het was Violet. Violet, die alles zou doen om Sams pijn te verlichten. Violet, die Flora die dag met blozende wangen en vochtig haar had gezien, alsof ze buiten rond had lopen dwalen. Violet, die niet kon weten dat haar daden zijn dood zouden betekenen. Woede en medelijden streden in Flora's borst.

'Dit is afschuwelijk,' fluisterde ze, terwijl ze naar het vuur in de haard keek. 'Een nachtmerrie.' Toen hief ze haar hoofd op om Will aan te kijken. 'Ik wil zijn lichaam zoeken en ik wil hem naar huis brengen om hem fatsoenlijk te begraven. Het kan mij niet schelen wat vader ervan vindt.'

'Ik kan helpen. Zodra het wat opklaart, zodra de weg weer open is. Later vandaag, morgen misschien. Ik ga er zelf heen en zal hem zoeken.'

'Goed. Dank je. Als vader me onterft... ach, dan overleef ik dat ook wel weer. En als Tony niet meer met me wil trouwen omdat mijn naam is bezoedeld, wil ik niet meer met Tony trouwen.' Ze viel stil en luisterde terug naar haar eigen woorden. *Ik wil niet meer met Tony trouwen.* De gedachte gaf haar zoveel vrijheid. 'Ik wil niet meer met Tony trouwen,' zei ze nog eens, met meer nadruk.

'Dat moet je ook niet doen als hij alleen interesse heeft in...'

'Nee, nee. Je begrijpt het niet. Ik bedoel: onder geen beding. Ik wil hem niet.'

Wills ogen waren zacht. 'Hou je niet van hem?'

'Ik weet het niet meer. Hij is niet de man die ik dacht dat hij was. Er is iets kouds in zijn hart. Zijn vrienden zijn verschrikkelijk. Het zijn slijmballen of ploerten. En soms allebei.' Het idee van een leven dat niet aan de mening van haar vader of Tony onderworpen was, leek onmogelijk aangenaam. 'Moet ik met hem trouwen?'

Will glimlachte. 'Dat heb ik nooit gedacht.'

Ze glimlachte naar hem terug en hield zich toen in, omdat het verkeerd voelde om te lachen op de eerste dag na Sams dood. 'Eerst het belangrijkste. Vind Sam.'

'Eerst het belangrijkste. Laat me je thee en iets te eten geven terwijl we wachten tot de regen afneemt. Misschien kan ik vanavond mijn auto uit de garage halen, en dan kunnen we hulp halen bij wie je maar wilt: juffrouw Zander, de politie, je familie: wie je maar denkt dat kan helpen. Maar tot die tijd hou ik je warm en veilig hier, en hoef je je geen zorgen te maken. Spaar je energie maar om te rouwen.'

Impulsief stak ze haar hand naar hem uit, nam zijn handen in de hare en streelde zijn knokkels. Hij keek van haar hand naar haar gezicht, en ze kon de tederheid in zijn ogen zien.

'Je bent een geweldige man, Will Dalloway,' zei ze.

Hij onderdrukte een glimlach, trok zacht zijn hand terug. 'Ik ga thee zetten,' zei hij.

Flora leunde achterover in de stoel. En terwijl ze diep ademde en naar het vuur keek, liet ze de tranen vrijelijk over haar warme wangen stromen.

Violet werd wakker van een krassend geluid. Gedesoriënteerd knipperde ze snel met haar ogen. Ging verliggen. Voelde de harde grond onder zich en wist weer waar ze was.

Wat was dat voor geluid? Waar was Clive? Ze ging overeind zitten. Clive, alleen gekleed in zijn lange onderbroek, zat voor de steen gehurkt, de steen met het ingegraveerde hartje, en hakte er woedend op los met een scherpe steen. Maar dat was het krassende geluid niet.

Dat geluid was zijn hoest.

'Wat doe je?' vroeg ze, slaapdronken en rauw.

Hij liet de steen vallen en keek betrapt om.

'Waarom doe je dat?' vroeg ze.

'Omdat hij je niets dan leed heeft bezorgd.'

'Ik hield van hem,' protesteerde ze. 'Hij is de man van wie ik hield, en hij is gestorven en dan doe jij zoiets... kleingeestigs?'

Hij hoestte weer, een scheurende hoest diep in zijn borst die zij alarmerend vond.

'Hoelang heb ik geslapen?' vroeg ze.

'Een paar uur,' antwoordde hij.

Ze stond op en trok zijn overjas uit. 'Hoelang hoest je al zo?'

'Nog maar een uur of twee. Nee, hou jij die jas maar.'

Toen ze haar hand naar hem uitstak, voelde ze dat zijn huid gloeiend heet was. 'Je hebt koorts.'

Hij haalde zijn schouders op. 'Dat had ik al toen ik vanochtend het hotel uit ging. Het is gisteravond opgekomen.'

'Maar toch ging je de kou en de nattigheid in en kleedde je je tot op je ondergoed uit?'

'Wat moest ik anders, Violet? Flora was bang dat jij in de problemen zat, en ze had gelijk. Dus ben ik je gaan zoeken.'

Ze keek van hem naar het doorgekraste hartje en weer terug.

Zijn stem werd zacht. 'Dat is wat echte liefde is, Violet. Geen lege beloftes, tekeningen op de rotsen en onstuitbare begeerte.' Hij keek nadrukkelijk naar haar buik. 'Echte liefde is opoffering en onbaatzuchtigheid. Vertel me eens van één keer dat die man onbaatzuchtig was, één ding dat hij voor jou heeft opgegeven.'

Ze kon hem geen antwoord geven. Wilde hem geen antwoord geven. 'Trek je jas weer aan. Ik ben nu droog. We delen de kleren.'

Hij trok de jas aan en zij deed de sjaal af en wikkelde die stevig om zijn hals. Ze hoorde het piepende geluid waarmee hij inademde, uitademde, en zag het dunne zweetlaagje op zijn bovenlip.

'Het spijt me,' zei hij terwijl zijn ogen afdwaalden naar het hart. 'Dat was kinderachtig van me.'

Violet herinnerde zich dat Sam Clive's naam op haar portret had doorgekrast en dat maakte het makkelijk om het hem te vergeven. 'Je bent erg ziek.'

'Maak je geen zorgen over mij.'

Ze raakte zijn voorhoofd aan. Hij gloeide van de koorts.

'We kunnen nu niets doen,' zei hij. 'We moeten wachten tot het minder hard regent.'

Dus zaten ze daar stil te wachten en te wachten. Het leek eerder harder dan minder hard te gaan regenen. Zijn hoest werd erger. Er verstreek een uur, twee uur. Hij ging snel achteruit, afschuwelijk duidelijk, recht onder haar ogen.

Violet kon er niet meer tegen. 'We moeten hulp halen.'

'Maar de regen...'

'Ik ga wel.'

'Dat is waanzin. Als Sweetie of Tony op de wandelpaden is...'

'Ik ga niet over het wandelpad. Ik zoek wel een andere route. Er staan huizen op het klif, ten westen van het hotel. Daar zal iemand wel helpen.'

Clive hoestte weer, zo lang dat Violet bang was dat hij nooit meer lucht zou krijgen. Toen zei hij eindelijk: 'We gaan allebei. Ik heb onderdak nodig, vuur. Ik ga hier dood.'

Ze begonnen hun klim vanaf de andere kant van de grot, naar een richel die naar een smalle kloof leidde, steil maar begaanbaar. Clive klom als eerste omhoog en stak toen zijn hand naar beneden om Violet te helpen. Ze liepen naar boven, over boomwortels en rotsblokken heen. De regen doorweekte hen binnen een paar minuten tot op het bot. Toen ze bij een spleet tussen twee grote rotsblokken kwamen, ging Violet er eerst doorheen, zijwaarts en met ingehouden adem. Haar heupbotten bleven steken, maar gleden er toen door. Clive kwam vast te zitten en bleef even tegen de rots geleund staan, hoestend en hoestend.

'Ga terug als je er niet door kunt.'

'Ik kan niet terug. We moeten deze kant uit duwen.' Met een enorme krachtsinspanning sleepte hij zich erdoorheen, schreeuwend van de pijn toen de rotsen zijn kleren scheurden en zijn huid opensneden. Bloed parelde ter hoogte van zijn nieren.

'Je bent gewond,' zei ze.

'Het is maar een schaafwond. We moeten door.'

Ze kwamen bij een enorme overhangende rotspunt. Er lag geen sneeuw onder, maar de grond was groen en slijmerig van vele jaren zonder zonneschijn. Ze liepen eronderdoor, hurkend bij een dramatische daling van de rots, en kwamen aan de andere kant uit op een steile, dichtbeboste helling. De regen en gesmolten sneeuw stroomden ervanaf, dwars door hun schoenen.

'Omhoog,' zei hij.

Violet begon te lopen, sjokkend, met bonkend hart, zich vasthoudend aan zaailingen of stenen en soms op handen en voeten kruipend. Omhoog en omhoog, achter Clive aan, die af en toe stilstond als zijn lichaam verscheurd werd door het hoesten. Drie meter boven hen konden ze nu de rand van het klif zien. Maar die laatste drie meters vormden geen begaanbare helling. Het was een loodrechte rotswand.

Clive bleef staan. Ging zitten. Zijn huid was asgrauw.

'Hoe komen we daar?' vroeg ze.

'We moeten klimmen.'

Haar ogen zochten naar handgrepen: kleine uitsteeksels, holtes, stevige plantenwortels. Ze had het koud en was zo moe dat het pijn deed.

Ze merkte dat Clive zat te snikken. Het verlies van zijn moed joeg haar doodsangst aan.

'Clive, het lukt wel.'

'Ga jij maar. Ga jij maar. Ik kan geen stap meer zetten.'

'Ik ga niet zonder jou.'

'Als je gaat, overleef je dit.'

'Je moet mee.'

'Zie je het niet? Ik kan het niet. Ik heb me te veel geforceerd. Ga. Leef je leven en word gelukkig.'

Violet keek naar de rotswand en stippelde een route voor hen uit. Toen greep ze Clive bij zijn onderarm en trok hem overeind. 'Ga staan!' gebood ze. 'Clive Betts, als jij dit doet, beloof ik met je te trouwen.'

Hij stond op, zwak. 'Violet, speel niet met mijn hart. Niet op een moment als dit.'

'Ik ben volkomen serieus. Als jij daarop klimt en we halen de top – samen – dan trouw ik in het voorjaar met je.'

'Waarom?'

'Omdat je een goed mens bent, met een goed hart, en ik een goed leven met je zal hebben.'

Clive keek op, liep toen een paar meter langs de richel tot hij een rots had gevonden om op te staan. Violet kwam vlak achter hem aan, reikend naar handgrepen, takken gebruikend als wankele voetsteunen. Ze zeiden geen van beiden iets. De klim was maar drie meter, maar het had net zo goed tien kilometer kunnen zijn nu de regen en de glibberige rots hen naar beneden probeerden te dwingen. De hele tijd bulderde haar hart en sprong de elektriciteit door haar aderen. Ze stootte haar armen en benen, verrekte haar spieren, maar ze zou zichzelf de volgende dag pas toestaan om het te voelen. Op dit moment moest ze doorgaan, haar overleving veiligstellen, de overleving van haar dierbare vriend veiligstellen. Doorgaan.

En ze gingen door, tot ze ten slotte over de rand heen klauterden. Ze liepen een korte helling op en een eucalyptusbos in.

Clive sloeg dubbel, happend naar adem. Violet ving hem op, bang dat de inspanning hem te veel zou worden. Maar toen kwam hij overeind, rechtte zijn rug en wees naar een huis in de verte. 'Daar,' zei hij. 'Rook uit de schoorsteen. Er is iemand thuis.' Hij strompelde voorwaarts maar bleef weer staan, met zijn handen op zijn knieën.

'Laat me je helpen,' zei ze, met haar arm om zijn middel. Hij steunde op haar en ze zakte bijna ineen onder zijn gewicht. Maar ze ploeterde voort, de ene voet voor de andere, door het drijfnatte bos. Het huis kwam duidelijker in zicht. Clive liep te schokken van de hoest, maar ze zetten door. De treden op, bonken op de achterdeur.

Een bejaarde dame met sneeuwwit haar deed met een geschrokken blik op haar gezicht de deur open.

'Alstublieft,' zei Violet. 'Help ons alstublieft.'

En Clive kantelde voorover en viel aan de voeten van de oude vrouw op de vloer, bleek en slap.

Flora bewoog zich een hele tijd niet. Ze was zich bewust van Will, die zijn dagelijkse dingen deed, naar de spreekkamer heen en weer ging, met boeken en papierwerk rondliep. Van tijd tot tijd gaf hij haar thee of toast met boter of raakte hij alleen even haar schouder aan. Ze bevond zich in een toestand van respijt, na het afschuwelijke verleden en voor de onzekere toekomst; ze zat daar alleen maar, ademde en keek naar het vuur terwijl buiten de regen neerkletterde.

De klop op de deur bracht haar weer tot leven. Ze hoorde Wills voetstappen en hoorde hem zeggen: 'O mijn god.'

Een tel later was Flora haar stoel uit en op weg naar de deur, waar ze bijna tegen Will aan botste die een huiverende, kletsnatte Violet onder zijn hoede had, gekleed in slecht passende mannenkleren. Haar lippen waren blauw en haar adem gejaagd.

'Violet!' riep Flora uit. 'Breng haar naar het vuur. O, lieve god, wat is er met jou gebeurd?'

'Clive,' wist het meisje uit te brengen. 'Clive is... verschrikkelijk ziek. Ik ben komen rennen... Ik ben zo snel komen rennen als ik kon.'

Flora keek op naar Will. 'Clive Betts werkt in het hotel.'

'Is hij gewond?' vroeg Will.

'Hij... hoest. Kan niet goed ademen. Hij was ziek. Dacht dat hij gewoon verkouden was. Is veel, veel erger.'

Will ving Flora's blik. 'Zorg dat ze warm en droog wordt. Ik ga naar hem toe.'

'Niet in het hotel,' wist Violet uit te brengen. 'Het witte huisje ten westen van de Evergreen Spa. Waar mevrouw Huntley woont.'

'Ik ken het.'

'Kun je wel rijden over de wegen zoals die nu zijn?' vroeg Flora.

'Ik rij zover als dat kan en daarna ren ik,' zei hij. 'Zorg dat ze warm wordt. Ze is in shock. Misschien ook onderkoeld. Warm en droog.' Toen haastte hij zich weg.

'Violet, je moet die kleren uitdoen,' zei ze. 'Begrijp je dat?'

Violet knikte en begon zich uit te kleden. Haar huid was wit en ze had kippenvel. Flora liep door de gang naar Wills badkamer – netjes, geurend naar hout en kruiden – en haalde een handdoek. Toen ze weer in de zitkamer kwam, was Violet spiernaakt en stond ze met haar rug naar Flora toe. Ze was een mager ding, met ronde heupen en een smalle taille. Flora ging achter haar staan, sloeg de handdoek om haar heen en draaide haar toen om.

'Ga zitten. Ik zal deze vochtige kleren wegbrengen en kijken of ik iets anders voor je kan vinden om aan te trekken. Maar ga dicht bij het vuur zitten en zorg dat je warm wordt.' Het meisje had een bezeten, onrustige uitdrukking op haar gezicht. 'Niet weglopen, goed? We hebben een heleboel om over te praten.'

'Zal ik niet doen.'

Flora vond Wills slaapkamer en bracht Violet zijn dikke ochtendjas en een paar wollen sokken. Toen ging ze naar de keuken, waar ze een pot thee zette en wat brood roosterde. In de kamer naast haar, zittend voor het vuur, bevond zich degene die Sam had vermoord. Flora worstelde met haar gevoelens. Aan de ene kant wilde ze gillen en tieren tegen Violet. Aan de andere kant wist ze dat het een verschrikkelijk ongeluk was geweest. Een ongeluk dat in een heleboel opzichten niet te vermijden was geweest.

Ze zette de thee en het geroosterde brood op het theeblad en droeg het naar de zitkamer. Flora zette het op de vloer en ging naast Violet zitten, die nog steeds zat te rillen onder haar kamerjas. Flora herinnerde zich dat Violet zwanger was – zwanger van Sams kind. Ze wist dat Violet geen misdadiger was – ze was het slachtoffer. Een naïef meisje dat voor de verkeerde man was gevallen en daar de hoogste prijs voor had moeten betalen: haar toekomst. Niet alleen zou Flora Violet geen verwijten maken over Sams dood, ze zou haar zelfs nooit vertellen dat zij die veroorzaakt had.

Flora gaf Violet een kop thee en zij pakte hem aan, nam een slokje en zei: 'Ik weet dat je me niet zult geloven, maar Sweetie heeft geprobeerd me te vermoorden.'

Het was zo ver. Hier was de onzekere toekomst waar Flora zo bang voor was geweest. Het zoete moment van respijt in de oorfauteuil was afgelopen. Nu zat ze te luisteren naar een verhaal als uit een nachtmerrie: Violet had een gesprek over Sams dood opgevangen, Tony had haar het zwijgen willen opleggen en Sweetie had de taak op zich genomen om dat zwijgen permanent te maken. En hoewel het schokkend was, verraste het haar misschien minder dan had gemoeten. Sam had haar altijd al gewaarschuwd dat Tony een bruut was.

Flora liet Violet uitspreken, hield haar toen stevig tegen zich aan en liet haar uithuilen.

Na een paar minuten vroeg Flora: 'Wat is je mooiste herinnering aan Sam?'

Violet leunde achterover en keek niet-begrijpend.

'Zeg het maar,' zei Flora. 'Jij hield net zoveel van hem als ik. Vertel me je mooiste herinnering. Het kan me niet schelen wat het is.'

'Hij nam me mee naar de lege balzaal, heel laat op de avond,' antwoordde Violet. 'We dansten bij het lamplicht, zonder muziek. Het was net... magie.' Ze snoof. 'En die van jou?'

'Toen hij negen was, heeft hij een keer een boekje voor me gemaakt. Op elke bladzijde plakte hij een gedroogde bloem en op de bladzijde ernaast schreef hij een verhaal over die bloem. Sommige waren afschuwelijk: het arme madeliefje kwam heel akelig aan haar einde onder de hoeven van een trekpaard.' Ze lachte en Violet lachte met haar mee. 'Maar het was zo'n bijzonder cadeau. Hij was zo ongeremd in zijn liefde voor mij. Ik heb het nog steeds ergens thuis.' Toen herinnerde ze zich iets en ze glimlachte. 'Er zat ook een viooltje in – een Violet.'

'Wat gebeurde er met haar?'

Flora wist het niet meer. Het verhaal was zoekgeraakt in de duistere krochten van haar geheugen. Dus zei ze: 'Het viooltje sloeg zich door moeilijke tijden heen, met een sterke geest en een vrolijk hart.'

Violet glimlachte door haar tranen heen en liet haar handen op haar buik vallen. Flora bedacht dat als ze Sam zouden vinden, als er een onderzoek naar zijn dood zou komen met politie en artsen erbij, ze waarschijnlijk zouden ontdekken hoe hij gestorven was en dat Violet daarbij betrokken was. Op dat moment wist ze dat ze mee zou gaan in het bedrog – niet voor Tony of haar vader, maar voor Sams kind.

'Violet,' zei ze, 'zodra de trein weer rijdt moet je hier weg. Je moet verdwijnen. Ik weet niet waartoe Tony in staat is, maar ik zou het prettig vinden als jij en de baby ver van Hotel Evergreen Falls vandaan waren.'

'Ik weet het. Maar ik moet op Clive wachten. Ik ga met hem trouwen.'

Flora's wenkbrauwen schoten omhoog. 'O ja?'

'Dat is het enige verstandige dat ik kan doen.'

Flora knikte begrijpend. 'En ik ga mijn verloving met Tony verbreken.'

'Echt?'

'Ja,' zei ze. 'Dat is het enige verstandige dat ik kan doen.'

Violet ijsbeerde. Rond en rond. Ze wilde de deur uit, ze wilde terug naar mevrouw Huntley en bij Clive zijn, maar ze mocht niet van Flora. Will Dalloway was al uren weg. Uren.

'Hij is een goede arts,' zei Flora.

'Het maakt weinig uit hoe goed de arts is als de patiënt doodgaat,' antwoordde Violet, feller dan ze van plan was geweest. In de nasleep van Sams dood kon ze het niet verdragen om Clive ook nog te verliezen.

Toen, eindelijk, hoorden ze de sleutel in de deur. Violet rende naar hem toe, maar hij duwde haar zachtjes weer naar binnen. Hij wilde niets zeggen tot ze allemaal in de zitkamer waren. Hij zag er uitgeput uit en zijn kleren waren vochtig.

'Het komt goed met Clive, Violet. Mevrouw Huntley heeft gezegd dat hij kan blijven tot hij sterk genoeg is om vervoerd te worden. De ontsteking zit nog niet in zijn longen en ik heb zijn gebroken enkel gezet.'

'Gebroken enkel?'

'Wist je dat niet? Hij had erge pijn en heeft veel druk op het gewricht uitgeoefend, met al dat lopen en klimmen. Waarschijnlijk zal het nooit helemaal goed genezen en blijft hij altijd mank. Maar zoals ik al zei: hij overleeft het wel.'

Violet veegde haar tranen weg. 'Hij heeft er niets van gezegd.'

'Jullie hadden allebei veel aan je hoofd. Hij heeft me verteld wat er gebeurd is.' Hij wendde zich naar Flora. 'Toen ik bij mevrouw Huntley was, werd de noodklok geluid. Tony DeLizio, jouw verloofde...'

'Ex-verloofde,' mompelde Flora.

'Hij liep over het wandelpad. En toen heeft hij een dode gevonden.'

'Sam?'

'Will schudde zijn hoofd. 'Sweetie. Zo te zien was hij uitgegleden en gevallen nadat hij...' Hij maakte een zacht gebaar naar Violet.

Flora boog haar hoofd en blies haar adem hard uit. Violet probeerde de vreugde die in haar bloed oprees niet te voelen.

'Juffrouw Zander werd gewaarschuwd en ze kwam naar het huis van de Huntleys, haar buren, om te zien of zij nog telefoonverbinding hadden. Maar ze hebben natuurlijk helemaal geen telefoon. We hebben de autoriteiten nog niet ingelicht.'

'Twee doden,' zei Flora. 'Twee doden in twee dagen. Ik moet terug. Ik moet met juffrouw Zander spreken voor iemand anders dat doet.' Flora stond op. 'Zorg jij voor Violet? Ze zal hier moeten blijven tot ze een trein naar huis kan nemen.'

'Je bent van harte welkom, Violet,' zei de dokter. 'Ik heb een logeerkamer, en ik hou met alle plezier een oogje op je tot je weer wat kleur hebt. Flora, tot aan het spoor is de weg grotendeels vrij. Zal ik je even met de auto brengen?'

'Graag.' Flora draaide zich om naar Violet, omhelsde haar snel en onhandig. 'Ik zie je gauw.'

Ze vertrokken en Violet ging bij het vuur liggen en dacht na. Clive had gezegd dat hij Sweetie niet op het pad had gezien. Was dat omdat Sweetie was uitgegleden en doodgevallen voordat Clive achter haar aan was gekomen? Of was het omdat Clive Sweetie juist wél had gezien? Sweetie was een bullebak en een opschepper. Had hij tegen Clive gezegd dat hij Violet van kant had gemaakt en dat hij hetzelfde met Clive ging doen? Clive was geen zware man, maar hij was lang en lenig. Slim.

Violet glimlachte. Het deed er niet toe. Ze zou het nooit vragen. Zij en Clive zouden hier weggaan en het leven zou opnieuw beginnen. Wat er vóór dit moment was gebeurd, deed er niet meer toe.

Will zette Flora af bij het station en bood aan om met haar mee te lopen naar het hotel.

'Nee,' zei ze. 'Ik moet nadenken. Zorg voor Violet. Ze is zwanger van Sams kind. Voor mij is ze op dit moment zo ongeveer de belangrijkste persoon ter wereld.'

Will glimlachte. 'Dat zal ik doen, Flora. Ik zou alles voor je doen.'

Maar ze wisten allebei dat dit niet het moment was om hun gevoelens uit te spreken. Flora moest juffrouw Zander instrueren over hoe de dingen verder moesten.

Twee mannen tijdens het noodweer met dodelijke afloop verdwaald op de wandelpaden. Het was een bijna perfecte verklaring voor Sams dood: het verhaal vertelde zichzelf. Sweetie en Sam waren samen gaan wandelen; het werd noodweer en ze kwamen allebei om. Het ene lichaam werd gevonden, het andere niet. Maar Flora kon het idee niet verdragen dat iemand zou denken dat Sam in gezelschap van een man als Sweetie wilde zijn. Nee, ze was van plan om Sam mee naar huis te nemen. Niet zijn lichaam – dat was verloren in de wildernis – maar tóch zou ze hem mee naar huis nemen, in haar hart, en pas als de tijd rijp was zou ze zijn dood bekendmaken en een echte begrafenis organiseren. Het idee zou haar vader en moeder wel aanspreken. Zij zouden niet graag zien dat een Honeychurch-Black tijdens een sneeuwstorm op een wandelpad verdween. Daar zouden de kranten op af komen. Vooral als het samen met die ploert was.

En dan Tony. Ze zou hem dwingen de verloving te verbreken met het dreigement dat ze anders zijn rol bij de opsluiting van en poging tot moord op Violet bekend zou maken. Dan kon ze naar huis om haar gebroken hart te laten helen, en niemand kon haar tegenhouden.

Onbedoeld had Sam haar bevrijd.

28

Zes maanden later

'Dit wordt jouw kamer,' zei Violet, terwijl ze de deur opendeed. 'En hiertegenover komt de babykamer.'

Haar moeder keek de kamer in met een gezichtsuitdrukking die ergens tussen onbegrip en achterdocht in lag. 'En hoe kun je je dit huis veroorloven?'

'Daar hoef jij je geen zorgen over te maken.'

Mama liet haar stem dalen. 'Komt het door Clive? Is hij rijk?'

Violet schudde droevig haar hoofd. Arme Clive, die amper nog kon werken door de voortdurende pijn in zijn been. Toch had hij langzaam maar zeker de kamers geschilderd en de plankenvloeren geboend. Het was maar een klein huis, een bescheiden geschenk, maar het was meer dan genoeg om hun een start te geven. De rest lag in Violets handen, en ze was van plan om hard te werken – terwijl mama en Clive op de baby pasten – om verder te bouwen op wat ze gekregen had. 'Mama. Ik kan alleen zeggen dat ik een gulle weldoener heb die liever anoniem wil blijven.'

'Nou, je hebt meer geluk dan ik ooit heb gehad,' zei haar moeder, wijzend op Violets gezwollen buik. 'Eerst krijg je die vent zo ver dat hij met je trouwt. En nu dit.'

Clive kwam achter hen staan. 'Wat vindt u ervan, mevrouw Armstrong? Wordt u hier gelukkig?'

'Ik zal gelukkig zijn als ik zie dat mijn dochter gelukkig is en mijn kleinkind ook gelukkig opgroeit,' zei mama, terwijl ze haar koffer op de vloer van haar nieuwe slaapkamer liet vallen.

'Dan zal ik mijn best doen om ze gelukkig te maken,' zei Clive, terwijl hij zijn armen om Violet heen sloeg en zachtjes over haar buik wreef.

Mama trok haar wenkbrauwen op. 'In mijn tijd zou niemand zich zo gedragen in fatsoenlijk gezelschap.'

Violet lachte. 'Ik laat je even uitpakken.' Ze was al halverwege de gang met Clive toen mama haar terugriep.

'Ik moet het weten. Je kunt het best tegen me zeggen, ik beloof dat ik het nooit zal doorvertellen,' zei ze. 'Wie is hij? Die weldoener.'

'Zíj. Mijn weldoener is een zij.'

Het idee van een vrouw met geld sloeg mama tijdelijk met stomheid.

'Ik kan je niets over haar vertellen. Ze heeft haar eigen leven. Ze gaat volgende maand trouwen. Met een dokter. Ik heb beloofd dat ik nooit zal onthullen wie ze is. Maar dit kan ik je wel zeggen.' Violet glimlachte. 'Ze is de vriendelijkste vrouw die ik ooit heb ontmoet.'

29

2014

'Stoor ik jullie?' vroeg Tomas vanuit de deuropening. Lizzie en ik zaten op de bank, omringd door lege theekopjes en gebruikte zakdoekjes.

Lizzie kwam moeizaam overeind. 'Ik moet gaan. Ik heb al te veel van je tijd opgeëist.'

'Je hoeft niet weg,' zei ik.

'Je hoeft niet weg,' echode Tomas. 'Is alles in orde?'

Lizzie probeerde te glimlachen. 'Ik laat het aan Lauren over om je dat te vertellen.'

Ik overhandigde Lizzie de schets. 'Hier, die hoor jij te hebben.'

'Nee, nee. Ik wil hem nu niet. Ik ben nog... Het is zo veel om te bevatten.'

'Dan zal ik hem voor je bewaren.'

'Dank je, lieverd.' Ze streelde mijn haar, stak het achter mijn oor. 'Je bent een lieve meid.' Toen ging ze weg en ze sloot de deur achter zich.

'Wat is er gebeurd?' vroeg Tomas.

Ik wees naar het portret. 'Violet. Lizzies moeder.'

'Nee!'

Ik vertelde het hele verhaal, al viel het niet mee om Lizzies reactie in woorden te vangen. Ze was tegelijkertijd geschokt en opgewonden geweest, verdrietig en verrukt. Ik wilde dat ik mijn mond nog wat langer had gehouden, tot ze helemaal was hersteld van haar ziekte en haar operatie. Maar toen ik eenmaal begon te praten, was alles eruit gekomen.

Mijn god, ik had haar zelfs de kopieën van de brieven laten zien.

Ze had twee regels gelezen en ze weer teruggegeven. 'Dat hoef ik niet te zien,' zei ze.

'Ze is ontzettend beschermend tegenover haar vader,' legde ik aan Tomas uit. 'Clive – de man die haar heeft opgevoed. Het was allemaal een beetje veel voor haar.'

'Dat kan ik me voorstellen.' Hij nam mijn hand en kneep erin. 'Maar je hebt gedaan wat je moest doen. Je kon het moeilijk voor haar verborgen houden.'

'Ik hoop dat alles goed met haar komt.'

'Ze is een taaie.' Hij nam me in zijn armen en kuste me. 'Ik heb nieuws.'

'Goed nieuws? Of slecht nieuws?' Diep vanbinnen dacht ik dat mijn relatie met Tomas misschien te mooi was om waar te zijn.

'Dat hangt ervan af hoe je het bekijkt.'

Ik ging op de bank zitten terwijl ik me afvroeg of ik nu degene was die de doos tissues nodig had die vlak bij me stond. 'Vertel het me maar dan.'

Hij ging op de salontafel zitten met mijn knieën tussen de zijne en boog zich naar me toe. 'De plannen voor het hotel zijn omgegooid.'

'Bedoel je het nieuwe ontwerp?'

'Ja. Ze sturen me eerder naar huis.' Mijn hart begon te vallen en te vallen, dwars door de bank heen. 'O. Hoe snel?'

'Zodra ik wil gaan. Snel, waarschijnlijk. Ik moet thuis een nieuwe klus zien te vinden.'

'En je komt niet voor januari terug?'

'Februari. Of misschien maart. Maar ik kom zeker terug. Na een maand of negen.'

Negen maanden zonder Tomas.

'Ik moet je iets zeggen,' zei hij terwijl hij rechtop ging zitten en zijn schouders rechtte. Nu kwam het. Nu ging hij het uitmaken.

'Doe het snel,' zei ik.

Hij haalde diep adem. 'Ik wil dat je meegaat.'

Ik staarde hem even blanco aan, totdat zijn woorden tot me doordrongen. 'Echt? Naar Denemarken?'

'Ik weet dat het snel is. En ik vraag je niet om met me te trouwen of je voor eeuwig aan me te binden. We hoeven niet eens samen te wonen. Mijn zus heeft een logeerkamer die je wel kunt gebruiken. Ik vraag alleen of je het serieus wilt overwegen. Je maakt geweldige koffie en je zou vast een baan vinden en...'

'Maar ik spreek geen woord Deens.'

'Dat leer je snel genoeg. Ik zou je graag helpen.'

Dacht hij soms dat ik gek was? Om naar een vreemd land te gaan met een man met wie ik nog maar een paar weken samen was? Zonder enig vooruitzicht op een baan, zonder enige taalvaardigheid, zonder enige garanties over Tomas of... wat dan ook, eigenlijk?

Ik begon te lachen.

'Wat is er zo grappig?' vroeg hij met een voorzichtige glimlach.

'Weet je?' zei ik. 'Ik ga het nog serieus overwegen ook.'

Ik stond in de personeels-wc het vuil van de dag van mijn gezicht te wassen en mijn haar te kammen toen Penny kwam binnenlopen.

'Je vader en moeder,' zei ze.

Mijn hart sloeg een slag over. 'Wat? Hier?'

Ze knikte. 'Verwachtte je ze dan niet?'

'Nee. Maar ik had het kunnen weten.' Mijn moeder had niet gebeld. Ik had haar niet gebeld. Wat ik beschouwde als een wederzijdse afspraak om elkaar een tijdje niet te spreken was voor haar juist een gelegenheid om stilletjes een bezoek te plannen en me persoonlijk te komen porren. Ik leunde achterover tegen de wasbak. 'Wat moet ik doen?'

'Je moet naar buiten komen en met ze praten. Ze komen helemaal uit Tasmanië.'

'Maar ik ben zo boos op ze en...' Ik keek op mijn horloge. 'Ik heb over tien minuten een afspraak.'

'Het is je familie,' zei ze en ze stompte me zachtjes tegen mijn schouder. 'Je moet ze vergeven.'

Ik gromde en duwde de deur open. Ik kon mijn vader en moeder nu buiten zien staan, wachtend op mij. Ze stonden met hun hoofden dicht bij elkaar te praten.

Ze kwamen op een verschrikkelijk slecht moment.

Ik pakte mijn tas, riep Penny gedag en ging toen naar buiten naar hen toe.

'Lauren!' riep mijn moeder uit en ze sloeg haar armen voorzichtig om me heen. 'Je bent afgevallen. Eet je wel goed? Wat heb je met je wenkbrauwen gedaan?'

Mijn vader gaf me een kus en zei geluidloos *sorry*.

'Jullie hadden echt eerst moeten bellen,' zei ik.

'O, we zullen je niet tot last zijn,' zei mijn moeder. 'We logeren in een bed & breakfast en we zijn hier maar een nacht of twee, tot we de dingen hebben rechtgezet. Kunnen we ergens gaan zitten om te praten? Jouw flat, misschien?'

'Ik heb over tien minuten een afspraak. Daarboven.' Ik wees naar het panoramaterras.

'Tien minuten is niet genoeg. Is het dat vriendje van je? Kun je hem niet bellen en zeggen...'

'Lauren heeft plannen,' zei mijn vader. Het was misschien de eerste keer in zijn leven dat hij haar onderbrak. 'Als ze ons tien minuten wil geven, beginnen we daar gewoon mee.'

'Kom,' zei ik, terwijl ik ze voorging over het pad.

Mijn vader en moeder gingen op de lange houten bank zitten, maar ik ging met mijn rug tegen de reling staan. Ik keek op mijn horloge en vroeg me af of dit niet een erg slecht idee was. Had ik ze niet moeten terugsturen naar hun bed & breakfast en zeggen dat ik ze morgen wel zou spreken?

'Toe dan,' zei mijn vader tegen mijn moeder.

'Goed,' zei ze. De middagzon viel in de diepe rimpels rondom haar ogen. Waren die nieuw? 'Goed,' zei ze nog eens. 'Lauren, ik begrijp dat je boos bent...'

Ik wachtte.

'Maar ik wil dat je weet dat we deze keuze hebben gemaakt... of nou ja, dat ik de keuze heb gemaakt, met je vaders instemming... omdat we dachten dat Adam bij ons thuis de beste zorg zou krijgen en...'

'Hij was verliefd, mam.'

'Hij was nog te jong om verliefd te zijn. Hij experimenteerde maar wat. Dat dachten we. En dat zou hetzelfde zijn geweest als hij gedacht had dat hij verliefd was op een meisje.'

Ik wilde haar graag geloven.

'Hoe dan ook, het was verkeerd, maar we hadden belangrijker zaken aan ons hoofd. Onze zoon had een dodelijke ziekte. We namen een foute beslissing en dat spijt ons. Dat spijt ons heel erg.'

'Je biedt je excuses aan de verkeerde aan,' zei ik. 'Je zou sorry tegen Anton moeten zeggen.'

Mijn vader onderbrak me. 'Misschien kun jij onze excuses doorgeven.'

'Misschien kun je het hem zelf vertellen,' zei ik, terwijl ik naar het eind van de weg wees. 'Want hij is degene met wie ik heb afgesproken en daar komt hij al aan.'

Anton zag ons samen en aarzelde. Ik wist dat dit moeilijk voor hem was. Het zou onze pas begonnen vriendschap kunnen ondermijnen. Maar dit was mijn zaak niet meer.

Mijn vader stond op en rechtte zijn schouders. 'Ik zou hem graag spreken,' zei hij zacht. 'Ik ben niet bang om toe te geven dat ik hem vreselijk tekort heb gedaan.'

Mijn moeders mondhoeken gingen naar beneden, als een kind dat probeert om niet te gaan huilen. Ik had medelijden met haar. Het was haar verleden dat nu bij haar terugkwam.

'Praat met hem,' zei ik vriendelijk. 'Ik wacht wel op jullie bij het café.'

Ik liep terug naar het hotel. Toen ik me omdraaide, stonden mijn ouders en Anton samen tegen de reling geleund te praten, met de schuine zonnestralen in hun rug. Terwijl ik mijn moeder van deze afstand zag staan, dacht ik aan hoe effectief ze ons allemaal onder de duim had gehouden, en het leek belachelijk. Ze was amper één meter vijftig, een dametje met een fikse boezem en een slecht permanentje. Ik kon niet verstaan wat ze zeiden, maar mijn moeder sprak en Anton luisterde. Ik wist niet hoe het zou aflopen, maar als zij haar excuses aanbood en hij die accepteerde, zouden ze misschien een begin kunnen maken.

Na afloop kwamen mijn vader en moeder bij me eten. Mijn vader was vol bewondering voor Anton en zijn stille waardigheid. Mijn moeder hield zich wat meer op de vlakte en zei dat ze er niet over wilde praten.

We aten pizza en probeerden het gesprek luchtig te houden, maar toen deelde mijn moeder de genadeklap uit.

'Dit huis is heel klein,' zei ze.

'Groot genoeg voor mij.'

'We hebben niets aan je slaapkamer veranderd.' Ze glimlachte. 'Het wordt tijd dat je naar huis komt, hè?'

'Naar huis?' Ik keek over haar hoofd naar mijn vader, die me veelbetekenend aankeek.

'Je bent nu al maanden weg,' zei ze. 'Ik zou je gezelschap wel kunnen gebruiken. Ik mis je.'

Ik veegde mijn vette pizzavingers af aan een servetje en nam toen zachtjes haar hand in de mijne. 'Mam,' zei ik. 'Ik kom niet naar huis.'

Ze pruilde. 'Waarom niet?'

'Omdat ik naar Denemarken verhuis.'

'Gaat het?'

Lizzie knikte. Ze had hooguit zes woorden gezegd sinds Tomas ons die ochtend had opgehaald om ons naar het station te brengen. Inmiddels rammelden we door de buitenwijken van Sydney en ze zag duidelijk bleek.

'Je hoeft dit niet te doen, weet je,' zei ik, maar ik meende het niet en dat wist ze waarschijnlijk. Het had me weken gekost om een ontmoeting tussen haar en Terri-Anne Dewhurst te regelen. Wat Terri-Anne betreft kon het niet snel genoeg.

'Ze is mijn moeders nicht!' had ze uitgeroepen. 'Ze is vlees en bloed van de Honeychurch-Blacks. We zullen haar met open armen verwelkomen. Ik kom wel naar jullie toe, en als dat te overweldigend voor haar is kan ik haar ook in Sydney ontmoeten.'

Maar Lizzie had allerlei tegenwerpingen gemaakt. 'Hij was mijn vader niet. Clive Betts was mijn vader. Hij heeft me opgevoed. Dat is wat een vader doet.' Sams brieven aan Violet waren meer dan ze kon verdragen. Ze vernietigden de droom van haar eigen verleden, waarin haar moeder en vader dol op elkaar waren geweest. Jonge liefde, eerste liefde.

'Ik móét dit doen,' zei Lizzie nu tegen me, terwijl de trein voorthobbelde. 'Ze is helemaal hiernaartoe gekomen.'

'Vanuit Goulburn maar.'

'Maar dan nog.' Toen zei ze: 'Als ze me maar niet in haar familie wil opnemen. Ik heb mijn eigen familie al.'

'Ze wil je gewoon leren kennen.' Ik haalde de schets van Violet uit mijn tas en gaf hem aan Lizzie.

'Wat?' zei ze.

'Toe dan. Rol uit.'

Ze deed het en streek de schets glad op haar schoot.

'Je vader. Clive. Hij heeft dit getekend.'

'Dat heeft iemand anders geschreven,' zei ze, terwijl ze met haar vinger naar het *Mijn Violet* boven aan het vel wees.

'Ja, maar Sam heeft het niet getekend. Kijk dan. Kijk er eens echt naar. Je kunt in elke lijn de liefde zien. En haar ogen. Ze zijn zo kwetsbaar. Volgens mij kun je zien dat zij ook van hem hield.'

'Ze heeft niet mijn váders initialen in die rotswand gekerfd die jij hebt gevonden.'

'Nee, maar zoals ik al zei heeft ze die initialen weer doorgekrast. Misschien had ze een dwaze, kinderachtige verliefdheid opgevat voor Samuel Honeychurch-Black. Maar toen ze ontdekte dat ze zwanger was, was het jouw vader naar wie ze toe ging. De man die jou opvoedde en van je hield alsof je zijn eigen kind was, en die nooit heeft laten merken dat je dat niet was.'

Lizzie bestudeerde de tekening lange tijd. Haar ogen werden vochtig. 'Ik wilde dat ik wist wat er gebeurd was.'

'We weten wat er gebeurd is. We weten dat Violet wegging uit de Evergreen Spa en daarna een bevredigend leven had. Dat ze jou kreeg. Dat ze een liefdevolle relatie met je vader had.' Ik stak mijn arm door de hare. 'Kom op, Lizzie. Lach eens.'

'Ik ben hier te oud voor, Lauren. Geheime vaders en sensuele oude liefdesbrieven. Ik wil gewoon weer geloven dat mijn vader en moeder getrouwd zijn omdat ze van elkaar hielden, dat ik was gepland, ge-wild...' Ze schudde haar hoofd. 'Een normaal gezin.'

'Ik geloof niet dat zoiets bestaat. Dat weet je.'

De trein reed het station in.

'Ben je er klaar voor?'

'Zo klaar als maar kan.'

Ik wees uit het raam. 'Kijk, daar is Terri-Anne. Ze heeft wat men-sen bij zich.'

'Ik ben niet zo goed met namen,' zei Lizzie, die ineens erg oud klonk.

'Gewoon lachen en ontspannen. Ik ben bij je.'

We stapten samen het perron op, waar Lizzies nieuwe familie al stond te wachten om de nicht te verwelkomen die ze nog nooit had-den gezien.

Epiloog

1927

Violet doet haar ogen open. De slaap trekt zich terug en de wonderen van de afgelopen nacht komen weer boven. Ze glimlacht en rolt zich op haar zij. Daar is ze dan: klein, roze en stevig in een witte gebreide deken gewikkeld, vredig slapend in het wiegje naast Violets ziekenhuisbed. Violet steekt haar hand uit naar haar dochter, die nog maar een paar uur geleden geboren is, en streelt haar zoete, zachte haartjes.

Een schaduw bij de deur. Ze kijkt op. Daar staat Clive. Hij kijkt gelukkig, maar ook onzeker, kwetsbaar.

'Ik heb je toch niet wakker gemaakt?' vraagt hij.

'Nee. Ik ben te opgewonden om lang te slapen.'

Hij trekt een stoel naast haar bed en neemt haar hand in de zijne. 'Ik heb nog nooit zoiets bijzonders gezien,' zegt hij.

'Waarom ben je niet weggegaan toen ze zeiden dat dat moest?'

'Omdat een man niet elke dag zijn kind geboren kan zien worden.'

Zijn kind. Violets ogen lopen vol tranen. 'Je vindt het dus niet erg? Dat het Sams baby is.'

Clive brengt haar hand naar zijn mond en kust hem zachtjes. 'Dit is niet Sams baby,' zegt hij langzaam, zeker. 'Dit is ónze baby. Ik zal haar liefhebben, koesteren en geven wat ik maar kan: mijn tijd, mijn geld, mijn lichaam, mijn ziel. We zijn een gezin, Violet. En ik hou van je, met grote passie.'

Passie. Ooit had ze gedacht dat het woord iets anders betekende. Iets snels en heets, als de bliksem. Nu beseft ze dat passie een diepe bron is, oeroud en onpeilbaar. Ze komt langzaam op, als de vloed, maar als dat gebeurt is ze machtig en onwankelbaar en zet ze dingen in gang. Echte passie is niet tevreden met dromen alleen. Ze is bestendig. Clive houdt met passie van haar; een passie die elke dag groeit en die doorklinkt in elk woord, in elke streling.

Ze kijkt in zijn dierbare gezicht en laat haar tranen rollen. 'Ik ben zo'n dwaas geweest,' zegt ze.

'Van tijd tot tijd zijn we allemaal dwazen. Misschien zul je nog weleens een dwaas zijn: wie zal het zeggen? Ik blijf evengoed bij je.'

'En ik bij jou,' belooft ze met een hand op haar hart. 'Jij bent de ware.'

'De ware?'

'Dat is niet altijd vanaf het begin al duidelijk,' zegt ze.

Het kleine meisje wordt wakker en laat een zacht kreetje horen. Clive tilt haar op uit de wieg en ze is onmiddellijk stil. Hij houdt haar in zijn armen en kijkt op haar neer met verwondering op zijn gezicht. 'Zolang als ik leef zal ik van je houden, kleine schat,' zegt hij tegen de baby, tegen zijn dochter. 'En als ik doodga, word ik een ster en dan hou ik vanuit de hemel van je.'

Violet kijkt naar hem en voelt vrede in haar hart.

Dankwoord

Zoals altijd bij het schrijven van een roman was ik afhankelijk van de goede wil en steun van vele anderen. Ik wil met name Selwa Anthony, Brian Dennis, Vanessa Radnidge, Heather Gammage, Paula Ellery en mijn collega's aan de universiteit van Queensland bedanken. Ik heb een groot deel van dit boek geschreven terwijl ik bij Bill en Maria in het Whispering Pines Hotel logeerde, vlak bij Wentworth Falls, en ik bedank hen met name. Speciale vermelding verdienen mijn gezinsleden, die er inmiddels wel aan gewend zijn dat ik tijdens het schrijven hun behoeftes negeer. Luka, Astrid, Ollie, mam en Ian: ik hou van jullie met heel mijn hart.

Ten slotte, ook al is ze niet meer onder ons, dank ik mijn grootmoeder, Stella Vera Spencer, voor haar levendige en gedetailleerde memoires die de inspiratie vormden voor zo veel aspecten van dit boek.